Narrativa del Acantilado, 36
TIERRAS DE SANGRE

DIDÓ SOTIRÍU

TIERRAS DE SANGRE

TRADUCCIÓN DE CÉSAR MONTOLIU

BARCELONA 2002  ACANTILADO

PRIMERA EDICIÓN *noviembre de 2002*
TÍTULO ORIGINAL *Matomena Jómata*

Publicado por:
ACANTILADO
Quaderns Crema, S. A., Sociedad Unipersonal

Muntaner, 462 - 08006 Barcelona
Tel.: 934 144 906 - Fax: 934 147 107
correo@elacantilado.com
www.elacantilado.com

© Dido Sotiriou, 1962, 1983
Kedros Publishers, S. A., 1983
© de la traducción: 2002 by César Montoliu
© de esta edición: 2002 by Quaderns Crema S.A.

Derechos exclusivos de edición en lengua castellana:
Quaderns Crema, S.A.

ISBN: 84-95359-95-2
DEPÓSITO LEGAL: B. 46.854- 2002

Esta traducción ha recibido el premio Antonio Tovar
de traducción (2001) de la Asociación Hispano-Helénica.

JULIO HURTADO *Corrección de pruebas*
PERE TRILLA *Asistente de edición*
MARTA SERRANO *Gráfica y fotografía de cubierta*
ENRIC MORA *Preimpresión*
ROMANYÀ-VALLS *Impresión y encuadernación*

TABLA

Prólogo a la primera edición

Hace cuarenta años que la población griega de Asia Menor fue expulsada de su ancestral morada. Ese destierro es uno de los capítulos más estremecedores de nuestra historia reciente.

Los que vivieron en medio de aquella convulsión van desapareciendo uno tras otro y con ellos desaparece su testimonio. La memoria popular se pierde o se embalsama en los archivos. «No esperes lágrimas del ojo del muerto», dice un proverbio de Asia Menor.

Me he dejado cautivar por la memoria de los vivos. He escuchado con amor y compasión sus corazones. En ellos tienen depositados sus recuerdos como si fueran ramos y coronas pascuales en un iconostasio.

Detrás de Manolis Axiotis, el principal narrador del libro, se esconde un campesino de Asia Menor que conoció los batallones de trabajo entre 1914 y 1918, que más tarde vistió el uniforme griego, que vivió el Desastre de 1922, sufrió cautiverio y conoció la cruda vida de un refugiado para luego pasarse cuarenta años de estibador y sindicalista, además de haber combatido en la resistencia contra la ocupación alemana.

Ya jubilado, vino a verme un día para entregarme un cuaderno con sus recuerdos. Se había sentado pacientemente a escribir con sus pocas letras todo lo que habían visto sus ojos durante más de sesenta años.

De testigos presenciales así obtuve el material que necesitaba para escribir esta novela y ello con el único pro-pósito de recrear un mundo que se ha perdido para siem-pre. Para que los viejos no olviden. Para que los jóvenes se formen una opinión certera.

DIDÓ SOTIRÍU
1962

VIDA PACÍFICA

I

Hasta los dieciséis años no tuve zapatos ni ropa nueva que ponerme. A mi padre sólo le preocupaba una cosa: comprar cuantas más fincas, olivos e higueras mejor. Mi madre tuvo catorce partos, pero sólo le sobrevivieron siete hijos y, de ellos, a cuatro se los llevó la guerra. No recuerdo que mi padre me diera nunca ni un céntimo para comprar caramelos o rosquillas como los demás niños. Un día que tenía que comulgar con mis dos hermanos pequeños, fuimos a pedirle la bendición con la secreta esperanza de que nos diera algo. Pero él, al darse cuenta de que lo que queríamos era dinero, se enfureció y casi nos pega. Fuimos entonces a besarles la mano a nuestros padrinos por si de ellos sacábamos algo y nos pusimos como locos al ver que nos daban una piastra a cada uno. El menor, Stamatis, se fue directo a la tienda de ultramarinos del señor Thódoros, que tenía unos caramelos de colores grandes como puños y sació con ellos su glotonería. Yoryis y yo estábamos empeñados en otra cosa. Nos pirrábamos por tener un juguete entre las manos. Yoryis compró la primera trompeta que encontró, pero yo no me apresuré, quería lo mejor. Cuando por fin me topé con un ratoncito gris de hojalata, lo cogí y no dudé ni por un instante en pagar por él todo el dinero que me habían dado.

Volvimos a casa alardeando de nuestras compras. Mi hermano se pavoneaba sin despegarse ni un momento la trompeta de los labios. Yo me tumbé cuan largo era, puse con cuidado el ratón en el suelo, le di cuerda en la tripa y al verlo correr de aquí para allá, empecé a gritar:

—¡Se mueve! ¡Está vivo!

Acudieron mis hermanos y se pusieron como locos por ver quién era el primero en darle cuerda al ratón. No sentí mayor emoción en toda mi infancia. Estando entregados al placer del juego, percibí por el rabillo del ojo cómo se crispaba el semblante de mi padre. «¿Qué le pasará ahora?», pensé. Y, antes de hallar respuesta, oí que ordenaba enfurecido:

—¡Eh... vosotros! Traedme aquí esos trastos.

Sin darle tiempo a acabar de hablar, agarré el ratón, me lo metí en la camisa y bajé de cinco en cinco las escaleras de la galería. Mi hermano Yoryis no me siguió, no sé si porque se olió el peligro o porque no se atrevió a plantarle cara. Se acercó a mi padre, le entregó la trompeta y se quedó mirándole de hito en hito, aterrorizado. Mi padre la agarró, la retorció con sus pétreas manos y acto seguido la tiró a la lumbre.

—¡Ahí tenéis, granujas!—dijo—. Para que aprendáis a gastaros el dinero en zarandajas. ¿Es que no podéis compraros un cuaderno o un lápiz?

Era la primera vez que me rebelaba y me enfrentaba a la ceguera del poder. ¿Quién me iba a decir a mí que iba a tener que enfrentarme a ella durante el resto de mi vida?

Mi madre era mujer cariñosa y paciente. El mal carácter de su marido la hacía ser siempre sumisa, tener siempre buenas palabras y la sonrisa en los labios: «Si al marido cascarrabias no le llevas la contraria», solía decir, «será tu esclavo.» Ahora bien, sólo ella sabía a qué casta de esclavos pertenecía mi padre, que tuvo con él un regimiento de hijos.

Pero una vez le llegó a plantar cara, una sola y única vez, en que vio a mi padre pegándome con tanta inquina que empezó a chorrearme la sangre a borbotones de la nariz y la boca. Se metió entonces por medio desplegando los brazos como aspas y con los ojos empapados en lágrimas le chilló aterrorizada:

—¡Desgraciado, que lo vas a matar, que es sangre de tu sangre!

La causa de aquella salvaje paliza fue una moneda de diez cuartos que me había dado mi padre para que fuera a la tienda de ultramarinos a comprar sal. Sabía lo que me esperaba si la perdía y por eso la agarré con tanta fuerza que me sudaba la palma de la mano. Y de camino, ¿pues no me encuentro a un gitano con un mono? Un babuino la mar de listo, que hacía ora de maestro, ora de señorita, ora de boticario. Era muy, pero que muy divertido. La gente formaba corro alrededor y estaba embobada, pero a la hora de pagar, casi todos desaparecieron. Vino entonces el mono, se paró delante de mí y me tendió la pandereta. Nos miramos a los ojos. No lo pude resistir, la palma de la mano se aflojó solita y clin, clan, clon, mi monedita de diez cuartos cayó en la pandereta.

Al volver a casa con las manos vacías, no conté la verdad, sólo dije que había perdido el dinero. Era lo que faltaba. Mi padre se puso hecho un basilisco y del susto pegué tal salto del piso de arriba a la calle que estuve a punto de matarme. Pero, no satisfecho con ese acto mío de desesperación, salió tras de mí y, cuando Jabéroglu, un vecino, me pilló y me entregó a mi padre, me pegó una paliza de aquí te espero. A partir de aquel día, cada vez que veía a mi padre fuera de sí, abría aquellas zancas que tenía por piernas y me orinaba encima. Y, sin embargo, al final le acabé perdonando todas sus perrerías. Aunque la intervención de aquel metomentodo de Jabéroglu ni la entendí ni se la perdoné nunca.

En casa se respetaban sólo dos autoridades: la de Dios y la de nuestro padre. A ellas habíamos unido nuestra existencia. A nuestra madre la veíamos como al sol cuando está nublado, que se adivina, pero no calienta. Nunca encontraba tiempo para hacernos una caricia, para sentarnos en su regazo o para contarnos un cuento. Todos los días del año se despertaba al alba, prendía la lumbre y ponía a cocer un puchero que tenía que alcanzar para todas aquellas bocas. Y siempre con algún mocoso berreando en la cuna. Se tenía que ocupar de los animales, preparar la artesa, amasar, lavar, llevar la casa, coser. Todo el pueblo hablaba de lo limpia y lo buena ama de casa que era.

La verdad es que a mi viejo también lo respetaba la gente, porque era hombre de palabra, honrado en los negocios, hospitalario y trabajador. Claro que a ello contribuía lo buen mozo que era, esbelto y moreno, ojos azul oscuro y recia dentadura, que se llevó intacta a la tumba. Por eso no cabía en mí de gozo cuando las vecinas le decían a mi madre: «Tu hijo Manolis es clavado al tío Dimitrós.»

Mi padre se levantaba de la cama todavía de noche, con las estrellas. Primero se ponía el fez y luego los bombachos de fieltro, las polainas y las botas. No llevaba calcetines, decía que le molestaban y que no eran buenos para la salud. Se lavaba armando mucho ruido. Se santiguaba delante de los iconos. Tostaba un poco de pan de trigo al rescoldo, lo empapaba en vinazo, se comía un par de aceitunas, escupía el hueso y varias maldiciones para conjurar la mala suerte y echaba a andar para el campo, tieso y con paso ligero.

Trabajaba de dieciséis a dieciocho horas sin interrupción. Él solo levantaba pesos de siete y ocho arrobas y nunca se le oía protestar. Azada y arado cedían obedientes en sus manos. Los animales le temían y querían a la vez porque los cuidaba mejor de lo que nos cuidaba a nosotros.

De anochecida volvía a casa sin recalar en café alguno. Cogía la botella de anís, echaba varios tragos y se comía lo que le había guardado mi madre. Según el día, nos pegaba a dos o tres de nosotros; luego se echaba a dormir exhausto, y toda la casa se estremecía con sus ronquidos. No había manera de hablar con él, ni domingo, ni festivos. Ninguno de nosotros se atrevía a abrir la boca en su presencia. Habíamos aprendido a decírnoslo todo con la mirada: la rabia, las penas, las trastadas o las alegrías. Sólo cuando el azar quería que estuviera de buen humor, algún domingo, cuando nos sentábamos toda la familia a la mesa, sólo entonces gustaba de hacerme levantar a mí, a quien siempre consideró el lumbrera de la casa, a decir el paternóster. Yo no entendía ni jota de lo que decía aquella oración y un día le pregunté a mi madre:

—Oiga, madre, «pa» ya sé lo que quiere decir, pero lo de «ternóster» no lo acabo de entender.

Entre todos mis hermanos al que yo prefería era a Yoryis, que adivinaba mis pensamientos antes de que yo abriera la boca y siempre estaba de acuerdo conmigo. Era unos dieciocho meses menor que yo. Un niño sensible, delicado, con unos dedos largos y delgados muy peculiares que eran la admiración de las niñas porque no había nadie más que los tuviera así en el pueblo. Y es que el mucho trabajar nos había endurecido tanto las manos a todos que parecían de madera.

Yoryis siempre llevaba encima lápiz, carboncillo y piedra caliza y, cuando no lo veían los mayores, se ponía a dibujar animales, personas, paisajes. Un día que le mandó mi padre a acompañar a un extranjero a las ruinas de Éfeso, el chaval llenó los mármoles de dibujos. Y el extranjero le dijo: «Tú, buen pintor.» Y cogió nuestras señas y le mandó unas pinturas y unos pinceles por correo. A partir de entonces Yoryis empezó a hacer dibujos de colores. Pintaba obispos y santos y vírgenes y capitanes de la Revolución de 1821. Mi padre cogía y vendía sus obras por las ferias, unas veces a escondidas y otras no.

Mis cuatro hermanos mayores se pasaban la vida trabajando. Allí nadie vivía de la sopa boba. Sofía, por ser la mayor, cargaba con todo el peso de la familia. Se convirtió en nuestra segunda madre, horas y horas doblada sobre la artesa y el brasero, con la labor entre las manos o faenando en el campo. No sé si tuvo alguna vez un momento para ver en el espejo lo bonita que era, igualita que la Virgen de la Misericordia. Quienes se lo hubieran podido decir y la hubieran podido estrechar entre sus brazos no alcanzaron a hacerlo. Dos hombres la amaron con pasión y pidieron su mano. Y a los dos se los llevó la guerra. A uno la del 12 y al otro la del 14.

¡Cuántos disgustos se llevó mi hermana mayor! Tímida y recatada como era, creyó que ésa era toda su parte de alegría en la vida y ya no le echó el ojo a ningún otro hombre. Hasta los mozos del pueblo se habían amilanado y ni se le acercaban. Decían: «El que se enamora de Sofía la palma. Está de Dios.» De modo que se le marchitó y agostó y avejentó el corazón antes de tiempo. No pedía nada y daba cuanto podía. Los chicos que venían detrás de ella—Kostas, Panagos y Mijalis—siguieron los pasos de mi padre. Lo de estudiar no se les daba muy bien, pero sí lo de gobernar el mundo. Eran recios y fuertes como un toro y trabajadores hasta decir basta. Ellos fueron los que sacaron a mi padre de bastantes apuros. Cuando se hicieron mayores y se pusieron con ahínco a trabajar la tierra y consiguieron una o dos buenas cosechas de uvas, higos y tabaco y nos quitamos de encima las deudas de una de las fincas, y luego pagamos las de otra, y las de otra más, al viejo Dimitrós Axiotis se le escapó una sonrisa de entre los labios, se ladeó el fez, se amansó por un instante y empezó a hablar con naturalidad a pesar de haber sido siempre hosco, seco e intratable. Pero para que entendáis cómo conseguía un tenaz labrador sacar con sus propias manos un buen capital de la nada, os tengo que contar cómo era nuestro pueblo y cómo era nuestra vida en Turquía antes de que estallaran las guerras de los Balcanes y la maldita Guerra del 14.

Si existe lo que llaman el paraíso, nuestro pueblo, Kırkıca, se le parecía bastante. Vivíamos cerca de Dios,

17

en lo alto, a horas de camino, en medio de verdísimas montañas desde donde podíamos divisar toda aquella fértil llanura de Éfeso que llegaba hasta el mar, todo higueras y olivos, campos de tabaco, de algodón, de trigo, de maíz y de sésamo.

En Kırkıca no había terratenientes que nos chuparan la sangre y en aquella época poco podían esquilmarnos las casas de empeño. Todos los labradores eran dueños de su tierra. Todos tenían casa de dos pisos, y también casa de campo, con melonares, nogales, almendros, manzanos, perales y cerezos y, para su solaz, jardines llenos de flores. ¡Qué poco les costaba con aquellas aguas cristalinas y aquellos cantarines riachuelos que borboteaban en invierno y en verano! Cuando el trigo y la cebada estaban en cierne, nuestros campos parecían un mar del color del oro. Y aceitunas tan hermosas como las nuestras no las había en ningún otro lado. De carne generosa, prieta, lustrosa, negras y orondas como está mandado. Buen negocio era también el aceite, aunque con lo que realmente se llenaban las arcas del pueblo era con los higos, famosos no sólo en la provincia de Aydın, sino en todo Oriente, y en Europa, y en Estados Unidos. Higos de fina piel, sedosos, de pulpa dulce y dorada como la miel, empapados de todo el calor y toda la dulzura de Oriente.

Dios había dado a aquellas tierras nuestras otra bendición más, las marismas, que marejadas y mareas impedían distinguir del mar. Todos los días se paraba el tren en la estación de Ayasuluk para que viajeros y mercaderes se pudieran aprovisionar de ristras de pescado, fresco y sabrosísimo, y cada ristra de unas siete u ocho libras. Y uno detrás de otro los hornillos con las sartenes, y los vendedores ambulantes, que no daban abasto a freír. Aquellas aguas regalaban nuestros prados con eternas primaveras. Los animales encontraban pasto más que abundante y cuando se tumbaban parecían nobles turcos bien cebados.

En verano Kırkıca se quedaba vacío, con sólo un puñado de policías. Toda la demás gente se iba a sus casas de campo. Pero nada más acercarse el mes de octubre y la feria de San Demetrio todo el mundo volvía al pueblo. Las mujeres se ponían a limpiar y a encalar. Empezaban por los cacharros de bronce y terminaban por la calle. El pueblo acababa tan reluciente que daba apuro pisar. Las tiendas, los cafés, las dos iglesias y las tres escuelas, hasta el cuartelillo de la policía, que era la única casa turca que había en el pueblo, todo se adornaba con arrayanes y laureles.

Las cosechas se vendían a buen precio y el semblante de pequeños y mayores resplandecía de alegría. Familias enteras cogían la faltriquera y bajaban a Esmirna por las provisiones para el invierno y a comprar ajuares y alhajas. Los mozos se hacían bombachos nuevos y se compraban pañuelos de seda para la cabeza y cascabeles para el fez, y las muchachas, corre que te corre a hacerse vistosos vestidos de satén, y venga collares de monedas de oro, de dos y hasta de tres vueltas, cada una según sus posibles.

Y empezaban los dimes y diretes para concertar matrimonios, que todas las bodas se celebraban para San Demetrio. Los popes no daban abasto. De quince a veinte parejas esperaban turno para casarse.

También había bulla y jolgorio en el pueblo el día de San Juan Teólogo. Era la fiesta de la hombría. Recios muchachotes, con pistolas y dagas al cinto, montaban sus bien adiestrados corceles y se retaban en campo abierto. Pero para la fiesta de la Trinidad, cuando las cerezas empezaban a estar en sazón, ¡bueno!, entonces a caballo no sólo se veían varones: a lomo de las cabalgaduras iban también las chicas, alegres, ufanas, ataviadas de arriba abajo con monedas y collares. ¡Y a ver quién era el que ganaba en aquella época a un jinete de Kırkıca!

Día y noche sonaban por el campo violines, laúdes, bandurrias y timbales. Bajo los árboles se bailaban karsilamases, jasápikos y zeybékikos. Los cuerpos, despojados de las fatigas cotidianas, saltaban hasta el cielo como lenguas de fuego y recibían el beso de la brisa y la luna los acariciaba, y en eso nos sorprendía la aurora. Apenas si teníamos tiempo de volvernos a poner la ropa de faena y de coger el azadón.

Jamás dejábamos fiesta sin celebrar. ¡Qué Navidades! ¡Qué Nocheviejas! ¡Qué Reyes! ¡Qué carnavales! ¡Qué sábados de Gloria! Los recién casados siempre celebraban el primer lunes de Cuaresma a su manera. Salían al campo, encendían hogueras, asaban castañas, bebían anís y se contaban sus golferías: cómo se habían enamorado de sus mujeres, cómo se habían amancebado a escondidas con ellas antes de que fuera el casamentero oficial a concertar la boda, a qué triquiñuelas habían recurrido para que no se lo olieran sus padres, sus tías, sus vecinos.

No sé si sería el ardor de Oriente o aquella tierra ubérrima lo que nos impelía a cantar. Cantando nos levantábamos y cantando vivíamos las alegrías o sobrellevábamos las penas. Todo mozo que decidiera casarse tenía que construirse primero una casa. Era la dote imprescindible. Nunca la ponía la mujer. Pues bien, en cuanto echaba los cimientos, acudían amigos y vecinos a ayudarle, a traer piedra, a trabajar el barro. Y todo siempre al compás de arrebatadas canciones de amor.

Y tampoco se concebían sin canciones las faenas del campo. De octubre a febrero recogíamos la aceituna. De febrero a marzo escardábamos. De abril a julio nos poníamos con el tabaco, luego empezaban la vid, los higos. Por montes, campos y quebradas resonaban nuestras canciones. Pero ¿cómo iban a ser aciagos nuestros días y siniestras nuestras noches si no nos preocupaba lo más mínimo el mañana ni teníamos miedo a la muerte? Hasta 1914 no se supo en el pueblo de ninguna muerte violenta, salvo una sola y única vez en que dos mozalbetes se batieron en duelo, pública y limpiamente, ante testigos, por el corazón de una beldad.

Cerca del pueblo estaban las famosas ruinas de Éfeso, que, a decir verdad, nos traían bastante sin cuidado. Aunque nuestras casas—desde las cornisas hasta las escaleras—tenían ornamentos que procedían de las ruinas. Pero lo más importante era que a nuestro pueblo lo citaban los libros griegos con el nombre de Éfeso de Arriba y eso, por lo visto, atestiguaba nuestro antiquísimo origen.

Todo eso lo aprendí de un maestro que habían hecho venir de Samos, don Pitágoras Larios. El buen hombre estaba loco por las ruinas. ¿Dónde estará el maestro? ¿Dónde va a estar? Paseando por ahí, en el templo de Ártemis, en el teatro, en el castro bizantino, en la Torre de la Persecución.

Había elegido nuestro borrico para ir y venir. Pero mi padre no se fiaba de él y me decía:

—Ve tú también con ese memo, no vaya a perder la montura y tengamos que pagar nosotros los platos rotos. Parece un iluminado. Dicen que habla solo y siempre a las mismas horas: al amanecer, al anochecer y con luna llena. Y lo que habla, ni griego ni turco parece.

Un día le oí yo también con mis propios oídos y entonces le pregunté:

—¿Qué lengua está hablando, señor maestro?

—Griego antiguo—me respondió desternillándose de risa—. A ver, Emmanuíl, ¿cómo se llama vuestro médico? ¿Lo sabes?

—¿El médico? Pero ¿cómo no voy a saberlo? Se llama Homero.

—¡Muy bien! Pues lo que yo recito también es Homero.

De paseo por las ruinas de la vieja y de la nueva Éfeso, el bueno del maestro se ponía a hablarme de Homero, que por lo visto era compatriota nuestro, y acababa con una retahíla de nombres, que no consigo recordar. De cualquier piedra que levantaras te endilgaba una historia. Con los ojos y los oídos abiertos de par en par, yo sorbía todo aquello, que era la primera vez que oía, y me lo aprendía de memoria igual que el paternóster.

Me decía que Éfeso, cuya antigua grandeza había deslumbrado al mundo entero, había sido fundada por Androclo, hijo de Codro, rey de Atenas. Pero que eso, de todos modos, no era del todo seguro porque es posible que los primeros en llegar fueran un millar de esclavos de Samos, que se sublevaron, huyeron de donde sus amos y aparecieron por nuestros pagos. Yo prefería esta última versión y, cuando iba a las ruinas con mi hermano Yoryis a cazar pichones, se me representaban vivos aquel millar de machotes.

Por las ruinas bizantinas también nos dábamos el maestro y yo buenos paseos, y también allí me contaba historias de emperadores que habían pisado aquellas tierras, del apóstol Pablo, que había predicado allí, y un montón de cosas más. De todo lo que me contó, lo que mayor impresión me causó fue lo del número siete. Por lo visto, el templo de Ártemis era una de las siete maravillas del mundo. Pero es que además la iglesia bizantina de San Juan Damasceno también era una de las siete estrellas del Apocalipsis. Incluso la cueva en la que nos metimos un día para guarecernos de un chaparrón se llamaba también «la cueva de los Siete Niños Durmientes».

A mi padre todas aquellas idas y venidas con el maestro y la sed de aprender que me embargó no le gustaban nada. ¿Por qué demonios iba a dejar el campo para ser un «Gutemmerio»? Así habían bautizado los niños a don Pitágoras porque, cuando los pillaba sin un libro entre las manos, les pegaba en la cabeza con la enorme llave de hierro de su casa y les decía: «¡Ya es desgracia que para vosotros sea como si Gutenberg todavía no hubiera nacido!»

Pero cuando venía gente a la vieja y a la nueva Éfeso, europeos y norteamericanos, y empezaban a rondar por nuestras ruinas, vestidos a la europea y hablando lenguas extranjeras, acompañados de sabios griegos, entonces a los habitantes de Kırkıca, y a mi padre más que a ninguno, se les henchía el pecho de orgullo. Algo especial debía de tener nuestro pueblo. «Y llegará el final de los tiempos... Y resucitará el Rey de mármol», nos arengaban los popes, y todavía ardíamos más en deseos por unirnos a Grecia.

Turcos no había en el pueblo, aunque fuera el turco la lengua que habláramos. Como llama incandescente ardía sin embargo en nuestro pecho el amor por Grecia, nuestra patria. Los turcos de los pueblos de los alrededores, Kireçli, Havuçlu, Balacık, nos respetaban y admiraban porque decían que éramos listos y trabajadores. Y nosotros, justo es decirlo, nunca les dimos motivos para que cambiaran de opinión. Sólo teníamos buenas palabras y buenas propinas para ellos. No había día que no bajaran aldeanos turcos a nuestro mercado. Traían leña, carbón, aves de corral, nata, huevos, queso: todas las delicias de Oriente. Lo vendían todo en el mercado, luego compraban en nuestras tiendas lo que necesitaran y por la noche se volvían para sus pueblos. Algunos se quedaban convidados en casa de algún amigo. Comían pan con nosotros y dormían en nuestros jergones. Lo mismo hacíamos nosotros cuando íbamos a sus pueblos a comprar bueyes o caballos o a apalabrar toda la leche del año. Cuando nos encontrábamos por el monte, nos hacíamos reverencias y nos deseábamos buenos días y buenas tardes. «Sabahlarınız hayır olsun!» «Akşamlarınız hayır olsun!»

Para la fiesta de san Demetrio se llenaba el pueblo de unos turcos que venían de muy lejos, de la parte de Konya.

Se llamaban kirlíes y eran unos hombres corpulentos, curtidos por el sol y las faenas del campo. Los kirlíes eran aparceros, no poseían un palmo de tierra y el terrateniente turco para el que trabajaban los maltrataba y los explotaba. Todo el año con el estómago vacío y un hambre atroz, aquellos cuerpos atormentados no conocían jamás el tacto de la ropa nueva. Llevaban generaciones comprando zaragüelles y capotes de viejo, raídos y mil veces remendados.

Viendo que su vida no valía para nada, decidieron emigrar para librarse del terrateniente. Se pusieron, pues, a recorrer los pueblos de alrededor arrendando la fuerza de sus brazos. Trabajaban tan duro como un tractor de hoy en día. De dos azadazos y una patada arrancaban encinas, cedros y pinos gigantes. Les dabas diez o doce acres de terreno, todo bosque y pedregal, que diríanse imposibles de desbrozar, y te devolvían un campo fértil, listo para recibir la mies. Campos que los griegos faenaban un año o dos y luego registraban ante las autoridades turcas, con lo que obtenían, sin demasiadas formalidades, el título de propiedad.

Así es como llegó a ser propietario mi padre y a plantar unos huertos que eran la envidia de todos. Ponía a los kirlíes a trabajar y él cogía el fusil, las dos dagas y unas cuantas galletas de cebada y se iba de caza durante veinte o treinta días. Cazaba jabalíes, los iba vendiendo por los pueblos, reunía dinero y volvía para pagarles el jornal a los turcos.

Los kirlíes celebraban las fiestas cristianas lo mismo que nosotros. Era la única ocasión que tenían de comer todo lo que les pedían aquellos corpachones. No había casa griega en la que no se les ofreciera lo mejor que hubiera. Por año nuevo los kirlíes tenían por costumbre plantarse junto a las fuentes, y nuestras mujeres, cuando iban por agua, les llevaban bandejas con dulces, hojaldres, turrón y roscones de año nuevo. ¿Que era el primer lunes de Cuaresma y empezaba el ayuno y la gente del pueblo se ponía a restregar las ollas para que no quedara en ellas ni un ápice de grasa? Pues aquél era para los kirlíes el día más hermoso de su vida. En cada casa se les daban fuentes enteras con tortas de queso y huevo, platos de pasta, dulces. Y los kirlíes, risueños y felices, deseaban larga vida a matronas y comadres:

—*Çok senelere abla, ablacıyım!* (¡Larga vida te dé Dios, madre, madrecita!)

Cuando llegaba con el mes de abril la fiesta de San Jorge, liaban el hatillo y se volvían a sus tierras. Entonces empezaban a pasar por todas y cada una de las casas a despedirse, emocionados, de los griegos:

—Bendito sea, noble señor, el pan que he comido de tu mano—decían.

Y los nuestros contestaban:

—¡Que os aproveche! ¡Id con Dios! *Oğur ola!*

Algunos, a escondidas, se hincaban de hinojos ante el icono de plata de san Jorge y le hacían promesas para que les curara una mala enfermedad y les concediera salud en el camino.

II

En cuanto mi padre vio que ya dominaba las cuatro reglas y que podía poner cuatro cosas por escrito, me llamó y me dijo:

—Prepárate algo de ropa, Manolis, que uno de estos días te voy a mandar a Esmirna. Quiero que empieces a buscarte la vida y aprendas a llevar un negocio, que te manejes y trates con mayoristas, mercaderes y comisionistas.

Era la primera vez que mi padre me hablaba de hombre a hombre. Me pareció un día poco frecuente, en el que se le había quedado entornada la puerta del corazón. Por eso me tomé la libertad de decirle:

—Lo que usted mande, padre. Pero querría que supiera que me gusta estudiar, que me entran las cosas con la misma facilidad que el agua cuando se tiene sed...

Mis palabras le debieron de causar cierta impresión. No me contestó. Soltó un grave e inarticulado «¡hum!» que no me ayudó a vislumbrar sus intenciones. Al día siguiente, de vuelta del trozo de tierra que teníamos monte arriba, se paró al pie del barranco, volvió la mirada hacia el llano y me dijo:

—¿Para qué quieres estudiar pudiendo trabajar como podemos esta bendita tierra? ¿Acaso quieres ser cura, o maestro? Un comerciante es lo que necesito, que sepa de negocios, que se codee en las ciudades donde se nos zampan las ganancias esos sinvergüenzas y esos sacacuartos.

Si te he escogido a ti para mandarte a Esmirna, ha sido porque no tienes un pelo de tonto y las cazas al vuelo. Ésa es mi voluntad...

El domingo al amanecer, aprovechando que mi padre se había ido a hacer unos recados a Aydın, me fui al monte a ver a Şefkât y contarle la noticia de mi próxima marcha. Nunca olvidaré mi amistad con aquel pastorcillo. Durante las vacaciones de Semana Santa yo también subía al monte con las ovejas y me inventaba los juegos más disparatados. Trepábamos riscos inaccesibles, buscábamos nidos de águilas y cuevas secretas y nos bañábamos en el río. Cuando nos sorprendía una tormenta y veíamos los árboles chocar entre sí bajo la lluvia, apretábamos a correr bosque adentro con el pecho descubierto, embriagados por una rara alegría que enardecía todos nuestros sentidos. Cuando ya estábamos calados hasta los huesos, nos guarecíamos en la cueva donde guardábamos los rebaños, encendíamos fuego y comíamos algo. Y entonces yo cogía entre mis manos la imaginación de Şefkât y la moldeaba como se hace con los bollos de San Lázaro en Semana Santa. Y el sábado de Gloria me lo llevaba abajo, al pueblo. ¡Pues no disfrutaba ni nada por la noche viendo las velas centelleando como estrellas, escuchando el «Christus resurrectus est» y el melodioso y apremiante repicar de la campana, tirando tracas con nosotros y comiendo en nuestra mesa el oloroso potaje pascual de mi madre!

La confianza que me tenía Şefkât creció y se afianzó todavía más por una cosa que ocurrió. Su aldea estaba muy atrasada, como todos los pueblos turcos. Ni de oídas sabían lo que era un médico o un maestro. Si alguien caía enfermo, enviaban a un jinete a tres horas de camino a ver al clérigo musulmán de otro pueblo, que tenía fama de sabio.

—Maestro—le decía el mensajero—, tal y cual es lo que tiene nuestro enfermo, ¿qué tenemos que hacer para que sane?

El clérigo se ponía a meditar profundamente en el Corán y, cuando encontraba lo que más se ajustaba al caso, se sentaba a ponerlo por escrito. El mensajero le pagaba por su trabajo, cogía el papel, lo doblaba, volvía al pueblo y ¡se lo daba al enfermo para que se lo tragara y se curase…!

Una vez cayó muy enfermo el padre de Şefkât y éste vino a contármelo:

—Mi padre se está muriendo. Los papelillos del clérigo no le hacen nada y a cada hora que pasa se pone peor.

—¿Por qué no pruebas a traerlo a nuestro pueblo? —le dije—. Nosotros tenemos un médico muy bueno. No da papeles a los enfermos, pero da medicinas, jarabes y pastillas, y ungüentos que prepara un boticario que ha estudiado para eso.

Şefkât se quedó desconcertado y un poco atemorizado por si era pecado ir a ver a un médico y no al clérigo musulmán. Pero al día siguiente, al amanecer, ¿pues no me trae a su padre tumbado en una tabla, medio inconsciente? Mis padres lo acogieron, le hicieron la cama y llamaron al médico. Con los cuidados y las medicinas acabó abriendo los ojos y a las ocho de la mañana se levantó, se montó en su borrico y se volvió para su pueblo igualito que Lázaro. Los turcos, al verlo vivito y coleando, se quedaron pasmados.

—¡Pero bueno! ¡Vaya gente ésa, los griegos! ¿Cómo les ha dado su Alá semejante inteligencia?

Şefkât volvió a Kırkıca a traernos miel y queso para agradecernos todo lo que habíamos hecho por su padre. Después me cogió aparte, sacó del pañuelo un billete de un cuarto requetedoblado, me lo puso avergonzado en la mano y me susurró:

—*Bana bir mum yak.* (Enciende una vela por mí.) Quizá Dios y Alá hagan las paces igual que nosotros…

Mientras subía aquel domingo al monte para despedirme de él, iba pensando en los buenos ratos que habíamos pasado juntos y se me hacía un nudo en la garganta. Cerca ya de su guarida, me llevé dos dedos a la boca y empecé a silbar. El oído de Şefkât, agudizado por la soledad, percibió en seguida el chiflido, respondió a su vez silbando y llegó brincando como un corzo de roca en roca y agitando alegremente el cayado.

Le solté la noticia sin darle tiempo a recobrar el resuello ni a darme la bienvenida:

—¿Sabes, Şefkât? ¡Me marcho! Mi padre me manda a Esmirna.

El turco se puso blanco como la cera. Se le cayó el cayado de la mano, se quedó sin respiración. Quise explicarle el cómo y el porqué, consolarlo.

—Mi padre dice que no tengo un pelo de tonto y que las cazo al vuelo y que por eso tengo que buscarme la vida y aprender a hacer negocios y ser un buen comerciante.

—¿Comerciante? ¿Qué quiere decir comerciante?— me preguntó disgustado.

—Comerciante quiere decir que robes tú en vez de que te roben los demás… —le dije todo serio.

—¿Y cómo te ha escogido tu padre semejante oficio siendo como es una persona honrada?—preguntó Şefkât con desprecio.

—No me has entendido, Şefkât. No quiere hacer de mí un ladrón de los que van a la cárcel. ¿Cómo te lo explicaría...? ¿Sabes esos señores que vienen de la ciudad vestidos a la europea a comprarnos la cosecha? Ésos son comerciantes. Compran barato nuestras uvas pasas, nuestros higos, las aceitunas, el tabaco, y lo venden todo muy caro en las ciudades. Dinero fácil, ¿entiendes?

—¡Aaah!—profirió con estupor el turco.

¡Las veces que me acordé de aquella conversación de críos cuando me fui a trabajar a Esmirna!

Mi madre quería tenerme todavía un año en el pueblo, decía que era demasiado joven para emigrar. Y, digamos que de manera imprevista, ocurrió que se le concedió el capricho. Resulta que me llamaron para trabajar en Meleví, un pueblo de por allí cerca, en la finca de Mulá Efendi, que habían heredado sus hijos, Huseín y Alí, dos señoritos alegres y juerguistas que preferían andar de parranda y holgazaneando antes que trabajar u ocuparse de política.

Huseín y Alí pusieron de capataz a Anestis, un griego taimado como pocos, y le dijeron: «Pon a trabajar a esos malditos griegos, a ver si sacamos provecho de todo esto...» Anestis no pedía otra cosa: se hizo con el mando en Meleví y escogió a los mejores labradores de Kırkıca para que sembraran, segaran y se deslomaran en las almazaras, en los redilles, en los aserraderos y en las fábricas de queso.

31

De vez en cuando Huseín y Alí aparecían con músicos y fulanas, abrían la casona familiar y organizaban unas juergas que duraban cinco y hasta diez días. Y luego, cuando llegaba la hora de irse y si estaban sobrios, echaban una firma a las cuentas de Anestis sin comprobar nada. Hasta que un día Alí Bey le dijo:

—Oye, Anestis, ¿haces tú solo todos estos números?

—Yo solo, amo.

—Pero, tonto, ¿por qué no coges a un secretario que te ayude un poco? Además, seguro que se te pasa por alto algún número en la suma.

Anestis se alarmó con aquella indirecta porque no tenía las manos muy limpias, así que vino a Kırkıca a ver a mi padre y le dijo:

—Dimitrós, he oído decir que a ese hijo tuyo, Manolis, se le dan bien los números. ¿Por qué no me lo mandas a Meleví a que me eche una mano? Te sacarás una buena comisión. Alí Bey tiene en mente quedarse este año en la finca y quiero poner en orden las cuentas.

Mi padre tenía gran necesidad de dinero porque los comerciantes le habían timado con las pasas de uva sultanina. Por eso aceptó. Así que, en vez de Esmirna, me encontré en los verdísimos parajes de Meleví, de frondosos bosques y blanda y rojiza tierra.

Al principio Anestis estuvo de lo más amable conmigo, pero en cuanto dejó de necesitarme cambió de tercio. Le resulté más espabilado de lo que él hubiese querido y tuvo miedo de que me diera cuenta de sus perrerías y le pudiera crear algún problema. A mí me repugnaban todas sus canalladas. Les sisaba el jornal a los trabajadores, nos escatimaba la comida, nos castigaba obligándonos a pagarle unas sumas exorbitantes por cosas insignificantes: ¿Por qué has tardado tanto en ir por agua? ¿Por qué has dejado correr tanta o tan poca agua en la acequia? Estaba obsesionado con hacerse rico él y acrecentar a la vez la riqueza de los amos para que así lo conservaran en el puesto y le concedieran todavía más poder.

Una noche el viejo Stefanis, el labrador, no pudo más y le cantó las cuarenta: «¡Ándate con ojo, Anestis, que de tanto pecar te vas a perder. Al que al cielo escupe...!» Al día siguiente era sábado y Anestis, según le dio la paga, lo despidió, y luego le dijo al terrateniente turco: «Ese viejo bebe demasiado y le tiemblan las manos. No vale ni el pan que se come.»

La peor faena de Anestis fue la que le hizo a un pobre chavalillo la primera semana que estuve en la finca. Había cogido a un par de niños en Kuyumcı, el pueblo de los negros, y los mataba a trabajar con sólo un plato de comida al día por toda paga. En Kuyumcı vivían antiguos esclavos negros a quienes, junto con la libertad, les habían dado un trozo de tierra, lo justo para poner en él una choza. Ni media hectárea tenían para plantar una cebolla o una lechuga, por decir algo. Lo único que era suyo era una sonrisa de blanquísimos y bien formados dientes.

El centenar y pico de chozas que tenían los negros estaban construidas con ramas de mimbre y sauce y revestidas con boñiga de vaca. Los pobres seguían trabajando duro, día y noche, para sus antiguos amos. Para ellos la libertad había sido una maldición porque no habían sacado ningún provecho de ella. Ahora se deslomaban lo mismo, pero la angustia por conseguir un jornal y que no pasaran hambre sus hijos era mucho mayor.

Bueno, pues, resulta que uno de los negritos de Kuyumcı, tímido y de dulce mirada, no resistió la tentación de robar unas mazorcas ante las propias narices de Anestis. Trabajaba en los campos de maíz y día sí, día no tiraba una mazorca al otro lado de la cerca y por la noche la recogía a hurtadillas y se la llevaba a su madre, que estaba en cama, y a sus tres hermanos pequeños, que mendigaban famélicos por los alrededores. Anestis no tardó en pillar al chaval, lo colgó de un plátano por los pies y para que escarmentara le dio tal paliza que, enjuto y enfermizo como era, por la noche volvió a su cabaña, se echó a dormir y ¡ya no volvió a abrir los ojos! «Yanlış oldu!» (¡Ha sido sin querer!), sentenciaron los terratenientes turcos. Y perdonaron a Anestis.

Pero de repente un día nuestra vida en Meleví cambió para mejor. El amo, Alí Bey, se prendó apasionadamente de una joven jornalerilla, Artemitsa, y le quiso dar lo mejor de sí mismo. Incluso empezó a preocuparse por nuestra comida y todo, y un día, para hacer alarde delante de la chica, hasta se metió con Anestis.

—Oye, cabrón—le dijo—, si hemos quedado en que des de comer a esa gente, ¿por qué los matas de hambre con sémola y habichuelas? Hártalos de carne, hombre, no nos vayan a guardar rencor y diga todo Kırkıca que los Mulá son unos mezquinos y explotan a sus trabajadores.

Mientras decía eso, acariciaba a la chavalilla con la mirada. ¡Aquella belleza era capaz de frenar a un caballo! Ojos vivarachos, melena hasta los tobillos y un cuerpo primoroso. Desde el primer momento se dio cuenta Artemitsa de la debilidad que el turco sentía por ella y se amedrentó. Pero no se decidía a despedirse. Su padre

34

necesitaba que le echaran una mano porque tenía once bocas que mantener y su finca era más bien pequeña. Además, el turco la rondaba con buenas maneras. Siempre la elegía a ella para que le hiciera el café y se ocupara de su ropa, pero nunca le ponía la mano encima. Alí Bey, por cuyas manos habían pasado tantas mujeres—desde poderosas damas turcas hasta cantantes menesterosas, de las que iban de pueblo en pueblo tras los campesinos que vendían su cosecha y tenían la faltriquera llena—, se comportaba ahora como un crío con aquella chavalilla.

—Mi amo se está consumiendo de amor, un amor ilícito—decía su guardaespaldas—. Se pasa la noche tocando el laúd, no pega ojo. Ya no pisa la casona ninguna mujer, y brama como un verraco...

Los labradores lo veían y lo oían todo, pero no decían ni opinaban nada por miedo a perder el rancho. Las mujeres eran las únicas que chismorreaban y decían: «Acabará ocurriendo una desgracia y no hay mayor pecado que una cristiana que reniegue de su fe...»

Un mediodía que no estaba Artemitsa y la gente del pueblo descansaba a la sombra del plátano, la Katinió se puso a cantar, maliciosa, la canción de Eli, que «tiene que morir con puñal de doble filo porque a su marido ha dejado y de un comisario se ha prendado...» Las demás se reían por lo bajinis haciéndose guiños. Pero la vieja Parliárena, la tuerta, quiso darles una buena lección a aquellas jovencitas y se puso a contar las desventuras de Thódoros Delimanolis, «que olvidó las leyes de Dios, se enamoró de una turca, viuda con dos niños pequeños, y recibió su justo castigo».

35

—¡Ay!—profirió la vieja destilando veneno y falsa compasión—. Sólo quien hubiera conocido antes a Delimanolis y hubiera visto luego en lo que dio sabrá lo caro que pagó su majadería. Si de joven hacía pecar a cuanta mujer lo veía pasar a caballo, ¿cómo se le ocurría ahora liarse con una turca? ¿Es que ya no quedaban cristianas? Maldito el día y la hora en que se hizo cargo del molino de aquel pueblo turco en las montañas, cerca de Thira. Allí fue donde conoció a la susodicha, viuda de un militar, y allí donde perdió el juicio. Ella también enloqueció y cayó presa del furor, la condenada, con dos hijos como tenía y todo. Cada dos por tres, «¿dónde se habrá metido?», «¿dónde andará?» «Pues en el molino de Delimanolis todo el santo día, ¿dónde si no?» ¡Tanto es así que las muelas dejaban de moler y quienes se dedicaban a la molienda eran ellos! Pero el amor no se puede disimular, es como la riqueza o como la tos, y aquello se acabó sabiendo. «Anda, vámonos de aquí», le dijo un día ella, «antes de que paguemos con la vida nuestro amor.» Y Delimanolis, haciendo honor a su nombre,[1] va y la secuestra, se la lleva a El Pireo, la bautiza, ¡Dios mío de mi alma!, con un nombre del santoral, Angélica, y se casa con ella. Luego, volvió a Kırkıca, se construyó su propio molino y trajeron cuatro hijos al mundo, dos varones y dos hembras. Pero en Thira ya no se atrevió a volver a poner los pies.

»Hasta aquí todo iba bien. ¡Pero Dios no olvida! Se lo apunta todo y espera. Ya de mayor, el primogénito,

---

[1] El apellido «Delimanolis» es un compuesto del turco *deli*, loco, y del hipocorístico de Emmanuíl, *Manolis*. (*N. del T.*)

36

fascinado por todo lo que había oído contar a su madre del pueblo, cogió y se fue a vivir allí. Alquiló el maldito molino y se puso a trabajar y antes de que pasara un mes encontraron al chaval muerto en la cama de una puñalada en el corazón. ¡En pleno corazón!

La vieja esmirniota fue mirando con el ojo bueno una por una a todas las jóvenes para ver la impresión que su historia había causado en ellas.

—¿Se han asustado ustedes, señoritingas?—preguntó—. ¡Esas cochinadas sólo se limpian con sangre! ¡Sólo con sangre! ¡A ver si os enteráis! Y a Artemitsa también se lo pienso decir, para que se ande con cuidado.

Las amenazas de Parliárena me hicieron temer por la suerte de Artemitsa. Pero no me atreví a prevenirla. Ni Parliárena ni nadie la previno. A todos les convenía aquel amor, que ablandaba el corazón al terrateniente y le hacía magnánimo y compasivo. Lo único que querían era hablar mal de la chica y augurar su perdición.

Un domingo por la noche, al volver de Kırkıca, en el bosque de Meleví, vi a Artemitsa y al terrateniente revolcándose por el suelo, abrazados y presas del deseo. No podía echar ni para adelante ni para atrás. Ojalá se me hubiera tragado la tierra. Me subió toda la sangre a la cabeza y una sensación absolutamente nueva me convulsionó todo el cuerpo. Descalzo como iba, di media vuelta de puntillas, aun a riesgo de que me viera el turco y me descerrajara un tiro. Aquella noche no pegué ojo. Me entraron unos temblores como de fiebre y con cada espasmo se me saltaban las lágrimas como si fuera yo el que hubiera cometido un pecado gordísimo…

Aquel incidente me ayudó a considerar todavía más

37

injusto y fuera de lugar el comportamiento de Anestis y, antes de que me lo dijera él, pedí permiso para marcharme de la finca.

Esos romances eran poco frecuentes en aquellos lugares y, quienquiera que se arriesgara, turco como Alí o griego como Delimanolis, lo hacía por un gran amor. En todos los pueblos turcos de alrededor no recuerdo ningún otro amancebamiento, a no ser en Kuyumcı, el pueblo de los negros. Los negros de Kuyumcı mantenían muy buenas relaciones con nosotros. Cualquier pena o alegría que tuvieran era siempre motivo para bajar al pueblo a pedir consejo. Pero por quien tenían mayor estima era por Votánoglu, un tío mío ganadero. Les parecía la persona más sabia del mundo aunque el buen hombre no supiera ni echar su firma. Pues bueno, un día va y se nos presenta Yusuf en el pueblo, aterrorizado. Corre todo derecho a ver a mi tío y le pregunta:

—Oye, jefe, ¿una oveja negra que se ayunte con un carnero negro puede parir un cordero blanco?

Mi tío se rascó la cabeza, se puso a pensar y a darle vueltas al asunto y, astuto como era, le respondió:

—Desde luego que puede, Yusuf. Si el carnero negro o la oveja negra tienen el alma blanca, entonces unas veces nacen corderos blancos y otras negros.

Contestó así porque se había enterado de que Vuzios, su cabrero, cada vez que bajaba al río a abrevar las ovejas, se citaba allí con Fatma, la joven mujer de Yusuf, y se lo pasaban en grande.

—Pero, hombre, ¿cómo es posible que una cosa negra tenga el alma blanca?—preguntó pensativo el negro.

—Precisamente, Yusuf. Eso lo dicen los libros y los

libros nunca se equivocan: que las almas se pasean de un cuerpo a otro y no paran mientes en el color. De vez en cuando las almas de los blancos van a parar a un negro y las almas de los negros a un blanco...

Yusuf, loco de alegría, agarró las manos de mi tío y se las besó:

—Bueno, mi alma—dijo emocionado—, me has salvado de una buena. Al ver que se le hinchaba la tripa a mi mujer, pensé que era una bendición de Alá ver madurar mi fruto en su vientre. Pero, cuando parió a un niño blanco, me ofusqué y no supe qué decir ni qué hacer...

Y el carnero negro se fue en pos de su oveja negra de alma blanca. Pero a Vuzios lo convocó el consejo de ancianos y se le conminó a coger sus cosas y a marcharse inmediatamente de nuestras montañas para no volver jamás.

III

Corría el mes de septiembre de 1910 cuando bajé por primera vez a Esmirna. Recuerdo el miedo que pasé al encontrarme solo en una ciudad tan grande. Gente desconocida, distinta, y desconocidas también las calles. No conocía a nadie ni nadie me conocía a mí para darme la bienvenida. Me sentía como un árbol al que hubieran arrancado de cuajo.

Dejé en una fonda el cesto con las mudas y la comida que me había dado mi madre, y salí a buscar al tratante de uvas pasas que me tenía que dar trabajo. Con las señas en la mano, los primeros zapatos de mi vida torturándome los pies y un pantalón de dril a la europea que me rozaba la entrepierna, algo corto para mis zancas, eché a andar, sin rumbo, embargado por la timidez, pero orgulloso de mi nuevo aspecto, agachándome cada tanto a limpiarme los zapatos con la mano y echando por doquier temerosas miradas de soslayo para cerciorarme de dónde me hallaba y si me miraban los transeúntes.

Cuando llegué al Malecón me quedé extasiado. Hasta se me quitó la timidez. Sentí una plácida sensación, no sabía para dónde mirar ni con qué deleitar antes la vista. ¿Con el mar? ¿Con los transbordadores de la línea *Hamidiye*, que surcaban las aguas del puerto sin zozobrar jamás? ¿Con aquellas casonas de mármol y sus balcones de madera, cerrados y llenos de misterio? ¿Con las calesas y su rítmico repiqueteo sobre el pavimento de granito? ¿Con los tranvías tirados por caballos? ¿O con toda aquella gente alegre y despreocupada que entraba y salía armando barullo de los clubes y cafés, que se diría que era festivo y no un día normal de trabajo?

Me paré en la punta del espigón, me metí las manos en los bolsillos y allí me quedé, embelesado. Las olas trepaban y se derrumbaban rociando de espuma las rocas calizas y destilando olor a mar. Había millones de mejillones incrustados en los puntales de hierro que sostenían los embarcaderos: el Inglés, el Nuevo, el Largo, y que parecían los brazos y las manos del puerto. Allí se embarcaban las mercancías, por allí salían al extranjero los benditos frutos de Oriente y por allí entraba el oro. «A ver, Emmanuíl, ¿qué sabes del Vellocino de Oro?» Aquel día, señor maestro, no le contesté como usted esperaba. Pero ahora, aquí, entiendo su pregunta. De nuevo se me representan ante los ojos todas aquellas historias que me contaba, nítidas, diáfanas, como aprendidas en un catón. Pero también recuerdo perfectamente las amenas historias sobre Esmirna que oía contar a Jristos, el músico del pueblo, que nos cantaba en fiestas acompañándose de su saz, aquel instrumento de cuerda con un mástil de un metro de largo que sonaba como los ángeles, mientras los críos suspirábamos por conocer Esmirna.

De muy pequeño, cuando iba a misa con mi madre, me amedrentaba el enorme ojo de Dios pintado en la bóveda de la iglesia. Ahora me habría gustado ser un ojo como aquél para poder verlo todo en un solo día. Y ser un oído enorme y arrimarme al pecho de aquella ciudad y oírle latir el corazón.

Me entretuve hasta tarde por los pórticos de las po-

41

sadas de los francos, de pesados portalones de madera, adornados con tachones y enrejados, que cerraban por la noche por seguridad. Allí se hospedaban en otra época francos,[2] venecianos, genoveses, caballeros de Malta y aventureros que, al decir de Jristos, recalaban en el puerto de Esmirna y que construyeron aquellas posadas de gruesas paredes conocidas como *Frank Hane*[3] para guardar en ellas sus tesoros. Allí vivieron «mesiés» y «madamas» ataviadas con sedas y alhajas que no ponían jamás los pies en el suelo porque se desplazaban siempre en palanquín, precedidos de noche de un esclavo con candil.

Ahora las posadas, la de Homero, la de Spondi, la de Tenekidis, la de Spartalis, la del Agá Anastás, la del Círculo Heleno, la de Alíoti, la de Yusuf, la de Amalcia ya no pertenecían a los francos. Al igual que en toda Esmirna, allí también habían acabado dejando su impronta los griegos.

Todo el mundo en Esmirna hablaba griego, hasta los turcos, los levantinos,[4] los judíos y los armenios. Claro que en el barrio europeo había muchos grandes almacenes con nombres extranjeros que yo no entendía: Le Comptoir, Le Louvre, Au Bon Marché, Au Paradis des Dames... Allí se encontraba de todo. Desde plumas de aves del paraíso para los tocados de las mujeres, hasta escarpines para cenicientas. Y juguetes. ¡Maravillosos juguetes de cuerda! ¡Qué felices debían de ser allí los niños y qué mimadas debían de estar las mujeres!

Tiré todo recto hasta Santa Fotiní y encendí una vela

---

[2] Genérico bizantino y musulmán para referirse a los europeos occidentales. (*N. del T.*)

[3] Albergues de francos en turco. (*N. del T.*)

[4] Europeos occidentales afincados en Oriente. (*N. del T.*)

como me había pedido mi madre. Luego me quedé embelesado admirando el campanario. Veinte metros de altura, cuatro pisos, todo de mármol. Y un bajorrelieve de Cristo sentado en el pozo hablando con la samaritana. Y las campanas, deslumbrantes y melodiosas, regalo de los archiduques de Rusia, y en lo alto, en el cimborrio resplandeciente bajo el sol, una cruz de oro, consuelo y amparo de cristianos, orgullosos de que se alzara más alta que la media luna del minarete de la mezquita de Isar.

Allí mismo, junto al recinto de Santa Fotiní, me topé con la Escuela Evangélica,[5] en la que había soñado entrar. Mi maestro, Pitágoras Larios, me apoyaba. Hasta que mi padre le paró los pies: «Señor maestro, usted me perdonará, pero no quiero que mi hijo sea un inútil. Nosotros somos labradores y lo que necesitamos son brazos.»

Al oír las doce en las campanas de Santa Fotiní, di un respingo. Pero ¿cómo se me ha hecho tan tarde? Tenía que darme prisa y correr al trabajo, pero de pronto me di cuenta de que no tenía que dar explicaciones a nadie, que era libre por primera vez, y me embargó una inmensa alegría. Me perdí entre el gentío del mercado, y bebí gaseosa, sorbetes rojos y verdes *buz gibi* (fríos como el hielo) y agua de tomillo, y disfruté derrochando las pocas perras que me había metido mi madre en el bolsillo, a escondidas de mi padre. Pero entonces algo me frenó. El labrador conoce el valor del dinero ganado con esfuerzo. Y decidí irme sin tardanza para la tienda del señor Mijalakis Jatzistavrís para asegurar mi puesto, y seguir después con el paseo.

[5] Prestigiosa institución docente griega de Esmirna en la que se impartía primaria, secundaria y estudios de comercio. (*N. del T.*)

43

Encontré al tratante de uvas pasas en plena faena. Aquellos días bajaban los labradores a la ciudad a vender su cosecha y los comercios no cerraban. Sólo entrar en aquella tienda, angosta y alargada y llena de altillos, se me impregnó la nariz de un olor conocido, dulce y amargo, a uvas pasas y a higos. Jatzistavrís estaba de pie allí en medio, pesando con esmero género en la balanza. Por la puerta trasera, que daba a la cuadra, entraban y salían trabajadores con la carga a cuestas. Allí detrás dejaban los camellos, los carros, los borricos y las carretas de bueyes. Dos portadores, descalzos, el pecho desnudo y frondoso como una mata, cargaban al hombro con el astil del que colgaba la balanza. Jatzistavrís, con su oronda barriga, su doble y coloradísima papada y sus mejillas regordetas, cantaba las arrobas. Era un hombre avispado, los ojos le iban incesantemente de aquí para allá, vivarachos. Tenía los brazos y las piernas tan delgados en comparación con el resto del cuerpo que parecía una rana. Sus movimientos, su presteza y sus ademanes delataban que también él había trabajado de aprendiz. Y efectivamente, como supe más tarde, antes que amo había sido aprendiz, pero había sabido aprovechar la ocasión y se había asociado con el patrón Selim y los dos empezaron a mortificar alegremente corazones y carteras, consiguiendo que empezara a correr el dinero.

Me acerqué al señor Mijalakis, le hablé con aplomo y le di la carta de recomendación que le llevaba del consejo de ancianos del pueblo y que le halagó sobremanera porque le gustaba que le tuvieran en cuenta los poderosos. Me escudriñó con la mirada hasta perforarme el alma.

—Sí, ya sé—dijo—, ya me han hablado de ti. Me quedo contigo. Me viene bien que sepas turco. Mañana por la mañana empiezas a trabajar de prueba, y ya hablaremos del jornal.

Salí de allí dando brincos de alegría. De haber tenido bigote, me lo habría retorcido de tan hombre como me sentía. Ahora podía disfrutar del día, del primer y único día libre e inolvidable de mi vida.

Me pasé horas y horas dando vueltas por los bazares y por las calles de la ciudad hasta que empezó a anochecer. Los faroleros salían con sus pértigas a encender las farolas de gas. Las damas, engalanadas, iban en calesa a su club y a los cócteles y *soupers* de extranjeros. Las chicas, morenas, alegres, paseaban entre risas y coqueteos. Las parejas, joviales, se compraban flores. En los cafés tocaban música, cantaban serenatas y los camareros iban y venían con bandejas rebosantes de tapitas y jarritas de vino. El Malecón olía a anís, a pepinillo, a carne frita, a marisco. La gente paseaba o se sentaba a comer pipas, garbanzos tostados, almendras heladas, altramuces, helados, caramelos y pirulíes.

Las casas, hospitalarias y siempre con la puerta abierta de par en par, hasta en las barriadas más alejadas. Y toda la familia sentada en el portal charlando alegremente. No me apetecía acostarme. Acababa de conocer Esmirna y me parecía que había nacido y vivido allí los dieciséis años de mi vida. Cuando por fin me metí en la cama, empecé a dar vueltas y más vueltas y a hablarle a la ciudad como si estuviera enamorado de ella: «¡Qué bonita eres! ¡Qué bonita!»

Aquí, en Esmirna, podía soñar, soñar todo lo que quisiera, sin que me zurraran.

Al día siguiente, al amanecer, me fui para el trabajo. El señor Mijalakis Jatzistavrís era madrugador. Llegaba antes que los aprendices y abría él solo la tienda.

—Te pondré conmigo, en el peso—dijo—. Pareces espabilado, no se te debe de escapar una.

Los labradores turcos ya habían empezado a llegar la noche anterior. Se oían los cencerros de las yuntas: clin, clan. Entraban en la tienda atemorizados, como gallina en corral ajeno, agotados por el largo viaje. El amo los recibía con alborozo. Después de las bienvenidas y convites de rigor, el señor Mijalakis abría los sacos, palpaba la calidad de las uvas pasas, sacaba faltas, se quejaba de que no vendía y de los muchos gastos que abrumaban a los mayoristas.

—Si no fuera porque siempre pienso en vosotros los pobres—decía con voz lastimera—, cerraba el negocio. Si apenas saco beneficio de todo este trabajo.

Los labradores proferían exclamaciones de asombro y se le quedaban mirando preocupados y desconcertados. Momento que él aprovechaba para hablarles del precio. Empezaba muy por abajo e iba subiendo céntimo a céntimo según la reacción que suscitaba.

—Mijalakis Efendi, sube un poco más, mi alma—le decían—. Que nos ha costado mucho sudor y mucho esfuerzo. Venga, un poco más y te llevas nuestra bendición…

No tardé en darme cuenta de que mi patrón era un comerciante astuto y cicatero que intentaba sacar agua de las piedras. Ponía el saco en la balanza y, al tiempo que cantaba las arrobas, clavaba sus ojos en los del labrador.

—*Sekiz!* ¡Ocho arrobas!—le oí gritar aunque el fiel indicaba nueve y medio.

Se habrá equivocado, pensé, y fui a decírselo, pero una mirada suya y un empellón me lo impidieron. Con el segundo cliente turco, otra vez puso la mano ligera en la balanza, otra vez clavó los ojos en el aldeano y otra vez cantó menos de lo que marcaba. Al segundo día no pude más y le pregunté que qué pasaba con el peso y que por qué les miraba tan fijamente a los ojos cuando cantaba las arrobas.

—Les miro—me contestó—para ver si están atentos. Y si veo que están en Babia, soy capaz hasta de decirles cero arrobas.

Parecía encantado con su picardía, pero a mí se me revolvieron las tripas. Se debió de dar cuenta porque se apresuró a justificarse:

—Manolis, cuando te dedicas a los negocios tienes que estar ojo avizor. Si no, estás perdido. Mira si no los griegos, lo listos que son. Para engañar a un griego mejor tener siete vidas. La esclavitud le espabila a uno, hace que te vuelvas más suspicaz. Lo que les siso a esos malditos diablos no es nada comparado con lo que se me lleva el Estado turco. ¿Tú has visto por aquí a Selim Efendi, mi socio? ¡Pues ni lo has visto ni lo vas a ver, pero todos los meses se me queda con la mitad de las ganancias!

Sus explicaciones no me hicieron cambiar la opinión que me había formado de él y del mundo de los negocios. Me acordé de lo que le había pasado el año anterior a mi padre. El precio de las uvas pasas bajó justo en la época en que los labradores se disponían a vender. Siempre ocurría lo mismo. Nosotros teníamos ciento cincuenta arrobas de sultanina de primera categoría. Con el precio que ofrecían los tratantes apenas si íbamos a sacar cinco libras de beneficio una vez pagadas las deudas que habíamos contraído antes de que las pasas estuvieran en los sacos. Mi padre se negó a entregar el fruto de su trabajo por un precio tan ridículo y decidió mandarle las pasas a un tratante muy importante de Esmirna para que nos las vendiera en cuanto subieran los precios. Pasaron bastantes meses y un día recibimos una carta suya diciéndonos que había que vender las pasas al precio que fuera porque corríamos el riesgo de no cubrir ni los gastos. Ante tal chantaje no tuvimos más remedio que claudicar. En la factura que nos mandó, el honradísimo tratante nos decía que quedaba un saldo a su favor de treinta piastras, pero que… ¡hacía prueba de magnanimidad y nos lo perdonaba!

Yo conocía bien las penalidades de los labradores y por eso me dolía el alma de ver con mis propios ojos lo que allí ocurría. Un día vino un pobre cliente turco de Vurla, padre de familia, cubierto de harapos y con los pies envueltos en un trozo de fieltro por todo calzado, desdentado y con el rostro macilento como el de un santo. Sus ojos, llenos de bondad, y su barba, cana y rala, inspiraban simpatía. Traía consigo veinte sacos de uvas pasas. Esperó pacientemente a que le tocara su turno. Pasas suculentas, doradas y dulces como la miel. Las acariciaba una y otra vez con sus ásperas y atormentadas manos. Le sabía mal separarse de ellas de tantas penas y fatigas como había pasado para poder venderlas.

—Venga, rubias—les susurraba—. ¡Venga, caprichosas! ¡Con la mala vida que me habéis dado! ¡Y que se repita el año que viene!

Justo cuando el señor Mijalakis se disponía a pesar las pasas, llegó corriendo el hijo del labrador turco con unas alforjas y tres arrobas de género en ellas. Le dijo algo a su padre y se fue por donde había venido.

—Pon también estas alforjas en el peso—dijo el labrador con el brillo en los ojos—. ¿Has visto qué buen hijo tengo, Mijalakis Efendi? Le he dado estas pasas para que se las quede y pasen sus hijos un buen invierno, pero es tan honrado que, cuando se ha enterado por su tío de las deudas que tengo, ha venido corriendo a devolvérmelas para que las venda.

El señor Mijalakis halló muy bonitas palabras para lisonjear al hijo del turco, pero las tres arrobas se las sisó sin el menor asomo de vergüenza. ¡En vez de colgar las alforjas de la balanza las colgó del astil!

Yo, por aquel entonces, no era más que un jovenzuelo barbilampiño, pero ya me sublevaba la injusticia. «Vaya cosas que pasan en el mundo», pensaba asqueado. «El labrador, que se mata a trabajar para doblegar la tierra y que le dé fruto, y esos comerciantes, gente distinguida y que puede disfrutar de todos los bienes que Dios les ha dado, que consideran que su obligación es robar al pobre y engañarle con el peso.» Bien es verdad que tiempo después conocí gente honrada que jamás habría aceptado hacer las trampas de Jatzistavrís. Pero, aun así, a mí no me cabía en la cabeza cómo podían vender el fruto de nuestro esfuerzo un ciento cincuenta por ciento más caro del precio al que lo compraban.

¿Qué sabrán ellos del trabajo en las viñas? Del rastrojo, de los esquejes, de la poda, del riego, del miedo a la filoxera y del desasosiego que se siente hasta que arranca a madurar la uva, hasta que se vendimia, hasta que está en los cuévanos, hasta que se extiende en los azafates y se pone a secar al sol. Ver una nubecilla en el cielo y pasarte día y noche al acecho, no te vaya a traer un chaparrón. Y luego los sobresaltos que da el raspado y la criba: elegir los granos uno por uno, apartar los pochos, quitar la broza. Y por la noche correr con las mantas a cubrir las pasas, como si fueran un crío. ¡No vayan a coger frío con el relente!

Al cabo de una semana, al ir a cobrar, le dije al señor Mijalakis Jatzistavrís:

—Patrón, póngame a hacer otro trabajo. Que yo no sirvo para el peso. Le voy a defraudar…

Jatzistavrís lo entendió perfectamente. Se volvió y me miró con una mezcla de desprecio y de sorpresa.

—¡Qué pena!—dijo—. Y yo que te creía listo…

Bajé la cabeza y apreté los dientes para no hablar, pero no me pude contener.

—¡Qué quiere que le diga, señor Mijalakis!—le interrumpí—. A mí me parece que su balanza también se ha equivocado conmigo… como de costumbre.

Mi actitud y mi ironía me costaron el puesto. Al día siguiente volví a recorrer las calles de Esmirna buscando trabajo. De agosto a octubre era la época de los higos y en el almacén de Zajarías conseguí algún que otro jornal. El trabajo requería manos ágiles. Los jornaleros griegos se ocupaban del mejor género y los turcos del de peor calidad, y además los tenían separados de nosotros. Dábamos forma a los famosos higos Laer, dulces como la miel y cuadrados como caramelillos de goma, y los poníamos en cajas. Los capataces no nos quitaban el ojo de encima no fuera a ser que la calidad de la capa de arriba o de la de abajo no fuese igual de selecta. Porque todo aquel género iba a parar a Europa y a Estados Unidos.

Los primeros trenes que llegaban de Aydın cargados de higos venían engalanados con laurel y mirto. En La Punta el ejército presentaba armas y disparaba salvas al aire. El Estado acuñaba nuevas monedas de plata. A mí, que era productor, aquellos jolgorios y, en general, todo el trabajo con los higos me entusiasmaba, y me entregaba a él en cuerpo y alma.

—¡Eh, chaval, ya vale!—me dijo un día mi compañero, Gonias, que unas veces trabajaba en lo de los higos, otras en los huertos y otras ganaba gallinas y pescado en la tómbola de Tabak Hane o hacía de carpintero—. ¡Echa un pitillito, colega! ¡Que si sigues trabajando así, mañana nos quedamos sin higos y nos ponen de patitas en la calle!

No pasó ni un mes antes de que comprendiera las palabras de Gonias: despidieron a todos los jornaleros y otra vez me tuve que poner a buscar trabajo. En el barrio en el que vivía había una pastelería que necesitaba un aprendiz. Me presenté, me puse el mandil blanco e hice lo mejor que pude todo lo que me pidieron. Pero se me acercó el amo y me dijo: «Y no toques nada. ¿Oyes lo que te digo? ¡Nada! Si te apetece algo, me lo pides primero a mí...» Yo me quité el mandil, ofendido y avergonzado, se lo devolví y me marché. Cambié muchas veces de trabajo. Durante un mes estuve yendo a Tarağaç, a una tienda de ultramarinos donde también servían comidas. Los clientes eran trabajadores de las fábricas de alrededor, descargadores. La mayoría de las veces no comían. Sólo se tomaban algún que otro trago de vino o de anís. El patrón tenía una enorme pizarra con los nombres de los clientes. Por cada consumición hacía una raya con tiza al lado de cada nombre. Otro que tal canta, pensé. No tenía bastante con lo que ganaba. «Los borrachos —solía decir— ven doble.» De modo que por cada consumición no tenía el menor reparo en poner dos rayas y hasta tres. Tampoco era aquél trabajo para mí.

Durante un tiempo estuve yendo a un horno. Era invierno y era una delicia dormir en el altillo caliente. Pero el patrón me daba muy mala vida y también me fui de allí. Trabajé en una tenería, pero entre todas aquellas tripas sucias me llevé más cortes en las manos que pan a la boca. También estuve otros dos meses en una fábrica de jabón. Hasta hice de herrero en el Puente de las Caravanas…

Yo me creía que aquella ciudad que tanto había admirado tenía sus puertas abiertas para todos los pobres y que bastaba con cerrar los ojos y alargar la mano, como a la gallinita ciega, para coger lo que se te antojara. Pero la vida se estaba encargando de arrebatarme esas quimeras infantiles. Por más duro y por más destreza con que trabajaran mi cabeza y mis manos, no pasaba de ser un aprendiz al que otros ordenaban la vida y ponían en la calle en cuanto les venía en gana.

Así pasaron cinco meses, hasta que conseguí un buen jornal, con cama y comida, en la posada de Yannakós Luludiás, un antiguo contrabandista que atendía por el apodo de Maldito Perro. Al principio no me podía explicar por qué lo llamaban así. A mí me parecía una delicia de persona. No sabía lo que era la cicatería. El dinero, igual que lo ganaba se lo gastaba. Sentía compasión por los pobres y por los débiles, y cuando se topaba con uno lo acogía bajo su protección sin hacer el menor alarde. Había jurado por el alma de su mujer, a la que había perdido prematuramente, que todos los sábados por la noche mandaría llevar una cesta con comida a algún vecino necesitado. ¡Y qué comida! ¡Queso, carne, huevos, rosquillas! Y además quería que su gesto pasara inadvertido.

—Llévate esta cesta—me decía—y déjala en el patio. Y vigila, desgraciado, que no te vea nadie…

Yannakós era alto, buen mozo, algo cargado de hombros, ancho de espaldas, de cejas tupidas y ojos abultados, y lucía unos bigotes negros y retorcidos. Llevaba bombachos, un chaleco cruzado, de terciopelo, y fez con una borla de seda. Cuando se la echaba para delante, no se le podía acercar nadie a hablarle, ni siquiera ninguna de sus cinco hijas, por las que sentía verdadera devoción. Y jamás le faltaba el puñal de doble filo al cinto, una preciosa daga colorada, regalo de su padre, en paz descanse. Tiempo después me enteré de que aquella daga era la razón del apodo de Maldito Perro que le habían puesto los turcos. Por lo visto, había matado a varios de ellos y lo llevaba muy a gala.

Doña Maryitsa, su hermana soltera, que le criaba las hijas, decía con orgullo que los crímenes de Yannakós no eran una infamia porque siempre los cometía por amor a Dios: «Cuando mata a un turco—porque nunca le ha puesto la mano encima a un cristiano—, va luego a san Vúkolas, enciende un cirio tan alto como él, se hinca de rodillas y le dice al Señor: "Padre, ¿por qué tengo que ser yo el que peque? Esos malditos infieles no tienen remedio. Abrásalos tú con tu ira…"»

Luludiás superaba en bravuconería al chulo más famoso de Esmirna, Stelios Tirlalas, que por la noche podía matar a un guardia turco a caballo o a uno de a pie y por la mañana se sentaba a tomar café en el Bella Vista mesándose tranquilamente los bigotes sin que las autoridades se atrevieran a tocarle ni un pelo.

Entre sus buenas acciones patrióticas Yannakós incluía el contrabando. No dudaba ni un segundo en agarrar y matar a un guardia de aduanas en el propio malecón de Esmirna para descargar con toda la tranquilidad del mundo los cigarrillos de contrabando que traía en su flotilla de lanchas y chalupas.

A él acudían los cristianos a los que perseguía la policía turca para que les pasara en barca a Englezonisi, a Samos, a Quíos, a Mitilene o al Dodecaneso. A los ricos les pedía mucho dinero, pero por la gente necesitada era capaz de ahogarse sin cobrarles ni un céntimo. Quienquiera que consiguiera la protección de Luludiás podía tener la seguridad de que no iba a caer jamás en manos de la policía.

Cuando daba un buen golpe, Luludiás lo celebraba por todo lo alto. Se traía músicos a casa y gente de lo más variopinta: a Katina la ciega, que arrasaba con sus canciones en todos los cafés cantantes de Esmirna, a Mehmetaki, un famoso violinista turco, y a Yovanakis, el mago del salterio. La juerga duraba varios días. Y cada día pasaba una nueva querida por los brazos de Luludiás. Cuando se le pasaba la borrachera, músicos y mujeres se marchaban cargados de dinero. Y entonces doña Maryitsa cogía a las criadas y se ponían todas a fregar y a limpiarlo todo, traían de vuelta a las niñas de casa de su tía Annetula, adonde las llevaban antes de que empezara la juerga, quemaban incienso y exorcizaban toda la casa:

San Juan, san Juan,
a la de una y a la de dos,
échales la brida
a los bichos de la tierra
a la sierpe y a la serpiente
al alacrán y a la liendre,
al caracol y a su concha
que ardan y apesten
que amarilleen las hojas
y al que ronda de noche...

Entonces Yannakós se encerraba durante veinticuatro horas en la habitación de su mujer, que siempre mantenía cerrada. Nadie sabía lo que hacía allí dentro. Unos decían que caía en brazos de un profundo sueño y otros que rezaba y le pedía a su mujer, en paz descanse, que le perdonara sus perrerías. Aunque Paritsa, su mujer, llevara doce años muerta, parecía como si todavía estuviera paseándose por la casa, al mando del servicio y de su marido. Hasta doña Maryitsa la mencionaba con la boca chica. «Si Paritsa estuviera viva», me dijo un día, «Yannakós en vez de contrabandista sería obispo.»

Nunca olvidaré a toda la gente que conocí en la posada de Luludiás. Aunque quien más azuzaba mi imaginación era el cantante Ogdondakis. Era un tipo alto y delgado, de piel tan suave como la de una mujer, de ojos ardientes y con una voz que amansaba a las fieras. Cuando paraba en la posada y Luludiás le convencía para que cantara, bueno, aquello más que cante era un oficio religioso. Todo el mundo cerraba los ojos como si estuviera rezando y Yannakós, pálido y con un nudo en la garganta, apretaba y apretaba el vaso con la mano hasta que lo hacía añicos. De vez en cuando abría la faltriquera, sacaba una libra de oro y se la pegaba en la frente al cantante.

—¡Larga vida te dé Dios, Ogdondakis! ¡Larga vida te dé Dios, ruiseñor de Oriente!

Un día nos dieron una mala noticia. Los turcos habían detenido a Ogdondakis y lo habían metido en la cárcel. Por lo visto lo había denunciado una turca que se había enamorado de él, pero a la que él desdeñaba y que, en venganza, hizo que dos notables turcos ingeniaran un artero y pérfido plan para acusarlo de espionaje.

Luludiás se puso malo al enterarse. «O me enchironan a mí también», dijo, «o mañana, o pasado como mucho, a Ogdondakis me lo llevo con la lancha a Englezonisi…»

Pero la cosa no era tan fácil como pensaba. A medida que pasaban los días nuestra angustia iba en aumento y acabó por atenazarnos cuando nos enteramos de que lo habían condenado a muerte sin ni siquiera juzgarlo y que lo iban a colgar.

Imaginaos cuál fue nuestra sorpresa cuando el día de la ejecución, por la noche, se abre la puerta y aparece Ogdondakis, pálido y como poseso, como si volviera del infierno. Se echó en brazos de Luludiás y las mujeres rompieron a llorar y a chillar: «¡A ti te protege un santo, un santo!»

—No hace ni una hora que me han soltado—dijo Ogdondakis al tiempo que se dejaba caer exánime en una silla.

Luludiás se bebió un par de vasos de anís, se enjugó los ojos llorosos con la palma de la mano, le sirvió un trago a Ogdondakis para que se repusiera y, con voz grave, le preguntó:

—¿Qué ha pasado?

—Ayer por la tarde—empezó diciendo—entra en la celda Mehmet, el carcelero, que traía comida y anís, y me dice, medio avergonzado: «Aquí tienes, hermano. Te traigo malas noticias, pero no quiero que te enfades conmigo... ¡Mañana por la mañana te decapitan!» A mí me entraron escalofríos, pero no dejé que se me notara. Igual me está tomando el pelo, pensé, y bromeé: «Mehmet, la vida no está hecha para hartarse. El cristiano que cae en manos de un turco va directo al paraíso, igual que los santos...» En cuanto se fue y me quedé solo, me eché a llorar. Cogí el anís y me lo bebí entero para cobrar fuerzas y me entraron ganas de cantar justo en el momento en que pasaba por el patio su ilustrísima Süleyman Pachá, que estaba al mando de la prisión. Se paró debajo de mi celda y dijo moviendo la cabeza: «¡Pero bueno! ¿Esto qué es? ¿Quién canta así?» Se quedó allí quieto escuchándome cantar. Y al cabo de un rato, mira tú por dónde, me llevan a su despacho. «¿Dónde has aprendido a cantar así, maldito infiel?», me preguntó. «Yo llevo el cante en el alma», le contesté. «Y antes de entregarla, quiero dejar que cante y disfrute de este mundo.» «Siéntate, chaval», me dijo, «siéntate y cántame algo. Canta que te oiga. No pares.» Arranqué a cantar y vi cómo se le enternecían los ojos a aquella bestia, cómo se iba amansando. Y me dije: «Venga, Ogdondakis, venga, que todavía vamos a darle esquinazo a la muerte.» ¡Por mis cruces que os lo cuento tal cual fue! El turco, como un corderillo. Y va y me dice: «Te voy a perdonar la vida. Es injusto y una verdadera pena que se pierda una voz así. Mañana organizo una fiesta por todo lo alto. Quiero que vengas a cantar. El resto déjalo de mi cuenta.» Y hoy me han llevado esposado a su residencia. Tenía el salón lleno de notables turcos comiendo y bebiendo. Y he empezado a cantar. ¡Y cómo he cantado, hermanos! Me he derretido enterito. Cuando ha venido un soldado a soltarme diciendo «¡anda, vete! ¡vete!», yo no daba crédito. ¿Que me vaya? ¿Lo dicen en serio o se están burlando de mí y en cuanto eche a andar me van a pegar un tiro? Pues fíjate tú que el soldado me acompaña hasta la puerta y me dice: «¡Vete, Ogdondakis, ve con Dios! Y si le tienes aprecio a la vida, desaparece un tiempo de Esmirna. Es un consejo de Süleyman Pachá…»

Esa misma noche Luludiás metió a Ogdondakis en su barca y se lo llevó para Samos. Pero la canción que encandiló a Süleyman Pachá la cantó y la hizo suya toda Esmirna:

> Ay, Memó
> Dulce Memó
> Linda Memó…

IV

Una carta de mi padre, escueta y tajante, me obligó a dejar la posada. «En cuanto recibas esta carta», decía, «coges y te vas de donde Luludiás. No te he mandado a que aprendas a hacer de contrabandista o te conviertas en un perdonavidas. He hablado con el señor Seitánoglu para que vayas a trabajar con él...»

Decir que me supo mal aquel cambio sería mentira. Me estaba hartando de aquella posada y también estaba pensando en irme. Homero Seitánoglu y sus hijos fueron una novedad para mí. Mercaderes de gran experiencia y reputación, no se parecían lo más mínimo a Mijalakis Jatzistavrís. Por su tienda pasaban próceres de verdad, de los que tenían en sus manos toda la riqueza de Oriente.

Seitánoglu vivía en un palacete, en Karadina, que ni el de un pachá. Todo de mármol y rodeado de huertos llenos de palmeras, buganvillas, granados, limoneros y parterres repletos de flores. Hasta cancha de tenis y todo tenía, cuadra, un lago artificial y un bosque de pinos a cuya sombra se tumbaban a leer los hijos del amo y sus mujeres. En el primer piso había salones, despachos, una habitación llena de librerías, comedores con alfombras persas y de İsparta y muebles traídos de Venecia. Aunque por aquellos salones se pasearan hasta cien personas, seguían pareciendo vacíos. De las paredes, cubiertas de madera de nogal y de tapices, colgaban, en dorados marcos, los retratos de sus antepasados, todos de encargo, unos muy serios y otros risueños, pero tan reales que parecía que en cualquier momento se iban a bajar a hablarte y a contarte cómo habían reunido tanta riqueza.

A menudo, cuando organizaban partidas de cartas y fiestas por todo lo alto, me llamaban para que echara una mano. El primer día que puse el pie en aquella casa me quedé anonadado.

—Pero ¿esto qué es?—pregunté a las sirvientas.

—Contén la respiración—me dijeron—, que todavía no has visto nada.

En la habitación que llamaban bufé habían puesto unas mesas largas como trenes y, sobre manteles de lino bordados, fuentes de loza con manjares exquisitos y nunca vistos: caviar, huevas, jamones, encurtidos, aves rellenas, ostras, langostas, langostinos, pescados enormes cubiertos de espesas mayonesas, y pan blanco, amasado en casa y perfumado con almáciga. Centelleaban los vasos de cristal, en los que echaban una bebida que, al descorcharse, espumeaba como un mar embravecido y tronaba como una escopeta.

Llegaban calesas con señores de frac y sombreros de fieltro. Muchos con monóculo, que uno se preguntaba cómo se sostenía. Eran nada más y nada menos que cónsules extranjeros y banqueros griegos, comerciantes, terratenientes, rentistas, médicos, abogados, periodistas y próceres locales. ¡Hasta dos obispos vinieron! ¡Y las mujeres! ¡Qué cosa! Rollizas y de buen año, todo coqueteos y melindres, vestidas de crepitante seda y cubiertas de diamantes y brillantes de la cabeza a las manos. Por doquiera que pasaran las seguía un rastro de perfume con el que no podían competir ni las flores en primavera.

En cuanto acabé lo que me habían mandado, me fui a la cocina a descansar. Me hizo ilusión encontrarme allí al tío Yakumis, el cochero del amo. Estaba sentado tomándose tranquilamente un vaso de anís con el fez echado sobre las cejas. Éramos amigos y nos pusimos a charlar. Yo le preguntaba por esto y por aquello.

—¿Así viven todos los patrones, tío Yakumis? ¿Y no se arruinan con tanto gasto?

—¡Pobrecillo! ¡Menuda desazón te ha entrado!—me respondió zumbón—. ¿Acaso te crees que los patrones van a perder dinero? Aquí, esta misma noche van a cerrar buenos negocios en menos que canta un gallo. Tantos barcos de higos, tantos trenes de bellotas, tantos barriles de aceite y de petróleo, tantas balas de algodón, de cuero, de tabaco. ¡No te sulfures, hijo, que esos que estás viendo poseen montes, campos, minas, fábricas! Pero ¿qué te creías? No saben ni las riquezas que tienen. Al pachá se le dan sus monedicas de cinco libras, al noble turco las de a una, al gendarme unas de plata y a quien Dios se la dé san Pedro se la bendiga. Turquerío…

El tío Yakumis era un labrador que se las sabía todas porque había trabajado para muchos patrones y le gustaba hacerse el socarrón y dárselas de conocer el mundo.

—Para que lo entiendas—siguió diciendo—, te diré que una vez trabajé para Liberidis y un día va y me manda ir a ver a un guardia de aduanas turco que tenía un buen puesto, pero cuya familia sólo comía carne en días de guardar. Bueno, pues se trataba de llevarle una bolsa ahíta de dinero y de decirle: «Regalito de mi amo.» Sólo le faltó besarme la mano. «Que Alá se la depare siempre buena a mi benévolo señor.» El gendarme llevaba varios días de guardia, así que el bueno de Liberidis pudo descargar un barco entero sin pasar por aduana. ¡Pero si con quien están mal las cosas es con los extranjeros, con los levantinos! Son la espinita que tenemos clavada en el corazón. Con las Capitulaciones[6] se hacen de oro, hijo mío. Esas sanguijuelas de europeos le están chupando la sangre a Turquía. Han venido de sus lejanas tierras a doblegarnos. ¡Maldita sea! ¡Son como una pústula cuajada de pus! Fíjate bien lo que te digo: ellos son los que nos acabarán arruinando, no los turcos.

El tío Yakumis se lió un cigarrillo, se bebió de un trago el anís y pidió más a las criadas. Algo le reconcomía por dentro.

—Vamos a ver qué va a pasar ahora con nosotros… —dijo como insinuando algo.

—¿Por qué dice eso, tío Yakumis? ¿Qué pasa?

—¡A ver! ¡Qué va a pasar! ¡Pues que hasta puede que corra la sangre y todo!

Se volvió para ver si nos estaba escuchando alguien y cuando se cercioró de que no, me hizo arrimarme tanto a él que me atufó con su apestoso aliento.

—¿Sabes una cosa?—me preguntó con el brillo en los ojos—. Esta noche se están discutiendo aquí cosas importantes. Parece ser que en Grecia se han envalentonado y han empuñado las armas. ¡Que allí campa la libertad por sus respetos! Y mientras con la ayuda del Señor campe la libertad por la madre patria, aquí nos van a correr a palos. ¿Te enteras?

[6] Tratados que regulaban las prerrogativas de los extranjeros en el imperio otomano. (*N. del T.*)

No tardé en entender las palabras del viejo cochero. Al poco estalló la Guerra de 1912 en los Balcanes. A los Jóvenes Turcos les hervía la sangre, y zeybekos,[7] derviches y nobles bregaban, junto con los refugiados turcos que llegaban expulsados de Grecia, por fanatizar a la gente de paz y malmeterla con nosotros los griegos.

En la Guerra del 12 los turcos movilizaron a mis dos hermanos mayores, Panagos y Mijalis. Pero Mijalis consiguió desertar. Cruzó a Grecia y se alistó como voluntario en el ejército griego. «Ha cumplido con su sacrosanto deber», sentenció mi padre. Y popes, maestros y ancianos del consejo del pueblo lo ponían en secreto como ejemplo.

En el corazón de todo súbdito cristiano ardían de nuevo inmemoriales deseos de redención. Pero el movimiento de los Jóvenes Turcos también ganaba cada vez más adeptos. Ahora reclamaban Macedonia igual que años atrás habían reclamado Creta: «Makedonya bizim!» (¡Macedonia es nuestra!), y esa cuestión nos hacía perder los estribos tanto a ellos como a nosotros. «¡Despierta, acémila!», le exhortaban los Jóvenes Turcos a su pueblo. Pero la acémila no despertaba porque se lo mandaran, y aquí y allá empezaron los asesinatos y las persecuciones.

Recuerdo que por aquel entonces volvió Timos de Oriente Medio, el hijo de Seitánoglu.

—Traigo malas noticias, padre—dijo—. Los turcos están en la ruina y se están dejando enredar por agentes

---

[7] Miembros de un cuerpo militar turco compuesto por griegos islamizados de Asia Menor. (N. del T.)

alemanes, italianos y franceses. En Beirut me encontré a Nurí Bey, que me dio esta octavilla que circula por todo Oriente Medio. Lee y verás.

El viejo se puso solemnemente las gafas de montura dorada que le colgaban del cordón negro y, sólo leer las primeras líneas, le cambió el semblante y se empezó a mesar nerviosamente las patillas y su bien recortada barba. «Si los turcos pasamos hambre y necesidad», decía la octavilla, «es por culpa de los infieles, que se han adueñado de nuestro dinero y de nuestro comercio. ¿Hasta cuándo vamos a soportar semejante explotación y tantas provocaciones? ¡Boicoteemos sus productos y dejemos de tratarles! ¿Para qué queremos su amistad? ¿De qué nos sirve confraternizar con ellos y ofrecerles nuestras riquezas y nuestra amistad sincera...?»

Decía muchas más cosas aquella octavilla y el viejo no daba crédito. Leía y releía en voz alta cada línea.

—Padre, ¿sabes quién ha puesto esta maldita octavilla en circulación por todo Oriente?—le preguntó Timos.

—Los Jóvenes Turcos. ¿Quién si no?

—Pues no. Y no te rompas la cabeza, que ya te lo digo yo: ¡el Deutsche Palästinien Bank! Sí, señor, el Banco Alemán de Palestina. ¿Te das cuenta ahora?

El viejo Seitánoglu cerró aquellos ojos de lince y se quedó un buen rato pensativo. Como astuto mercader que era, en seguida se dio cuenta de que el capital extranjero, voraz, se paseaba por Turquía como Pedro por su casa y ahora luchaba por mantener su posición y quitarse de en medio a cualquier competidor. Por eso se volvió y le dijo a su hijo:

—Vamos a ingresar dinero en el Banco de Suiza y en

el de Francia por lo que pueda pasar. Que Dios no me lo tenga en cuenta si me equivoco, pero mucho me temo que se avecinan tiempos difíciles. Ésta ya no es la Turquía que conocíamos...

Y tenía razón. Pero un pueblo que ha aprendido a convivir con otro como hermanos necesita grandes dosis de odio para cambiar de modo de sentir. El turco sencillo que vivía lejos del veneno de la propaganda siguió durante años llamándonos hermano por aquí y hermano por allá. Es cierto que las cosas no iban bien, pero empresarios, industriales, rentistas y licenciados y doctores griegos seguían teniendo en sus manos la vida del lugar.

No había pasado ni un mes desde que Timos Seitánoglu volviera de Oriente Medio cuando su padre lo puso a dirigir la fábrica de jabón de un tío suyo que había muerto sin herederos, y Timos me llevó con él para que le echara una mano.

Una mañana entró en la oficina un turco, un tipo de extracción popular.

—Buenas, soy Ismaíl Agá, de Prusa—dijo haciendo una lenta reverencia al tiempo que se llevaba la mano al corazón, a la boca y a la frente—. ¿Dónde está Yorgakis Efendi?

—En el otro barrio—le constestó Seitánoglu.

—¿Que se ha muerto? ¡Ay, Dios mío! Pero ¿qué me dice? ¿Y quién está ahora al frente de esto?

—Servidor. Para lo que usted mande.

—Pues que he venido a pagar—dijo el turco.

—¿A pagar el qué, Ismaíl Agá? Yo no estoy enterado de nada.

—Una deuda que hace tiempo que tengo. Es que

hasta ahora no he andado bien de dinero. Usted me perdonará si he tardado un poquillo.

Seitánoglu empezó a buscar y rebuscar por todas partes y luego dijo:

—Agá, tu deuda no figura en ninguna parte. Quizá te la perdonó el difunto.

—Busca bien, *oğlan* (hijo mío). Abre bien los ojos. Y no te apresures a hablar, que Yorgakis Efendi, en paz descanse, era muy ordenado. Es bastante dinero, en algún sitio tiene que constar.

Seitánoglu volvió a buscar y a abrir legajos, libros y cajones, pero nada.

—Agá, déjame que busque en el altillo, que hay ahí unos libros viejos, y mañana pasas y vemos lo que hay.

Y a la mañana siguiente hete aquí otra vez al turco.

—¿Has encontrado algo?—preguntó—. Te he traído un papel que te puede ayudar.

—Sí, por fin he encontrado tu cuenta, Ismaíl Agá. Tanto es lo que debes.

—*Aferim!* (¡Bravo!)—exclamó el turco de contento—. Eso es exactamente.

Se sacó una bolsa de tela de la cartuchera, desanudó el cordón, le dio un par de vueltas en el aire, metió la mano, cogió un puñado de libras y piastras y empezó a echarlas encima del mármol—*bir, iki, üç...* (una, dos, tres...)— hasta saldar su deuda. Pero luego siguió contando.

—Pero ¿qué haces?—le detuvo el patrón—. Coge eso, que sobra.

—No sobra. Son los intereses. Que el dinero rinde. Y yo puedo haber tardado en pagar, pero no soy ni un granuja ni un desagradecido.

Ismaíl Agá no era una excepción. La gente sencilla de Turquía todavía se desvivía por nosotros. Necesitaba de nuestra amistad y de nuestra colaboración. A los dos pueblos nos había parido la misma tierra. En el fondo ni nosotros los odiábamos ni ellos a nosotros.

Mi padre bajó a Esmirna y consiguió vender la cosecha a buen precio. Le dieron ciento veinte libras turcas de oro y, como no tenía contraída deuda ninguna, se lo pudo quedar todo. Luego yo le ayudé a comprar allí todas las provisiones del invierno—desde ropa hasta pimienta y cerillas—para que no le timaran los tenderos del pueblo.

En cuanto acabamos las compras, nos fuimos a pasear al Malecón y, charlando, charlando, se me ocurrió una idea. Corrí hasta la ventanilla del cine Pathé y compré dos entradas.

—Vamos a que se divierta usted un poco, padre—le dije.

—¿Eso qué es? ¿No será un teatro?

—¡Ya verá, ya verá!

—¡Oye, para!—dijo, colorado de vergüenza—. ¡Que hace veinte años que bajo a Esmirna y nunca he pisado un teatro, ni lo pisaré, y mucho menos con mi hijo!

Me las vi y me las deseé para hacerle entender que allí iban los páter familias más honrados con sus mujeres y sus hijos. Y salió del espectáculo encantado, entusiasmado.

—El año que viene, si estamos bien, traeré a tu madre a que vea esta maravilla—dijo.

Pero no alcanzó a llevarla. La enfermedad tumbó de un hachazo aquel cuerpo fornido que hasta sus setenta

67

años no había sabido lo que era un dolor de cabeza ni una muela cariada ni una cana. Su pérdida me dolió, porque del padre muerto sólo se recuerda lo bueno. Y además durante los últimos años el viejo Axiotis había mostrado a menudo su lado bueno. Hasta hubo un día, antes de morirse, que intentó justificar su duro comportamiento. Nos contó por primera vez todo lo que había pasado de pequeño con su padre. Que se quedó huérfano y cómo lo odiaba su madrastra y que una noche de invierno, cuando tenía ocho años, lo echaron de casa y fue a caer en muy malas manos.

Lo escuchamos sin la más mínima emoción, con un silencio que decía mucho. Quizá se dio cuenta de lo que pensábamos porque siguió diciendo:

—Ya me habría gustado no heredar los defectos de mi padre. Pero eran tantos que no los pude vencer todos... A vosotros os aconsejo que sólo os quedéis con lo bueno de mí. Lo malo dejad que me lo lleve yo a la tumba. Sed temerosos de Dios y quered a vuestra madre, y andaos con cuidado con los poderosos. No despreciéis el dinero, porque el menesteroso es el hazmerreír de todo el mundo. Pero no vendáis el alma al diablo por dinero. Nunca he sido un granuja, que lo sepáis. Por encima de todo siempre he puesto mi buena reputación...

No sé si por descuido o porque no esperaba morirse tan rápido, se fue sin dejarle al primogénito, como era costumbre en el pueblo, la mayor parte de la herencia. Y mi hermano Kostas, que era el que más había pugnado por sacar adelante la finca, se lo tomó muy mal y con toda la razón. A mí me escribió para que abandonara mis sueños de comerciante y volviera a trabajar la tierra.

Al principio no me gustó volver a la vida de labrador, pero luego me resigné y empecé a inventar nuevos métodos de trabajo, más relajados. Me exasperaba cuando oía decir: «¡Pero si nos enseñaron a hacerlo así nuestros padres!» A mis hermanos no les gustaban mis moderneces y Panagos solía decir con sobrada ironía:

—¡Qué haragán! ¡Lo que tiene que inventar para no dar un palo al agua…!

Con mis hermanos, ni contigo ni sin ti. Yoryis aparte, los demás pensaban que estaba chiflado y que tenía la cabeza llena de pájaros. «Se lo tiene muy creído», decían. «Lo han echado a perder el maestro Larios y Esmirna con sus Luludiás y los hijos de Seitánoglu…» No les gustaba que viera más allá de nuestras narices. Las pasé canutas para hacerles entender que el ser labrador no estaba reñido con el progreso. «Kör mahallesinde ayna satma» (No vendas espejos en el barrio de los ciegos), decía un sabio mendigo turco del que aprendí mucho bueno.

Una mañana que no había nadie en casa, llamaron a la puerta. Abrí y me encontré con un policía turco. Le pregunté que qué quería y me respondió que tenía que presentarme de inmediato en la gendarmería. Le seguí. Estaba nervioso, porque ¿qué se puede esperar de bueno de semejantes invitaciones? Pero el oficial de guardia parecía buena persona y me dijo:

—*Otur, oğlum!* (Siéntate, hijo mío.)

Respiré al verle tan manso.

—¿Sabes por qué te he mandado llamar?

—¿Cómo lo voy a saber, *Efendim*? Lo único que sé

es que no puede ser por nada malo.

—Y ¿cómo sabes que no te he llamado por nada malo?

—Pues porque la gente, Kerim Efendi, dice que no se ha visto en el pueblo mejor policía que usted—le respondí con gran atrevimiento por mi parte.

Mis lisonjas le complacieron.

—Bueno soy, con los buenos—me respondió—. Vosotros sois los que por lo visto no sois tan buenos.

Aquello me empezó a inquietar, pero no dejé que se me notara. Hice lo posible para convencerle de que debía de ser un error porque era sabido que nosotros éramos gente de paz y nunca nos metíamos en líos con la gendarmería.

—Pero tienes un hermano—me respondió—que ha desertado del ejército turco y se ha fugado a Grecia. Y os ha enviado una carta desde allí. Lo que dice en la carta no lo sé. Sólo sé que la censura ha reparado en ella, de lo que deduzco que lo que dice será ilegal...

—*Efendim*—le respondí midiendo mis palabras—, ¿qué culpa tenemos nosotros de que nuestro hermano haya desertado del ejército? Él es el que ha cometido esa locura y él el único responsable. No nosotros.

—No tengas miedo, *oğlan* (joven)—me respondió el turco—, que no voy a pedirte cuentas por los actos de tu hermano. Me limitaré a cumplir las órdenes que he recibido...

Sus palabras eran alentadoras. Pero ¿qué órdenes eran ésas? ¿Acaso me iban a detener y me iban a mandar a Kuşadası a interrogarme? ¿O me iban a meter en el calabozo? Mil penalidades me vinieron a la imaginación hasta que el oficial volvió de la habitación de al lado y me dijo:

—La censura te ha impuesto cinco piastras de multa. ¿Las tienes o vas a buscarlas para que te dé la carta?

Al oír esas palabras, sentí un gran alivio. ¡De modo que ésas eran las órdenes! Saqué una moneda de diez piastras, se la di y, según cogía la carta, le dije de todo corazón:

—*Teşekkür ederim, Efendim.* (Gracias, señor.)

Quiso devolverme cinco piastras, pero no le dejé. Le dije que se tomara un café a mi salud y se metió la moneda en el bolsillo sin ningún reparo. Cuando llegué a casa y leí lo que nos contaba Mijalis en aquella carta, comprendí lo aletargada que seguía estando Turquía. El muy sinvergüenza nos contaba con pelos y señales que había desertado del ejército turco, que había cruzado a Grecia y que se había alistado de voluntario y había combatido en Ioánnina, cuántos turcos habían hecho prisioneros y varias hazañas más.

Siete u ocho meses después de aquel susto, una noche cerrada de lluvia y relámpagos, ¡pues no se nos presenta en casa el mismito Mijalis! Lágrimas, emociones, muestras de cariño. Nos estuvo contando todas las peripecias que le habían ocurrido para cruzar en barca desde Samos, pero cuando soltó lo de que había venido a que le diéramos su parte de la herencia en metálico, enmudecimos y nos quedamos todos atónitos. Kostas fue el primero en hablar, como el mayor que era:

—¿Y no has temido por tu vida, Mijalis, para jugártela a cara o cruz como tú dices y venir a soltarnos semejante disparate?

Al principio Mijalis intentó disculparse.

—La vida en Grecia es muy dura—dijo—. Allí la tierra, más que dar para vivir, acaba con cualquiera. ¡Todo

71

son pedregales y marismas! Necesitamos dinero. Para abrir una fábrica de garbanzos tostados...

Mis hermanos sabían discernir mejor que nadie cuáles eran sus intereses, pero lo de hablar no se les daba muy bien. De modo que todas las miradas convergieron en mí.

—¡Habla tú!—me dijo Kostas.

Y Panagos asintió con la cabeza como diciendo: «Vur!» (¡Dale!)

Me bebí un trago de anís pensando en lo que iba a decir.

—Oye, Mijalis—le dije—, nosotros no somos un banco como para tener el dinero listo para complacerte. Ni podemos precipitarnos a vender tu parte sin que salgas perjudicado tú y la finca. De todos modos, como te has jugado la vida para venir hasta aquí, procuraremos hacerte un pequeño préstamo, si todos están de acuerdo, para que no te vayas resentido y con las manos vacías.

Y al instante se enzarzaron los tres en una discusión por la cantidad. Cincuenta libras pedía Mijalis, diez le daban los demás, exigiéndole además los intereses. Poco faltó para que llegaran a las manos.

—¡Calmaos de una vez!—grité—. ¿A qué tanta pelea? Ni que tuvierais que repartiros los bienes de Seitánoglu, mi patrón. Bajad la voz, que vais a despertar a todo el barrio.

—Gritan—dijo Mijalis—para que los oiga la policía y vengan a prenderme y quedarse así con mi parte...

Los otros agarraron las sillas.

—¡Me cago en...!

Por los pelos logré detenerles.

—¡Quietos! ¿Qué vais a hacer? Sentaos de una vez y hablemos como hermanos que somos y no como rufianes. Aquí nadie va a salir perdiendo. Mijalis se ha metido en un lío y tenemos que ayudarle. Emigrar es muy duro, es como un exilio. Y no se hunde el mundo por que le prestemos diez o veinte libras. Yo pagaré los intereses. Mañana todo volverá a la normalidad y cuando Mijalis vuelva definitivamente a casa ya dividiremos la herencia, sin pelearnos…

A mi madre le temblaba la barbilla y se le habían nublado los ojos de lágrimas.

—¡Bendito seas, hijo mío…!—musitó tímidamente.

Todos se calmaron y se fueron a dormir. Mijalis se fue al cabo de tres días, a medianoche. Yo le acompañé para sortear los peligros y dejarle en manos de un barquero de confianza. Volví que ya era mediodía. Estaba rendido por el cansancio y las emociones, pero me fui derecho a faenar al campo. Allí se me acercó Yoryis y me dijo:

—No recuerdo que haya habido ningún problema familiar que no hayamos descargado sobre tus espaldas. Que nadie te lo reconozca no quiere decir…

—Y ¿quién te ha dicho que quiero que se me reconozca?—le contesté—. Mientras aguanten mis espaldas…

AMELÉ TABURÚ

V

Al amanecer apareció por las calles del pueblo Kosmás, el pregonero, un hombretón que levantaba dos metros del suelo, con los ojos legañosos y un pesado cencerro a modo de campana en la mano. La gente se asomó sin asearse a puertas y ventanas. Les había dado un vuelco el corazón. ¿Qué querría a esas horas el pregonero? ¿Qué tendría que anunciarles?

A Kosmás lo querían turcos y griegos por igual. Tenía una manera muy particular de despertar la curiosidad y la emoción de la gente y de hacer reír o llorar a todo el mundo según el caso. Pregonaba con pareados, refranes y sátiras hasta los decretos y las leyes del Estado o los funerales y las bodas. Había empezado de joven cantando en el coro de la iglesia, pero luego cogió un salterio y le dio por cantar canciones de amor en una tabernucha hasta que un día se enamoró, se casó, sentó la cabeza y se hizo pregonero.

Aquella mañana de otoño de 1914 a Kosmás le había mudado el semblante, su vozarrón había perdido su meliflua frescura, se le había hecho un nudo en la garganta y el pobre parecía tartamudo.

—Kosmás Sarápoglu—le gritó con hosquedad un anciano del consejo—, los tiempos no están para bromas, así que ve directo al grano. ¿Qué pasa para que tengas que salir a la calle con el lucero del alba?

—Cosas notables y muy principales, señor concejal.

Que muy revuelto anda el mundo y nos toca ahora a nosotros meternos en el fragor de la batalla, y es que nuestro venerable sultán se ha puesto de parte del káiser y avanza ya con austríacos y alemanes contra Inglaterra, Francia y la santa madre Rusia, o sea, contra los que llaman la Entente.

A la gente se le heló la sangre. ¿Sería para bien aquella guerra? ¿Sería para mal? Uno de los presentes se quedó mirando al pregonero y le preguntó bajito:

—Y los países pequeños, Kosmás, es decir…, Grecia ¿con quién se ajunta?

—¿Cómo quieres que lo sepa? Soy pregonero en Turquía, no ministro en Francia. A mí me han dado orden de contaros lo que os acabo de contar y punto.

—¿Por qué te haces de rogar?—se abalanzaron todos a preguntarle—. ¿Acaso tienes miedo, un chicarrón como tú? Algo nos estás ocultando.

—¿Qué os voy a ocultar, compadres? ¡La guerra es la guerra! No es una boda como para hacer broma. ¡Van a morir muchos jóvenes y correrá la sangre! Unos pagarán los platos rotos y otros amasarán fortunas. Y que Dios se apiade de los pobres…

No habían transcurrido muchos días de aquello cuando hete aquí de nuevo a Kosmás en la calle sacudiendo nerviosamente el cencerro, pero sin decir palabra, escupiendo sin parar y haciendo ascos como si hubiera bebido cicuta. Cabizbajo, pisoteaba el suelo con sus enormes zapatones como queriendo hacer un hoyo. Hasta que consiguió que le saliera un hilo de voz, ronco y cansino.

—Traigo malas noticias, compatriotas. Órdenes de nuestro venerable sultán. ¡Tienen que alistarse todos los súbditos otomanos de entre veintidós y cuarenta años! ¡Bienaventurados los padres con hijas! ¡Cinco varones se me lleva a mí la movilización! ¡Maldita la hora en que…!

La gente se quedó petrificada. No se oía nada, ni un comentario ni un lamento. Agacharon la cabeza y echaron a andar hacia sus quehaceres. En un instante se les había marchitado el alma y ajado el corazón. Las madres empezaron a lavar y a remendar la ropa de sus hijos y a hacer promesas a los santos. Aquello era el principio de algo terrible que intuíamos, pero cuyo sabor no sabíamos describir. Y sin embargo todo lo que nos podíamos imaginar no era nada comparado con lo que nos esperaba.

De noche nunca se habían visto los cafés tan llenos de gente. Allí se reunían labradores, oficiales, ancianos del consejo y popes, y se pasaban el rato hablando en voz baja. Malas noticias. Por lo visto el gobierno turco no se fiaba de los cristianos. Los estaba movilizando a todos, pero no les daba ni armas ni uniformes y había organizado unos batallones ad hoc llamados «Amelé Taburú» (batallones de trabajo) que mejor habría sido llamar batallones de la muerte.

—Mejor esos batallones que empuñar las armas contra nuestros amigos de la Entente—dijo una noche un comerciante esmirniota que andaba de negocios por el pueblo.

—Mejor para ti, Andonakis Mijelís, no para nosotros—le contestó el tío Stasinós, que tenía mucha amistad con él—. Tú te las apañas la mar de bien y a uno de tus hijos lo has metido en una compañía alemana, al otro en el ferrocarril y al otro me he enterado que a pope. Pero ¿nosotros qué, que se nos ha llevado la movilización a todos nuestros hijos? Todavía no hace un mes que movilizaron a mi Themistoklís y ya nos ha escrito diciendo que va a desertar, que no puede más. Dice que en los Amelé Taburú los tratan peor que al peor de los enemigos. ¡A su lado los prisioneros llevan vida de reyes! ¡Que si hambre, que si piojos, que si mugre, que si trabajos forzados, ni un momento de respiro, de dieciséis a dieciocho horas deslomándose, y si te desmayas o plantas cara, te azotan o te torturan! Lo único que les da el Estado es el rancho, que por lo visto no alcanza ni para un perro. Hasta diez y veinte personas comen del mismo barreño sucio lleno de piojos en el que se lavan los calzoncillos. Y encima ¿qué les dan para comer? Despojos con una asquerosa salsa negra. Mi hijo me cuenta en la carta que el que puede rebaña con la cuchara y que ¡ay de ti si te da asco! Porque te mueres de hambre. Y que te dan ganas de matar a tu vecino para quitarle de la boca el bocado ese que tanto asco te da.

—Los Amelé Taburú—dijo Zisis, el pope—son artilugios del diablo. En la Guerra del 12 no ocurrieron esas barbaridades. ¿Quién ha maleado a los turcos?

—Su conveniencia y los alemanes—contestó Yákovos el farolero.

—Su conveniencia es tenernos de su parte—apuntó el maestro—. Nosotros somos sus cabezas pensantes. El turco de a pie lo sabe y nos aprecia.

—Mejor diga que nos apreciaba, señor maestro—le contesté yo—. Ahora aprenden a odiarnos y a vivir sin nosotros. ¿No ve que este año no han venido ni los kirlíes?

El comerciante Mijelís intentó animarnos.

—No es tan trágico como lo pintáis. En las ciudades

los que mandan a los turcos somos nosotros. Y no han dejado de necesitarnos en lo más mínimo. Os voy a dar un ejemplo. Un amigo mío que se llama Avgulás no sólo se ha librado de la mili gracias a un notable turco, sino que encima ha ganado dinero y en un mes se ha montado un negocio. Al enterarse Mehmet Bey de que había desertado, lo estuvo buscando y como no lo encontraba me vino a preguntar que dónde andaba ese zorro de Avgulás: «Lo busco para algo que le interesa.» «Pues está escondido», le dije yo. «Se ha dejado la barba y va vestido de pope.» «Pues dile que quiero verle. Que le tengo un documento de identidad preparado. Lo necesito de socio, que él sí que sabe hacer dinero.»

»Y Avgulás se ha encontrado con un despacho en el bazar, y nadie que se atreva a importunarle. Ha conseguido que el turco le suministre un carro de potasa. Ya sabéis que con esto de la guerra ha desaparecido la potasa del mercado. Y ha empezado a pasearse con el carro fingiendo que hace todo lo posible para que no le vean la mercancía. «¡Anda!», dicen los comerciantes con la mosca detrás de la oreja, «¿ha llegado un cargamento de potasa?» Y Avgulás venga pasearse con la misma mercancía, diez y veinte veces hasta que consigue hacerles creer que efectivamente ha llegado un barco cargadito de potasa, con lo que los comerciantes acaban por bajar los precios de golpe y sacan la mercancía que tenían escondida. Entonces el bueno de Avgulás y el turco empiezan a comprar potasa a porrillo, y en una semana se han hecho los dos de oro. Y no penséis que el de Avgulás es un caso único. Hay griegos ricachones por los que los turcos se enjuagan la boca con agua de rosas para saludarles. Puede más una palabra de uno de esos griegos que un decreto del sultán.

—Eso vale para vosotros—dijo el tío Stasinós—. A nosotros los pobres nos toca o los Amelé Taburú o la horca...

—Yo sólo sé una cosa—dijo Yákovos—. A los turcos los han maleado los alemanes. Hoy por hoy son los alemanes los que dominan a los turcos y los que mandan.

Todos tenían su parte de razón en aquella discusión, pero el que más había acertado era Yákovos, un compadre nuestro. Ahora los amos de Asia Menor no eran sólo los turcos, sino también los alemanes. Los alemanes eran la cabeza y los turcos el brazo. Unos hacían los planes y los otros los ejecutaban. En Esmirna había desembarcado un alto mando alemán, frío y despiadado, con uniforme prusiano y pinta de ocupante. Liman von Sanders se llamaba. Crisóstomo, el arzobispo de Esmirna, aconsejaba que nos desinfectáramos la boca cuando lo mentáramos. Aquel espíritu maligno de Asia Menor no tenía piedad ni compasión. Con él, igual que con el turco, no había discusión, petición ni soborno que valiera. Lo habían enviado con la despiadada intención de aniquilarnos y arrebatarnos el vellocino de oro de las manos. En realidad, Turquía era ahora una colonia alemana.

Mucho antes de que se declarara la guerra, habían aparecido por todo el país especialistas alemanes para estudiar la situación: empresarios, militares, policías, arqueólogos, sociólogos, psicólogos, financieros, médicos, predicadores, enseñantes. Hurgaban en lo más íntimo de nuestro ser: nuestro pasado y nuestro presente, nuestras relaciones con los turcos, nuestros conocimientos, nuestras fortunas y los puestos que ocupábamos. Y no les gustó la conclusión a la que llegaron con sus investigaciones y sus estadísticas. Era como que nosotros, los griegos y los armenios, sobrábamos. Ocupábamos demasiados cargos y además no teníamos un pelo de tontos. ¡Turquía seguía estando en Babia! Los notables turcos se pasaban la vida holgazaneando y dejaban que los cristianos mandaran y fueran la cabeza pensante de Asia Menor. En una palabra, que griegos y armenios eran un obstáculo para los intereses alemanes y había que apartarlos fuera como fuese.

Éramos un pueblo alegre y emprendedor y de la noche a la mañana nos convertimos en el saldo negativo de la contabilidad de los europeos, que había que borrar de un plumazo. Y no se nos borró con inocentes lápices y gomas. Se nos borró con un sinfín de crímenes. ¡Aquello lo empezaron los Liman von Sanders, pero lo remataron nuestros amigos y protectores de la Entente!

Antes de que estallara la Guerra del 14 ya se habían cometido algunas atrocidades en Focea, Ayvalik y varios lugares más. Pero sólo cuando Turquía entró en guerra del lado de Alemania se inició el exterminio sistemático de la población griega de la costa y se dio la orden de que en el plazo de unas horas cogieran los griegos a sus familias y se marcharan al interior de Turquía. ¡No podía quedar ni un alma griega en toda la costa!

—¿Por qué? ¿Por qué?—preguntaba la gente—. ¿Qué culpa tenemos nosotros?

—¡Toda! Porque os cambia la cara de alegría cuando gana la Entente.

Las madres cogían a los bebés de las cunas, cogían a

los viejos y a los enfermos; los hombres cargaban los bultos, abandonaban faenas, vidas y casas sin cerrar, y echaban a andar todos juntos por los caminos de Anatolia, barridos por el viento. Bajo el calor del desierto y la nieve de desfiladeros y escarpados montes fueron cientos de miles los griegos y armenios que dejaron la piel en el camino...

Al final les llegó el turno a Kostas y Panagos de irse a los Amelé Taburú. El día antes habíamos regresado del campo sin hablar, mucho más cansados de lo habitual. Nos sentamos todos juntos a la mesa, sin pelear, como en los días de fiesta. Nuestra madre mató dos gallinas bien lustrosas que había criado para que la comida de despedida fuera abundante. Aquella noche, todos nosotros sentíamos necesidad de compañía aunque no lo confesáramos. El cucharón de mi madre se iba todo el rato para los platos de Kostas y de Panagos.

—Comed—les decía—. Le he echado una yema de huevo a la sopita. Amarga, amarga, como a vosotros os gusta.

—Así serán las del batallón—ironizó Panagos.

Kostas lloraba por las tierras.

—Se echarán a perder—decía—. Mañana movilizarán a Manolis. ¡Y luego a Yoryis y luego a Stamatis! ¡Y a ver, madre, cómo te las arreglas con las bracillos de Sofía! ¡Se echará a perder todo lo que hemos construido con tanto sudor!

En toda la noche no hablamos de otra cosa que de los árboles que había que injertar, de la maleza que había que arrancar, de las viñas, del tabaco y del ganado. Me habría gustado cogerles fuerte la mano a mis hermanos y decirles que no se preocuparan, que yo me encargaría de todo. Me habría gustado mostrarles todo mi cariño. Pero no me atreví. Kostas y Panagos se habrían reído de mí. Hasta es posible que me hubieran dicho: «¡Esa mano!»

Nos acostamos temprano, como siempre. Pero dormimos inquietos y con el sueño entrecortado. Mi madre ni siquiera se echó. Estaba liada con la ropa de Panagos y de Kostas. Les planchaba las camisas con una solemnidad y una dedicación que parecía que la vida de sus hijos dependiera de aquella plancha. Luego se puso a remendar calzoncillos, camisetas, calcetines de lana. ¡Cuántas prendas no remendó en su vida! A ver si no se le pasaba por alto mencionar eso cuando Dios Padre la llamara a su vera: «¡El hartón que me he dado de remendar ropa vieja, Señor! No podría contarla con la poca aritmética que sé...»

Panagos no podía dormir. Se levantó un par de veces al retrete y se tomó un par de vasos de aguardiente. Querría ahogar la emoción, el miedo que sentía, vete a saber, y la emprendió con nuestra madre.

—¿Qué demonios está haciendo, vieja, que no para de dar vueltas toda la noche como un fantasma? ¡Acuéstese de una vez!

Nuestra madre, sin rechistar, empezó a recoger la ropa lo más silenciosamente que pudo para irse a la cocina y no molestar a nadie. Panagos se arrepintió y le dijo cariñosamente:

—¿Por qué se hace usted mala sangre, madre? Escrito está, no podemos hacer nada contra el destino. Si

Dios quiere, volveremos, ya lo verá, y le daremos muchos nietos…

—¡Dios te oiga!—dijo ella al tiempo que salía afuera a llorar.

De madrugada cargamos los bultos y salimos para la estación de Ayasuluk a despedir a mis hermanos. Las nubes que se habían empezado a formar por la noche estaban tan bajas que nos oprimían el alma. Mi madre, valiente, no soltó ni una lágrima a pesar de que las demás mujeres rompían a llorar y se daban golpes en el pecho, se arrancaban mechones de pelo y se arañaban las carnes. «¡Ay, desgraciada de mí! ¿Para qué quiero vivir?»

Sólo rompió a llorar ella también cuando se oyó el pitido y arrancó el tren.

—Id con Dios—dijo—y que la Virgen os acompañe…

Luego echó a andar a mi lado renqueando como una vieja centenaria.

—Es como si me hubieran arrancado las entrañas… ¡Nunca me imaginé que llegaría un día en que me arrepentiría de haber tenido tantos varones!

Los primeros rasguños de la guerra nos causaron mucha impresión. Todavía no habían empezado las puñaladas de verdad. El alma humana se detiene en lo insignificante y se acostumbra a lo más grave.

Los que volvían de los Amelé Taburú, con permiso o sin él, contaban historias difíciles de creer. Pueblos y ciudades se llenaron de prófugos y desertores. La deserción era una solución a la desesperada. Nadie podrá nunca describir lo dura que era la vida de aquellos jóvenes. Se construían escondrijos bajo tierra, en pozos, alcantarillas y bajo el tejado de las casas. Batallones del escondrijo los llamaban. En alguno de ellos, construido entre dos paredes, se llegaron a pasar años.

En cuanto oscurecía, un ejército de mujeres presentaba batalla en el pueblo: eran las madres que tenían ocultos a sus hijos y maridos. Durante cuatro años esas mujeres no pegaron ojo ni comieron tranquilas. Muchas de ellas se pasaban la noche en una silla aguzando el oído y con el alma en vilo. A cada momento oían susurrar: «¡Que vienen! ¡Que vienen!»

La mujer del pregonero Kosmás Sarápoglu acabó loca. Tenía escondidos a tres chicarrones hasta el techo de altos. ¿Dónde meter a esas espingardas en aquella enanez de casa? Pero había que hacerlo porque tenía ya a dos hijos en los Amelé Taburú y ni siquiera sabía si estaban vivos o muertos. Por la noche, cuando había redada, los tres hijos de Kosmás se metían en túneles y alcantarillas para que no los cogieran y entonces su madre salía a la puerta, se cruzaba de brazos para que no le temblaran de miedo y se ponía a esperar a la policía.

—Buscad donde queráis—les decía con indiferencia y frialdad.

—¿Dónde se esconden tus hijos?

—¡Como si yo lo supiera! ¡A mí me van a dar cuentas!

—¡Ya los cogeremos! ¡No se nos escaparán! ¡Y los degollaremos ante tus propios ojos! ¡Que lo sepas!

Y se iban profiriendo insultos, y la mujer de Kosmás se quedaba con el corazón en un puño, sudando, helada. Cuando veía volver a sus hijos, le daba la llantina y sollozaba en silencio, caía de hinojos y se ponía a rezar.

Hasta que una noche, en vez de entrarle ganas de llorar, le entró la risa. Una risa loca e incontenible. Al principio los chicos se quedaron perplejos, se miraron al espejo, vieron el barro y la inflamación de los arañazos que tenían en la cara, se sonrieron, se lavaron y se sentaron a la mesa a comer. Pero su madre no paraba de reír. Cada vez eran más fuertes las carcajadas, tanto que estremecía oírla y su marido acabó perdiendo la paciencia:

—¡Maldita sea, cállate de una vez!—gritó dando un puñetazo en la mesa—. ¿Qué te ha dado para chillar de esta manera, mujer? ¿No ves que te van a oír los gendarmes y van a volver?

Pero ella nada. Ni oía ni entendía lo que le decían. ¡Perdió la razón y tuvieron que atarla para que no fuera a la gendarmería a delatar a sus propios hijos!

Las noches de redada cundía el pánico. Cuando la gendarmería y la guardia a caballo cogían a un desertor, la emprendían a golpes, lo torturaban y a veces hasta lo dejaban muerto. Y en medio de la noche se oía gemir y aullar a los perros. Todo el mundo se pasaba la noche en vela, esperando…

Los más espabilados sacaron partido de ese miedo y crearon una maquinaria infernal que nos chupaba la sangre de las venas: empezaron con lo de «si te quieres librar, dame lo que te pido» y, si uno se dejaba enredar y les echaba una mano, todavía era peor porque no había manera de parar aquel chantaje. Y como la gente no se podía permitir el pasarse la vida untándoles las manos, se acababan granjeando su enemistad. Se vendían ayudas ficticias y reales y se ejercía la coacción: «Sabemos dónde están escondidos tus hijos…» Y la gente ¿qué iba a hacer? Sacaba la bolsa y preguntaba: «¿Cuánto?» Así se enriquecieron no sólo pachás, gobernadores, jefes de distrito y de policía, sino simples carabineros y chivatos de tres al cuarto.

Todos los días había robos y asesinatos y todo el mundo sabía que eran obra de la policía, pero más valía que tuvieras más vidas que un gato como se te ocurriera presentarte ante un tribunal para identificar a los chantajistas, ladrones y asesinos. Lo perdimos todo en un abrir y cerrar de ojos. Hasta el control de nuestras vidas. Estábamos a merced del primer turco desaprensivo que pasara. De vez en cuando el Estado se inventaba un nuevo impuesto para hacer frente a los gastos militares. ¡El *bedel*, es decir, la exención del servicio militar, se puso a cuarenta libras de oro para los mayores de veinte años y a sesenta para los menores de esa edad! ¿Quién era el pobre que podía siquiera pensar en esa posibilidad teniendo como se tenían seis y hasta ocho varones? Luego ya no tuvieron bastante con las cuarenta y las sesenta libras y se sacaron más exigencias de la manga, y más y más...

En la gendarmería del pueblo, donde antes de la guerra había ocho policías, ahora teníamos cuarenta, aparte de la guardia a caballo y de los que llamaban cañones de la policía militar, que a cada hora salían un par de veces a arrasar los campos. La gente, desesperada, se echaba al monte. Y es que el monte bien habría podido ser nuestra salvación, pero habríamos necesitado la ayuda de los aldeanos turcos y no contábamos con ella. De boca en boca se había ido corriendo la voz por todos los pueblos turcos hasta que al final aprendieron a odiarnos. Soldados, clérigos y refugiados expulsados de Grecia fueron movilizados para proclamar que los infieles eran serpientes venenosas y ¡ay del que les diera cobijo…! ¡Era voluntad de Alá que se limpiara el país de infieles!

Sin embargo, nuestros más encarnizados enemigos resultaron ser los desertores turcos. Nos podría haber unido nuestro destino común, pero el Estado lo tenía todo previsto y les concedía el indulto a cambio de matar a cuantos más cristianos mejor. De modo que por un cigarrillo, por una mísera piastra, por un simple mendrugo, los desertores turcos te asesinaban en menos que canta un gallo, fuera donde fuese, fueras quien fueses.

Un mediodía, mi amigo Şefkât consiguió llegar a escondidas hasta Beylik, donde estaban nuestras tierras, y estuvo hablando con mi madre y mi hermana, con Yoryis y con Stamatis.

—¿No está aquí Manolis?—preguntó parpadeando.

Se sentó en un poyete, pálido y apesadumbrado, como si no le sostuvieran las piernas. Mi madre se asustó. «¡Éste se ha enterado de alguna desgracia de Manolis!», pensó. Se habría olido mis correrías y que andaba metido en organizaciones secretas que avituallaban a los fugitivos que estaban en el monte. Por eso empezó preguntándole:

—¿Qué te pasa, mi alma? ¿No estarán enfermos tu padre o tu madre? ¿No le habrá ocurrido nada malo al ganado?

Şefkât negaba afligido con la cabeza. Luego, con una voz que le salió de lo más hondo, se volvió hacia los míos y dijo:

—*Ah, anacıyım! Ah, kardaşlarım!* ¡Ay, madrecita! ¡Ay, hermanitos! ¡Ojalá fuera una enfermedad! Si fuera una enfermedad, iríamos al médico y ya está. ¡Y ojalá se hubiera muerto una res! Con volver a criar otra... ¡Lo que nos ha ocurrido no se cura ni tiene remedio!

Şefkât se volvió para asegurarse de que nadie más le estaba oyendo. Y empezó a contar que se estaban alzando los pueblos turcos contra los griegos. Hasta en el suyo, en aquel pueblecito tan tranquilo, se estaban ahora organizando para hacer incursiones. Por lo visto, refugiados expulsados de Creta, de Macedonia y de Epiro, y mulás[8] adeptos de los Jóvenes Turcos y otros enturbantados estaban sembrando en los corazones de la gente el odio hacia «¡esos perros infieles mil veces peores que la peste!»

—Al principio—siguió diciendo Şefkât—su veneno no surtía efecto. «¡Vamos, hombre!», decía la gente. «¿Vamos a dar más crédito a esos extranjeros que a nuestros propios ojos? Llevamos años y años viviendo juntos como hermanos con los griegos y no nos han pasado más que cosas buenas. ¿Y ahora nos vamos a enemistar con ellos?» Pero las palabras, que curan el alma, corren también más que la pólvora y pueden desatar incendios. Débil y vulnerable es el ser humano. Y a todo eso han añadido ahora el interés material: «¡Si acabamos con los infieles», dicen, «su tierra y todos sus bienes serán para nosotros. *Haydi bakalım!* ¡Venga pues!» A algunos les han hecho los ojos chiribitas. Se han dejado deslumbrar por esas promesas. Y a Alí, el mendigo, al preguntar: «¿Y su gramática parda?, ¿también nos quedaremos con ella?», los sinvergüenzas le contestan: «¡con ella nos quedare-

---

[8] Jueces y doctores en derecho musulmán. (*N. del T.*)

mos!» Luego están los gendarmes, que no paran de mandarles mensajes secretos a los desertores turcos. «¡Que si perseguís y matáis a los cristianos no os tocaremos ni un pelo!» Hace unos días, en casa de Hafız, vi que estaban descargando armas y cartuchos y me fui a ver a mi tío, el alcalde, a preguntarle qué significaba todo aquello. «¡Estás en Babia, sobrino!», me contestó. «¿No ves que estamos armando a la gente? Ya no va a poder salir ningún infiel al campo...» Me dio un vuelco el corazón, porque no soporto la injusticia, y me fui derecho a ver a mi padre, se lo conté todo y le pregunté: «¡Dime, venerable padre, ¿ofenderé a Dios y a la patria si hablo con mi amigo Manolis para que él y su familia se anden con cuidado, no les vaya a pasar algo?» Mi padre me pidió un día para reflexionar. Y esta mañana me llama y me dice: «Ve, ve a hablar con él. Lo que está ocurriendo no es obra del Señor. No nos traerá nada bueno.»

Los dulces ojos negros de Şefkât se colmaron de lágrimas. Mi madre se agachó a besarle.

—Bendito seas, mozalbete. ¡Ojalá consigas hablar con Manolis!

Pero no conseguimos hablar. A Şefkât lo movilizaron. El odio y la brutalidad de la guerra pueden más que el amor, y las almas puras se quedaron en el campo de batalla como banderas olvidadas.

Nuestro cabecilla en los montes era un mozarrón de nombre Stratís, *el Forastero*, que tenía unas manos que doblaban el acero y un corazón que desconocía lo que era el miedo. Todo el pueblo recordaba aquella noche en que Stratís se fue de su propia boda, sin besar siquiera a la novia y con la mesa puesta, y agarró el fusil y se echó al monte.

La gente anhelaba la boda de Stratís para poder solazarse un poco y comer, beber, bailar y reír. Así es el ser humano, quiere alegría aunque vengan mal dadas. Todo el pueblo se endomingó y empezaron los regalos y las flores. En casa de Stratís no había llamado la guerra. Su coraje amedrentaba a los turcos, que ni se acercaban a sus tierras ni le pedían soborno. Siguió bajando a Esmirna a vender sus cosechas como si nada. Y con sus ahorros se había librado del servicio militar. Era libre como el viento.

Quería que todo el pueblo disfrutara de su boda y la recordara durante años. Hizo espetar corderos y rellenar pavos con castañas, piñones y pasas de Corinto. Cinco mujeres estuvieron friendo higadillos, cecina, albóndigas y pescado. Por no hablar de las fuentes y bandejas de empanadas, leche frita, milhojas en almíbar, bizcochos y hojaldres de Esmirna.

La novia, sin dote, menudita, guapetona, presumía del buen mozo que se llevaba. «¡Qué suerte tiene!», murmuraban con envidia las madres con hijas casaderas. El novio la sacó a dirigir el corro de bailarines y le pasó al cuello tres vueltas de monedas venecianas y estambuliotas. Y a los músicos les dio cinco libras a cada uno para que no dejaran de tocar violines y laúdes mientras durara el jolgorio.

Justo en ese momento se oyeron gritos y disparos y cundió el pánico entre las madres que tenían a sus hijos escondidos.

—¿Qué pasa? Por Dios, ¿qué ocurre?

Se vieron correr unas sombras en la oscuridad. Luego silencio.

—¡Stratís!—gritó un viejo—. ¡Han matado a tu primo Kotsos y al hijo de la viuda Eleni y al nieto de Manísalis!

Los violines enmudecieron. Los convidados se quedaron petrificados. Stratís cogió el fusil, furibundo, sin despegar los labios. La gente se apartaba para dejarle pasar. En la puerta de la casa de su tía Sofí yacía en el suelo, boca abajo, con una puñalada en la espalda, su primo hermano Kotsos. Cinco metros más allá, con tres disparos en la cabeza, nadaba en sangre Lefteris, su mejor amigo, hijo único de la pobre señora Eleni. Pero el espectáculo más espeluznante lo ofrecía Alekos, el nieto huérfano del viejo Manísalis. Le habían atado una sábana al cuello y lo habían colgado del balcón de la casa.

Era el primer asesinato colectivo que se cometía en el pueblo.

—¡Ay, qué va a ser de nuestros hijos!—lloraban las mujeres—. ¡Ay, Virgen Santa, intercede por nosotros! ¡Que san Demetrio y san Jorge caballero nos amparen!

Rojo de ira, Stratís se quedó ausente, cavilando. ¿Quién sería el autor del crimen? ¿Quién habría escogido el día de su boda para cometer semejante villanía? Todas las miradas se dirigieron hacia donde él estaba. ¿Qué decisión iba a tomar? ¿Cómo iba a responder a aquella provocación?

—Llamadme a Kajramánoglu, a Baludros y a Alpekidis—dijo con voz grave mientras entraba en casa.

Su mujer corrió tras él observando sus movimientos.

—¿Qué piensas hacer, Stratís? ¡No te me vayas!

94

Su madre se echó a llorar. Stratís se puso nervioso.

—¡Silencio! ¡Me cago en Dios!

En cuanto soltó un par de maldiciones se le aclaró la mente, se dio la vuelta, vio a su madre y a su mujer y se arrepintió de haberles gritado.

—¡No quiero llantos!—dijo—. ¿No os dais cuenta de que nos van a matar a todos? Tenemos que responder, proteger nuestras vidas, nuestros bienes. ¡Tenemos que achantar a esas sanguijuelas y hacernos respetar!

En un instante se reunieron una veintena de jóvenes, todos ellos desertores de los batallones del escondrijo. Cogieron caballos, comida, ropa y armas, y esa misma noche se echaron al monte.

—¡Dios mío!—se lamentaban las mujeres golpeándose el pecho—. ¡Que os van a matar, desgraciados! ¿Adónde vais así? ¿Quién se va a ocupar en el pueblo de aprovisionaros?

Así terminó la boda de Stratís y así empezaron sus hazañas. Cundía el miedo en los destacamentos turcos con sólo oír su nombre. Satanás le llamaban, y se escupían tres veces en el pecho. Una noche se atrevió a bajar hasta su casa. Llovía con truenos y relámpagos y soplaba un viento de mil demonios. Nadie se atrevía a asomar la nariz. Él fue el único que anduvo fuera, por la calle.

—La noche de mi boda—dijo—la quiero vivir como está mandado. ¡Esos hijos de perra no me la van a arrebatar! ¡Quiero un hijo! ¡Un hijo que me vengue!

Los besos de su mujer eran tan dulces que Stratís empezó a bajar a su casa con regularidad. Hasta que una noche estuvo a punto de que le cogieran, y a partir de ese día cesaron las excursiones. Su mujer se pasaba los días ardiendo de deseo y añoranza. Y un día Stratís recibió un mensaje de ella. Su madre estaba agonizando y lo quería ver para darle su bendición. Stratís convocó a sus hombres y les dijo:

—Hermanos, la mujer que me vio nacer está en las últimas. Tengo el deber de darle mi último adiós, pero todavía tengo un deber mayor con vosotros, que habéis puesto vuestras vidas en mis manos. Dedicid vosotros. Si me decís «¡vete!», será un consuelo para mí, pero si me decís «¡quédate!», no os guardaré rencor porque en el punto al que ha llegado nuestra lucha tenemos que olvidarnos hasta de nosotros mismos.

Los fugitivos, muchachos jóvenes, más avezados a la vida pacífica que a la barbarie de la guerra, le respondieron a una:

—¡Ve, capitán, ve! No se acaba con Stratís Xenos así como así. Es hueso difícil de roer.

Así que, en cuanto cayó la noche, montó su corcel y partió para el pueblo. Dos de sus muchachos lo siguieron.

—¿Qué hacéis?—les preguntó secamente en cuanto le alcanzaron—. ¡Ya os estáis volviendo por donde habéis venido! ¡Que no soy un crío, joder! Hace ya tiempo que me destetó mi madre.

Los otros insistieron:

—Nos lo pide el cuerpo, capitán. Nosotros te seguiremos aunque acabes en el infierno…

—Está bien, cabezotas, vamos pues, que parece que tenéis el culo inquieto.

Cerca ya del pueblo, fueron a dejar los caballos en la quinta del tío Dimitrós y allí se enteraron de que la noche anterior el ejército turco había empezado a avanzar hacia allí. Stratís dejó a sus muchachos en la colina oteando el camino y él se fue para el pueblo como un relámpago.

Saltó por la tapia trasera de la casa para que no le vieran las vecinas y corrieran como la otra vez, cuando bajó para el parto de su hijo, y empezaran a llorar y a preguntarle: «¿Qué sabes de mi hijo?», «¿cómo está mi marido?», «¡dale estas mudas y esta empanada!» No tenía tiempo. Por todas partes olía a pólvora. Mala hora había elegido la muerte para llamar a su puerta. Se acercó a la ventana de la cocina y por una rendija divisó a su vieja, que había puesto la cama en un rincón. Seguía viva. La lámpara de aceite le iluminaba el rostro demacrado. Tenía el corazón a punto de reventar. ¡Cuántas veces no se había sentado de chico en aquel rincón! Le gustaba incordiar allí a su madre mientras ella freía albóndigas, su plato favorito, importunándola todo el rato: «¡Me muero de hambre, mamá, date prisa con la comida!»

Se metió la mano en el bolsillo y sacó la llave de la casa. Se había pasado muchas noches acariciándola. Soñaba con el momento en que la metería en la cerradura, abriría la puerta, cogería a su mujercita, se la llevaría a la cama y la cubriría de besos de los pies a la cabeza.

Se deslizó como un gato dentro de la casa. Se acercó a su vieja, le besó piadosamente la frente, le acarició cariñosamente el pelo cano y le dijo: «¡Ya estoy aquí, madre! ¡Aquí me tiene...!» Pero ella ya no oía nada, ya no reconocía. Jadeaba, estaba agonizando... Stratís se arrodilló, hundió el rostro entre las manos y se olvidó de todo. Así se lo encontró su mujer y así se quedaron los dos juntos llorando. Luego ella hizo que se levantara, lo empujó con ternura hasta el cuarto de al lado, donde estaba la cuna, y al ver a su hijo durmiendo con los puños apretados a Stratís se le serenó el semblante.

—¡Granuja!—dijo cariñosamente—. ¡Conque ya quieres repartir puñetazos!

Su mujer hizo todo lo posible por agasajarle, por darle de comer, por traerle anís y cuanto de picar tenía.

—Lenió, no me voy a quedar—le dijo con amargura—. No te afanes, que me tengo que ir en seguida.

Lenió se echó a llorar. Se abrazó a él con voluptuosidad, zalamera. El corazón le latía con fuerza, le temblaba todo el cuerpo. Veinte años tenía la chiquilla y los abrazos de Stratís eran de los que no se olvidan.

—No puedo más—dijo quejumbrosa.

—¿Y te crees que yo sí?—le respondió apartándola suavemente para no sucumbir al aroma de su cuerpo—. Están mal las cosas, Lenió. No somos dueños de nuestras vidas. ¿No lo entiendes?

—¿Hasta cuándo, Stratís?—murmuró.

Hubiera querido decirle: «Hasta que se acabe esta carnicería. ¡Quizá nunca!» Pero se contuvo. Se acercó a la mesa y se enfundó las pistolas. Mientras se abrochaba el cinto, se volvió a mirar con ternura a su mujer. ¡Qué tortura! Sabía que si cedía y se acercaba a su mujer lo pillaría allí el amanecer. Agarró sediento la botella de anís, se la bebió toda de un trago, se limpió el bigote y de pura rabia le pegó una patada al cántaro del agua, que se cayó al suelo y se hizo añicos. Así no volvería a entrar la muerte en su casa. Y, sin volverse a mirar a su madre ni a su mujer ni a su hijo, se fue. Triste, mudo, furibundo.

A la entrada del pueblo vio venir corriendo a sus compañeros.

—¡Capitán, que en cualquier momento puede llegar el ejército turco! ¡Hay que irse ya! ¡A caballo! ¡Si no, estamos perdidos!

Stratís se detuvo un instante, aguzó el oído y miró enfurecido a su alrededor pensando en lo que iba a hacer. Por doquier se oían, traídos por el viento, marchas militares y galopar de caballos. Tuvo un momento de vacilación. ¿Huir? ¿Quedarse? Si huían, corrían el riesgo de que los cogieran a los tres, porque el ejército ya había rodeado el pueblo, y acabarían encontrando la muerte cuantos desertores dormían desprevenidos fuera de sus guaridas. Sólo si oían el fragor de la batalla alcanzarían a esconderse.

—No hay tiempo que perder—dijo a sus hombres—. Coged leña y ramas secas e id echándolas por aquí y por allá hasta la cima de la colina.

—¿Cuál es tu plan, capitán? Porque si nos quedamos aquí a combatir estamos perdidos.

—Voy a encender hogueras para que parezca que somos una columna. Les haré venir hacia la derecha. Vosotros tendréis tiempo de coger el camino de cabras de la izquierda. Si me da tiempo, me escapo yo también. Si no, da igual. Les daré una lección que no olvidarán. Antes de entregar la mía, mandaré un buen puñado de almas al infierno.

Cumplidas las órdenes, sus hombres dudaron a la hora de irse y dejarlo solo. Stratís se dio cuenta y se puso echo una furia, con los ojos a punto de salírsele de las órbitas.

—¿Soy o no soy yo el capitán? ¿Quién da aquí las órdenes? ¡Venga, en marcha!

Cuando por fin se marcharon, Stratís respiró hondo,

se enjugó el sudor que le bañaba el rostro y el cuello, encendió rápidamente las hogueras y, tras dejarlo todo listo, echó a andar cuesta arriba hacia la ermita de San Sostis. Era un puesto de observación excelente porque desde allí controlaba la quebrada de la carretera. Aguzando la vista y el oído esperó a ver lo que hacía el ejército turco. Oyó cómo avanzaba rápidamente hacia la derecha y se le escapó una sonrisa: «¡Imbéciles!» Encendió un cigarrillo. La mano firme, el corazón alegre. «¡Ay, maldito mundo de mierda! ¿A qué juegas con nosotros? Ahora que podría estar retozando con mi mujer en la cama, que podría estar jugando con mi hijo en las rodillas y picando algo de la mesa… ¡Pobre mamá! ¡Quién te iba a decir que te irías al otro mundo con tu hijo!»

Escupió y se puso en pie, una pistola en cada mano. O eres el jefe y lo demuestras o eres un cobarde y te escondes bajo el tejado de tu casa como una rata. Te quedarás aquí, Stratís, a llevarte un par de turcos por delante. Los hombres del pueblo oirán los disparos y correrán a esconderse. Pero tú te quedas en este bastión, que es tu puesto…

Stratís luchó con arrojo. Y se guardó para él la última bala…

En cuanto cantaron los primeros gallos y la gente del pueblo salió a la calle, corrió de boca en boca la noticia de la muerte de Stratís. El propio oficial turco dio orden de que llevaran su cuerpo a la plaza y lo sentaran en una silla para que todo el ejército presentara armas ante él.

—Hay que saber reconocer el coraje y premiarlo esté donde esté—dijo—. Así quiero que os comportéis, como este infiel. Y no como simples asesinos y saqueadores…

Durante meses no se habló de otra cosa en el pueblo más que del sacrificio de Stratís. Pero luego todo se lo llevó la barbarie de la guerra.

El pueblo dejó de cantar. Las casas se quedaron vacías y los campos yermos. Se disipó la alegría. La angustia y el miedo cundían por doquier. Los desertores que conseguían rifles, máuseres y revólveres formaban bandas y huían al monte, aunque los turcos lanzaran de vez en cuando operaciones de limpieza para eliminarlos.

Yo me convertí en avituallador de una de esas bandas. Aprendí a pasar por delante de los gendarmes y a bromear con ellos para engañarles y llevarles pólvora y provisiones a nuestros fugitivos. Cogía caminos de cabras, a menudo me pasaba horas enteras dando vueltas y más vueltas hasta que me cercioraba de que no me había visto nadie y me metía en su cueva secreta. Era imposible adivinar la entrada, escondida entre arbustos y enormes muelas de piedra. Había que arrastrarse unos diez metros y pico para llegar a ella y entonces se abría ante uno una cavidad llena de estalactitas que centelleaban con el resplandor de una lámpara de aceite. En el fondo de la cueva había una profunda sima, jamás hollada por ningún ser humano, que daba miedo. Lo único que hallamos en ella fueron huesos de pequeñas presas que habrían sido llevadas allí por las hienas para despedazarlas.

Aquella cueva la descubrimos Şefkât y yo, pero entonces no nos atrevimos a meternos en ella para explorarla. Cuando me enteré de que lo habían incorporado a filas y que lo estaban mandando a las operaciones en el monte, me angustié pensando en la posibilidad de que se acordara de ella y llevara a los turcos hasta allí. Evidentemente podía suceder, pero me negaba a creerlo y por eso no se lo conté a nadie.

Un día, bajando del monte, vi en un pozo a dos gendarmes emboscados. Me volví por donde había venido y luego corrí hasta la cueva con el corazón en la boca para dar parte. Sin perder un instante los rodeamos y los hicimos presos. Tuvo que intervenir el consejo de ancianos y exigir su liberación para que no hubiera represalias en el pueblo.

Al día siguiente, mandaron un destacamento, equipado con armamento pesado, en una operación de rastreo. Los nuestros rehuyeron el enfrentamiento. El único que resultó herido fue Jarálambos Papasteryíu, pero logró escapar y no caer en sus manos. Se escondió en el bosque y allí se quedó esperando. Me avisaron para que corriera a ocuparme de él. Por la noche me lo llevé a nuestra quinta. La herida no era grave, pero requería cuidado. Corrí a pedir ayuda a su tío, Thanasis Panayótoglu. El muy roñoso, que tenía enterradas vasijas enteras llenas de libras de oro, no asomaba nunca la nariz fuera de casa. Y nada más contarle lo que pasaba se asustó tanto que me mandó al diablo.

—No quiero problemas—dijo de mal humor—. Yo no sé nada...

Volví a la quinta desesperanzado. Cargué al herido en la mula y lo bajé de noche hasta el mar, hasta la cabaña del tío Yannakos, que en otros tiempos tenía negocios en la isla de Samos. Al vernos, el viejo y su mujer también se asustaron y se pusieron a refunfuñar. Pero no tuvieron arrestos para echarnos. El tío Yannakos se quedó pensando.

—Venga, que sea lo que Dios quiera—acabó diciendo—. Que en estas circunstancias todos somos como hermanos. Ve con Dios y ya me ocuparé yo de hacer cruzar a Jarálambos...

El jefe del destacamento se enfureció tanto con el fracaso de la expedición que hizo detener a tres inocentes bajo la supuesta acusación de que avituallaban a los fugitivos. Uno era Panayótoglu, el usurero; el segundo, mi amigo del alma, Jristódulos Golís, y el tercero, mi hermano pequeño, Yoryis, que tenía diecisiete años. Se los llevaron a la prisión de Esmirna. Estuvieron un par de meses pendientes de juicio y lo pasaron muy mal. Sin embargo, en el juicio fueron absueltos. Por aquel entonces todavía quedaba algún alma caritativa que velaba por mantener la paz.

En el monte ya no se podía esconder banda armada alguna. Y empezamos a jugar a un trágico escondite con la muerte, sin un momento de respiro.

VI

En enero de 1915 llamaron a filas a mi quinta. Me presenté en Kuşadası junto con otros setenta paisanos. Nos alistaron y nos mandaron a casa para que nos preparáramos la ropa. Al cabo de dos o tres días salíamos para incorporarnos a los batallones de trabajo de Ankara.

La mayoría, en cuanto se enteró del destino, corrió a esconderse. Yo estuve de acuerdo con la opinión de mi amigo Kostas Panágoglu, que insistía en que nos alistáramos en los batallones. Kostas estaba enfadado con su padre por un asunto de herencia y quería irse para ver si así lo enternecía y conseguía hacerle cambiar de opinión. Pero yo ¿por qué cometí la insensatez de seguirlo? Cuando se buscan razones siempre se encuentran. Me decía: tengo que elegir entre dos males. Uno, esconderme. Ya lo he vivido y ya me lo conozco. Otro, desconocido, son los batallones de trabajo. Dicen que eso es peor, pero ¿cómo saberlo sin conocerlo? Por más cosas que hubiera podido oír sobre los batallones de trabajo, no me daban miedo. A mí lo que me daba miedo era lo que había visto con mis propios ojos. Que cada vez que llamen a la puerta pierdan tus padres unos años de vida, que te persigan por todas partes y no tengas dónde esconderte. Vivir como una rata bajo el tejado y en las alcantarillas, inmóvil, enterrado en vida. ¡Mil veces mejor los batallones de trabajo! Allí lucharía con la muerte, pero lucharía cuerpo a cuerpo, cara a cara, de pie en campo raso. Ésa fue mi decisión y para allí me fui.

Partimos en febrero de 1915. Nadie en casa tuvo tiempo para despedidas. El único que vaciló un instante al decirme adiós fue Yoryis. En cualquier momento le podía llegar su turno. Me preguntó:

—¿Tienes miedo?

—No sé—respondí—. Lo único que sé es que no voy a dejar que venga a por mí la muerte. ¡Voy a luchar!

—Yo te voy a echar mucho de menos—dijo al tiempo que montaba de un salto en su mulo, lo espoleaba y se iba enfurecido.

Cinco días con sus noches duró el viaje de Esmirna a Ankara. Los trenes avanzaban despacio cargados como iban de leña. Todo el carbón de Turquía se lo llevaba Alemania para sus menesteres. Nos encerraron en vagones para el transporte de caballos. Sólo nos abrían una vez al día para que fuéramos a hacer nuestras necesidades. De cuatrocientos ochenta hombres con que contaba aquella expedición sólo llegaron a destino trescientos diez. Los ciento setenta restantes se dieron a la fuga durante el trayecto. La tropa que nos vigilaba—sólo diez hombres—hacía la vista gorda cobrando sobornos y despojándonos de todas nuestras pertenencias. Para aquellos pobres diablos, los bultos de ciento setenta griegos eran un tesoro inesperado. El amor materno y la abnegación que produce la desesperación habían metido en ellos las mejores ropas y las mejores viandas de que disponía cada casa.

¿Cuántos de los que escaparon conseguirían volver con vida a sus casas? La montaña era un lugar inhóspito, con un palmo de nieve e irregulares turcos por todas partes. Las carreteras estaban sembradas de controles. Había que tener mucho dinero para sobornar al que hubiera que sobornar y mucha suerte y mucho ingenio para no caer en todas las trampas que nos tendían. Miles de griegos encontraron así la muerte. Y tuvieron suerte. Porque a los que cogían con vida los entregaban a las autoridades y éstos fueron los más desafortunados. Mejor morir de una puñalada o de un disparo en el camino que llegar vivo al batallón.

A mí me mandaron al «İkincí Amelé Taburú», al Segundo Batallón de Trabajo, en el pueblo de Kilisler, a ochenta kilómetros de Ankara. Doce batallones trabajaban construyendo carreteras y una línea de ferrocarril que una compañía francesa había empezado a tender antes de la guerra.

Al llegar al campamento, vi que traían a cuatro desertores griegos maniatados. Los obligaron a arrodillarse y a nosotros nos hicieron formar corro alrededor. El jefe del batallón, a cuyas órdenes íbamos a estar, nos enjaretó un breve discurso profiriendo insultos y amenazas. Luego agarró un vergajo y se abalanzó sobre ellos. Sólo se oían jadeos, chasquidos y la trabajosa respiración del jefe del batallón. Cuando se hartó, cogieron el látigo los guardias. Las carnes se abrían haciendo brotar una negra y mortificada sangre. Luego les hicieron ponerse en pie y les pusieron en el cuello una gruesa argolla de hierro de ocho libras de peso con los extremos cerrados por remaches que no se podían abrir sin unas tenazas. ¡Con ella comían, con ella cavaban, con ella picaban piedra y con ella dormían! Se acabó convirtiendo en parte de su cuerpo.

¡Qué no inventará el hombre para escarnecer a sus

semejantes! ¡Durante las sesiones de tortura ocurría que a los prisioneros se les caían los calzones y enseñaban sus partes, que se manchaban con su sangre, saliva, mocos, orines, heces y lágrimas! ¡Todo valía con tal de escarnecer a gente noble y prudente!

Finalizada la, digamos, recepción, nos encerraron en nuestros barracones. Entre nosotros conté a doscientos hombres con esas argollas de hierro en el cuello. ¿Cómo podían soportarlo, los pobres? ¡El hombre es una fiera salvaje!

La primera noche nos encontramos en el barracón a otros seis de Kırkıca que, con lágrimas en los ojos, nos dijeron:

—Pero ¿cómo se os ha ocurrido venir a este infierno? ¡Estáis locos! ¡Más valía que os hubierais levantado la tapa de los sesos! Aquí vamos a morir todos como perros.

Me hice el valiente, pero cuando me eché a dormir y cerré los ojos veía látigos y argollas por todas partes. A mi lado un hombre de mediana edad le susurraba a un compañero:

—Si te cuelgan o te fusilan es otra cosa. Eres alguien. ¡Este suplicio es insoportable!

Y el otro le respondió:

—Yo me largo uno de estos días. ¡Aunque me pongan un millón de argollas! ¡No puedo más!

Estuve trabajando un mes en la línea del ferrocarril. Una mañana el jefe del batallón preguntó:

—¿Quién de vosotros sabe hacer carbón de leña?

Sin dudarlo un instante me salí de la formación, saludé militarmente y dije:

—Yo, *Efendim*. Soy muy bueno quemando carbón.

—*Köpek oğlu* (hijo de perra)—me dijo—, te voy a asar vivo como estés mintiendo.

—Si no le traigo treinta arrobas de carbón dentro de diez días, haga de mí lo que quiera. Me basta con escoger yo a la gente que me ayudará.

En mi vida había encendido un horno. Lo único, de crío, que vi trabajar a un carbonero turco en nuestros montes. Pero aunque en aquel momento el turco hubiera preguntado quién sabía hacer estrellas, también habría contestado que yo.

Cogí a diez hombres y nos echamos al monte. Mi amigo Kostas Panágoglu no quiso venir. Estaba convencido de que allí arriba nos iban a liquidar los irregulares turcos. De mis paisanos sólo me siguió Jristos Golís. Cogimos provisiones para diez días. Al décimo cargué ocho borricos de carbón y bajé al campamento. No veía el momento de entregárselo al jefe del batallón.

—Mejor carbón que éste no va a encontrar quien le haga en invierno—le dije—, con la leña mojada...

El jefe del batallón, que llevaba meses sin ver carbón, se alegró tanto que dio orden al oficial de intendencia de que durante diez días nos dieran doble ración.

No era cosa fácil que lograran sobrevivir once griegos aislados y desarmados en aquellas agrestes montañas de Turquía con la única compañía de los aguaceros, los aullidos de los lobos y de los chacales y el miedo a que en cualquier momento pudieran aparecer los irregulares turcos y se nos llevaran por delante. Pero en

cuanto recordábamos el vergajo del sargento y las argollas, nuestra vida allí arriba, en aquellas montañas inaccesibles, nos parecía una maravilla.

Plantamos la tienda a resguardo del viento y de los
aguaceros y construimos un buen horno. Cada semana
nos turnábamos para bajar al campamento. Entregába-
mos el carbón, cogíamos provisiones y volvíamos a nuestro reducto. Casi acabamos creyéndonos que habíamos
nacido para carboneros y que carboneros moriríamos.

A principios de abril bajó al pueblo mi amigo Jristos
Golís y al volver me dijo:

—Malas noticias, Manolis. A fe que en el campamento no va a quedar ni un alma. Han pillado una enfermedad de mil demonios y se están muriendo como
conejos. Y a otros se les están pudriendo los dedos de
los pies y de las manos y se les despegan como si fueran
sanguijuelas. Pongo a Dios por testigo de que al paso
que van dentro de poco no va a quedar nadie…

No pasaron muchos días antes de que mi paisano
Jristos cayera también enfermo. Le dio una fiebre altísima y le entraron escalofríos.

—Maldita sea—dijo—, no me encuentro bien. Me
duele todo el cuerpo…

Dejé lo que estaba haciendo y me acerqué a él. Por
más que lo tapara, por más que atizara el fuego, seguía
temblando y jadeando. Empecé a preocuparme. ¿Qué ten-
drá? ¿No habrá cogido esa enfermedad desconocida? ¿Y
yo qué puedo hacer? ¿Cómo lo puedo curar? Golís se pasó toda la noche ardiendo de fiebre, debatiéndose, des-
variando. Al día siguiente empecé yo también, y dos o
tres más.

Propuse a mis compañeros que lo recogiéramos todo y bajáramos al campamento. ¿Qué me hizo tomar esa decisión? ¿No adivinaba lo que nos esperaba allá abajo? Me vino a la mente una película que había visto en Esmirna y que me había impresionado mucho: los elefantes, cuando sienten que se acerca su hora, echan a caminar todos juntos hasta un barranco en el que antes han muerto otros elefantes.

Nuestro batallón estaba hacinado en los más inhumanos barracones que haya podido construir el ser humano. Tenían más de setenta metros de largo por seis de ancho. Las paredes eran de obra seca, sin encalar, de ochenta centímetros de grosor. ¡Y ni una ventana! Aquí y allá una puerta de madera, por la que apenas pasaba una persona, cerrada con candado. El tejado, de tierra y ramas verdes amontonadas sobre troncos de álamos.

¡En abril el hálito de aquellos tres mil enfermos caldeaba tanto el ambiente que los álamos empezaron a retoñar y a echar unos anémicos tallos verdes! Los troncos querían vivir lo mismo que nosotros... A todo lo largo de aquella tumba, a derecha e izquierda, el suelo se alzaba medio metro. Allí, sobre paja y sacos, teníamos nuestros camastros. Sólo de entrar te venían arcadas. Los más enfermos cagaban y vomitaban allí mismo. Y aquel hedor se mezclaba con el de sobaquina, con el hálito de los enfermos y con el olor a podredumbre de las ramas del techo. Millones de piojos, que se te subían por la ropa, por el pelo, las pestañas, las orejas y todo el cuerpo, se te metían en la piel perforándola y chupándote la sangre.

Jadeos, delirios y ronquidos eran un tormento en medio de aquella oscuridad. Los que no habíamos perdido totalmente el juicio rogábamos a Dios que pusiera fin cuanto antes a aquel suplicio.

Los turcos estaban aterrorizados. Aquella maldita y desconocida enfermedad, que no era sino el tifus exantemático, se propagó hasta sus pueblos. Nos abandonaron a nuestra suerte. Lo único que hacían era mandar enterradores a cavar tumbas. El rancho nos lo dejaban a cien metros. Los que podíamos nos arrastrábamos a través de la inmundicia, abríamos la puerta con el codo y recibíamos un chorro de luz en la cara, una luz que mareaba hasta que te acostumbrabas a ella. Al ver las ollas humeando, se nos salían los ojos de las órbitas. La comida nos recordaba que seguíamos vivos. El que tenía fuerzas seguía arrastrándose sobre la nieve hasta alcanzar el rancho, metía su palangana en la olla, se llevaba el caldo negro a la boca y vomitaba.

—¡Hijos de perra! ¡Asesinos!

Un día que no tenía fiebre salí afuera y anduve cien metros. Entré en un barracón vecino para ver si se estaba mejor. ¡Lo que vieron mis ojos no lo podré olvidar jamás! Casi todos estaban medio moribundos y algunos ya se habían quedado tiesos. Tumbado junto a dos muertos vi a mi amigo Kostas Panágoglu. ¡Le había salido sangre por la boca y por la nariz y en las chorreras que le cubrían el mentón, el cuello y el pecho se habían acumulado millones de piojos!

Cogí agua y lo limpié. Luego le puse la mano en la frente y lo acaricié. Abrió los ojos. Me miró. Le temblaban los labios.

—¡Manolis! Me muero… —dijo.

No pude más. Lo abracé y me eché a llorar. No sé cuánto rato pasamos así el uno junto al otro. Prefiero no recordar aquellos momentos. Me flaqueaban las piernas. Me daba la impresión de que me iba a desplomar. Tenía que volver. Volvía a tener fiebre. No podía más.

—¡Ánimo, Konstandís!—le dije—. Que voy a volver.

Me echó una mirada de desesperación, pero no dijo nada. Levantó la mano y me saludó sin apenas fuerzas. Al volver a mi barracón la oscuridad me pareció todavía más lóbrega. Me amedrentaba tanto gemido y tanto alarido. Andaba a ciegas tanteando con las manos y gritando el nombre de mi compañero Golís para encontrar mi sitio. Me tumbé, me cubrí con los sacos y me eché a llorar. ¡Ay, Axiotis! ¿Dónde está aquel valiente que luchaba contra cualquier adversidad y siempre salía airoso? ¿Cómo vas a salir de ésta?

Una mano me sacudió nerviosamente el brazo. Vi a mi amigo Jristos sentado en cuclillas y gritando:

—¿Qué haces ahí parado, Manolis? ¿No ves que nos están robando los higos y las nueces esos cabrones? ¡Échalos, joder! ¿A qué esperas?

Había recobrado las fuerzas. Parecía totalmente repuesto y que iba a echar a andar. Pero entonces se desplomó. Tenía muchísima fiebre. Mojé un pañuelo y se lo puse en la frente. Intenté tranquilizarlo.

—Duérmete, Jristos. No tengas miedo. Estoy aquí…

Me arrastré y me arrimé a él para que se sintiera seguro. ¡Se le agarrotaron las piernas encima de mí, le dieron unas convulsiones y se murió! Yo quería pedir ayuda. ¡Abría la boca, la cerraba, la volvía a abrir, pero no me salía la voz! Intenté levantarme, pero no me obedecían las piernas. Me hundí en un abismo y me dormí como si estuviera drogado.

Estando profundamente dormido soñé con dos viejecitos cogidos de la mano que se acercaban de puntillas. Al principio no los reconocí, caminaban envueltos en una nube. Luego ya sí. Eran los padres de Jristos Golís.

—¡Ssst!—me susurraron llevándose el dedo a la boca—. ¡Calla, que nos vas a despertar al niño!

Me incorporé. Me acordé de que Jristos estaba muerto. Empecé a frotarme las rodillas y a mecer lentamente el cuerpo como una plañidera. A juzgar por el rayo oblicuo de luz que entraba por una rendija de la puerta debía de hacer rato que había salido el sol. Me puse a observar las partículas de polvo que flotaban en él como globos microscópicos. ¡Golís está muerto! ¡Está muerto! ¡Muerto! Lo miraba, lo volvía a mirar y allí seguía yo, meciéndome. No sé cómo me vino a la mente la señora Stilianí, la que amortajaba a los muertos, a quien todos los años dejaba embarazada el inútil de su marido nunca tenía pan suficiente para hartar a sus hijos. Cada vez que a mi madre se le moría un bebé y la señora Stilianí venía a vestirlo, ésta se lo quedaba mirando en la caja y decía con envidia:

—¡Ay, qué cadáver tan hermoso! ¡Ojalá fuera mi hijito!

El cadáver de mi amigo me parecía horrible, pero sólo pedía que me llegase el turno de cerrar los ojos y que acabara aquel suplicio. Alcé la mano y la llevé a la frente, a los ojos, a la boca de Jristos. ¿Y si me equivocaba? ¿Y si estaba vivo? ¿Y si era yo el que estaba muy grave y no hacía más que ver muertos a mi alrededor? Pero Jristos ya no vivía, había fallecido la noche anterior. Debió de tener un presentimiento y por eso me dijo poco antes de morir: «Oye, Manolis, cuéntame algo divertido...» Y yo le dije: «¿Te acuerdas de Elvira, la cantante de El Cairo que vimos en Esmirna? ¡Qué voz tan cálida, eh! ¿Y si estuviera ahora cantando aquí? ¿Qué te parece? ¿Nos animaría? No dices nada. Oye, Jristos, yo te conozco bastante, conozco la llama que te arde por dentro. Tienes que aferrarte a ella. Di como digo yo: "¡Voy a vivir! ¡No vais a poder conmigo, cabrones, voy a vivir!"»

Jristos tenía los ojos cerrados, pero sonreía. Estaba seguro de que sonreía porque alargó la mano y me dio un par de veces en el brazo como diciendo: «Sigue hablando, sigue hablando.» Al ver que aquello lo aliviaba, seguí contándole cosas. Yo también necesitaba darme ánimos. ¿Por qué voy a negarlo?

«Bueno, pues cuando volvamos al pueblo, Jristakis, te ayudaré a acabar la casa. Te traeré esquejes de todas las plantas aromáticas de mi huerto para que tengas un jardín bien hermoso. A las mujeres les gustan las flores. Eres el primogénito, Golís, y tu padre tiene una buena posición. Es generoso y no escatima el dinero. Te pagará una boda por todo lo alto. Y vendrá Kosmás a hacer el pregón. Hasta ninfas traerán del lago... Y Yangos, el carpintero, se pondrá manos a la obra y hará mesas para cien convidados. Pero que no serán de álamo. ¡Nada de álamos, como ésos del techo! ¡Míralos, qué pestilentes! Uno al lado del otro igual que ataúdes, por más ramas verdes que echen... Y para las camas, la madera de los nogales de la finca que tenéis en el monte es perfecta.

Con ella harás la cama de matrimonio y las cunas de tus hijos. Mi madre ha tenido diecisiete partos y está avejentada y arrugada, pero nosotros a nuestras mujeres las cuidaremos como a las niñas de nuestros ojos. Y a nuestros chiquitines les haremos arrumacos. ¡Muchos arrumacos! ¿Te imaginas la primera vez que los mandemos al colegio? "La be con la a, ba; la ce con la a, ca..." Bajaremos a Esmirna de tiendas y les compraremos carteras y pizarras. Para que no les falte de nada. Y en año nuevo les compraremos juguetes de cuerda. Una vez vi un trenecito en la calle Solari. ¡No sabes qué cosa! Apretabas un botón y echaba a correr por las vías. "¡Chucu, chucu, chucu!" Oye, que por estas malditas tierras también pasarán trenes de verdad, por estas mismísimas vías. La gente que viaje en ellos ni se imaginará que las tendimos nosotros, los griegos, con nuestra sangre.»

Me cansé... Hasta es posible que me emocionara. Golís tenía los ojos abiertos de par en par. Quería ver lo que le estaba contando. Entonces le oí murmurar con un lastimero hilo de voz : «¡Quiero vivir! ¡Quiero vivir!»

No aguantaba más allí dentro. Me levanté y, totalmente doblado, apoyándome en las paredes y sosteniéndome en las vigas de álamo, logré salir afuera. Pensaba que la luz y el aire fresco me sentarían bien. Pero fue darme el sol en la cara y sentirme peor. Me pareció frío e impasible. No hacía más que levantarse y ponerse una y otra vez haciendo correr en el calendario los días y los meses, que a nosotros nos parecían los remaches de nuestras argollas. Necesitaba compañía, necesitaba consuelo, alguien que me hablara y a quien yo pudiera contestar para estar seguro de que no me había vuelto loco.

Tiré para el barracón de Kostas. ¡Ojalá ya esté bueno! ¡Por lo menos él! Pero ¿y si se ha muerto? ¿Qué habría tenido de raro? ¡Cuántos cerraban los ojos todas las noches y no los volvían a abrir!

¡Me encontré a Kostas con los ojos totalmente abiertos! ¡Unos ojos atrozmente vidriosos, como endemoniados! ¡Jamás he vuelto a ver un cadáver con semejantes ojos! ¡Como si la muerte lo hubiera sorprendido justo en el momento en que escupía y maldecía a su peor enemigo! ¡Me apresuré a cerrarle aquellos ojos y la boca para que no se nos fuera así al otro mundo y espantara a los muertos! Mis maltrechos nervios se crisparon de puro odio, de un odio irrefrenable que me dio fuerzas para tenerme en pie. Salí de allí corriendo. Me sentía las manos poderosas, prestas a estrangular al ejército turco entero. Quería marcharme, poner tierra de por medio, correr sin parar, saltar montañas y gargantas, valles y quebradas, meterme en los ríos y que soplara el viento, oh, sí, que soplara un viento fuerte y bravío que me azotara la cara y me enfriara las entrañas.

A principios de mayo llegó un médico turco. Şükrü Efendi se llamaba. ¡Bendita sea su estampa si todavía vive! Llegó como un santo de la cristiandad a salvarnos la vida. Ni el uniforme ni la guerra habían logrado arrebatarle una pizca de humanidad a aquella alma generosa. Cuando vio el estado en el que nos encontrábamos, se quedó horrorizado. Ordenó que llevaran a los más graves al hospital. Abrió las ventanas. Hizo que quemaran la paja y los sacos infestados de piojos, que desinfectaran y que encalaran. Nos obligó a bañarnos y a afeitarnos todo el cuerpo. Nos dio medicamentos y leche y mejoró el rancho. A quienes capearon la enfermedad sin grandes males, como yo, nos firmó permisos de convalecencia de cuatro meses. ¡Lo que se consigue con un poco de consideración! Si de los tres mil que éramos nos salvamos setecientos, a Şükrü Efendi se lo debemos.

A mí me puso a redactar los permisos de los enfermos. Llegado el momento de que me firmara el mío, me emocioné.

—Nunca olvidaré lo que ha hecho por nosotros—le dije solemnemente.

—No lo hago ni por ti ni por los tuyos—me respondió—. Lo hago por mi patria. ¡Vaya un país que vamos a construir si enseñamos a nuestros ciudadanos y a nuestros soldados a comportarse como alimañas!

—La guerra aparta a la gente del camino del Señor— murmuré tímidamente sin saber cómo se lo tomaría.

A través de las gafas me lanzó una mirada con sus ojos azul claro.

—Tu corta edad—me respondió—y los suplicios que has pasado no te han impedido tener una visión acertada de la vida. La guerra abre abismos en las almas y en los pueblos. Vosotros los griegos teníais en vuestra mitología una tal Circe que convertía en cerdo a todo el que tocara. Pues la guerra es igual que Circe. Anda, ve con tu madre a que te dé bien de comer, a ver si te recuperas…

Me parecía que volvía a mi ser. Se me fortalecieron las piernas y empecé a andar derecho. Cobré esperanzas de nuevo. Sólo cuando se puso el tren en marcha me asaltaron amargos recuerdos. Detrás dejaba muertos a muchísimos paisanos y a mis mejores amigos. ¿Qué iba a decirles a sus madres cuando pusieran sus angustiosas miradas en mí? ¿Tenía acaso derecho a ocultarles la verdad?

VII

El permiso de cuatro meses por convalecencia se me
pasó sin enterarme. La felicidad siempre tiene prisa. No
le da a uno tiempo de disfrutar de ella y se desvanece
como un duende. El primer mes me lo pasé en cama. Me
levantaba para ponerme a trabajar y me tenía que volver
a echar. Mi madre me miraba consternada.

—¿Cuándo te vas a poner bueno, hijo mío? ¿Cuándo
te vas a recuperar del todo?

La veía entrar y salir y limpiar la casa sin hacer ruido.
No sé cómo le cabía en aquel pecho enjuto y huesudo un
corazón tan grande. Se había consumido como un cirio.
Cuando se iba con mi hermana al campo, yo me quedaba solo. Paseaba la vista por los muebles, y por los filo-
dendros y los ficus, que eran su orgullo. En el centro de
la pared, el retrato de mi padre, con su inquieta y severa
mirada, el bigote retorcido y el labio inferior colgando,
que le marcaba todavía más el mentón cuadrado, con el
hoyuelo en medio. Junto a él, mi madre, una santa, todo
bondad. La pegó allí el fotógrafo a la muerte de mi padre, ya que él nunca se sacó una fotografía con ella. En
el rincón, el iconostasio de nogal, con sus coronas nupciales, las trenzas de Semana Santa, la albahaca seca, el
incensario de bronce y un par de exvotos por la enfermedad de mi padre y por la marcha de Mijalis a Grecia.
¡Cuántos y cuántos recuerdos me traían aquellas cosas!

En cuanto me sostuvieron las piernas, me metí en

faena. Un labrador no puede andar mano sobre mano y habían movilizado a todos mis hermanos. Todas nuestras fatigas echadas a perder. ¿Qué pueden hacer dos mujeres solas? Los árboles, sin podar y sin regar, daban muy poco fruto y el poco que daban se lo comían, verde todavía, los críos y los pájaros. El tío Stilianós, que araba nuestros campos y tenía fama de santo, se comió con su familia todo el trigo que le había dado mi madre para sembrar. Se nos llenó todo de ortigas y cardos. Los desertores turcos no dejaban en paz a ningún campesino. Mataban a cualquiera con tal de hacerse con su pitanza, su ropa, sus sortijas o sus dientes de oro. Cuando salían de casa, los hombres se santiguaban y pedían a Dios y a todos los santos que les concedieran poder volver sanos y salvos por la noche.

Eso fue lo que ocurrió un día con Andonis Mándzaris, un vecino nuestro. Lo vi por la ventana despidiéndose de su mujer y a ella intentando retenerle.

—¡No salgas al campo, Andonis, por el amor de Dios!

—Mujer, ¿a qué viene ahora comportarse como una niña? ¡Tengo que ir a echar las redes. Si no, caerán los higos al suelo y perderemos la cosecha!

—¡Prefiero mil veces perder la cosecha antes que perderte a ti! Deja que pase esta mala racha y vende los florines de oro que me regalaste.

—Pero Eleni, cariño, ¿qué quieres que me den por los florines? Esto no es una mala racha. Va a durar años. ¿Tenemos dinero ahorrado acaso? ¿O es que vivimos de renta y yo no lo sabía? ¿Cómo vamos a criar a nuestros hijos?

Mándzaris estaba convencido de que los turcos nunca le harían daño. Muchos de ellos habían dormido en su casa y se habían levantado de su mesa bien comidos y servidos. Se fue con su amigo Nikolas Aydinlís, que pasaba en ese momento, y antes de doblar la esquina gritó riendo a su mujer:

—No te enfades, mujer, que esta tarde te traigo espliego para la ropa.

¡Pero por la tarde lo que trajeron fue a Andonis Mándzaris degollado como un becerro! ¡En señal, digamos, de reconocimiento los turcos habían dejado intacto el cadáver para que lo pudieran enterrar en el cementerio, pero a Aydinlís lo asaron vivo y esparcieron sus cenizas!

Así transcurría la vida en el pueblo. Pero a mí, que conocía los batallones de trabajo, aquello me parecía una vida tranquila. Yo sólo pensaba en el modo de prorrogar el permiso. Prefería la suerte de Mándzaris a volver al batallón. Un amigo de mi familia me tranquilizó. Al parecer, conocía al médico griego por cuyas manos pasaban los permisos militares e iba a hablar con él para que me concediera una prórroga.

—Cuenta con ello—me dijo—. Por lo menos tres meses, ya te lo digo yo. No me ha fallado nunca…

Le creí y me presenté en el médico. Me llevé además diez libras de oro porque, según tenía entendido, había que untarle. Pero yo no sabía cómo funcionaba aquello. La tarifa más baja era de treinta libras, pero había que dárselas a una tercera persona, de la confianza del médico, que se encargaba de repartirlas, porque también se llevaba comisión un comandante turco. Y yo me enteré de los detalles cuando ya había caído en la trampa.

Mi permiso hacía días que había caducado y el médico hizo caso omiso de la mediación de nuestro amigo común. El estado verdaderamente calamitoso de mi salud no le conmovió lo más mínimo, de modo que, tras un examen de circunstancias, me entregó a la guardia a caballo y al rato me encontré entre rejas. En vano pedí que me dejaran pasar por casa a recoger mis cosas y despedirme de mi madre.

—No, que te largas—me contestó un sargento—. Ya nos ha pasado más de una vez y estamos escarmentados.

El calabozo en el que me metieron era para diez personas y hasta setenta habían apiñado allí dentro, la mayoría desertores. A otros, como a mí, se les había acabado el permiso y los iban a escoltar hasta sus batallones. No había soldado, ya fuera turco, griego, armenio o judío, que quisiera volver motu propio a su base. El Estado turco había dejado de existir. Ahora lo gobernaban una panda de oportunistas, marrulleros, ladrones y especuladores.

El 14 de septiembre de 1916 partí de nuevo para Ankara. Mi batallón, el Segundo Batallón de Trabajo, estaba en el pueblo de Yavsán, cerca del río Rojo. Esta vez la, digamos, ceremonia de recepción fue diferente. A la entrada del campamento habían plantado tres horcas y tres hombres colgaban de ellas desde hacía días con un cartel en el pecho que decía: «¡Soy desertor!»

Los reclutas miraban a los colgados sin que se reflejara en sus rostros la menor expresión. La horca, las argollas en el cuello, las torturas, nada era bastante para impedir la deserción. Era una guerra contra la guerra.

Los desertores preferían abandonar aquel batallón, que caminaba hacia la perdición, y asumir solos la responsabilidad de sus vidas.

Sin embargo, ahora reinaba un poco de orden en los acuartelamientos. Las tiendas en las que dormíamos eran aceptables. Todos los viernes hacíamos limpieza general. Desaparecieron los piojos. Al que caía enfermo lo mandaban al hospital. Lo peor, el hambre, que se convirtió en nuestro mayor suplicio. Los guardias turcos nos arrebataron todo lo que llevábamos encima—ropa, comida, dinero—y nos robaban los paquetes que nos mandaban nuestros padres. Trabajábamos quince horas al día. Picábamos piedra, abríamos túneles, construíamos carreteras. Nos pasábamos las noches y los días con un hambre atroz. Esperábamos como locos el momento en que nos distribuían el pan de munición. Nos tragábamos trozos enteros casi sin masticar. Nos pasábamos las veinticuatro horas del día esperando ese momento.

Estábamos irascibles. Nos peleábamos y discutíamos por cualquier cosa. ¡Por un poyete de piedra donde reposar la cabeza, por un saco piojoso donde echarse, por un cacho de pan, por quién iba primero a cagar! ¡Nos hacíamos canalladas sin ser unos canallas y la codicia se apoderó de nosotros sin que tuviéramos nada que disputarnos! De modo que empezamos a vender la ropa, y el alma.

Los guardias hacían buenos negocios. Por una torta de pan o por un puñado de pasas se quedaban con nuestra ropa y a nosotros no se nos permitía bajar a comprar al pueblo. Muchos no soportaban el hambre y les entregaban ropa y zapatos. Y luego, desnudos y descalzos, morían congelados o de neumonía. Yo tenía un par de zapatos nuevos—siempre tuve debilidad por los buenos zapatos, quizá porque me pasé toda mi infancia descalzo—y los guardias no cejaban en su intento por convencerme de que los cambiara por comida, y hubo alguna vez en que realmente estuve a punto de vender mi alma al diablo con tal de llevarme a la boca cualquier cosa que recordara comida.

Un día me vino el cocinero con un pincho moruno, espolvoreado de pimienta y cebollita picada por encima, que reposaba provocadoramente sobre una torta de pan bien gorda. Me lo dejó delante, sobre la mesa. Un olor exquisito lo inundó todo. Carne asada, tierna, rosadita. Me dio un mareo. Se me hacía la boca agua. Me volví a mirarle, desfallecido. Alargué la mano en dirección al pincho, pero su estúpida risa me detuvo.

—Espera—dijo—. Quítate primero los zapatos.

—¿Los zapatos?

—¡Sí, los zapatos! ¿O te crees que esto es de balde? Aquí no se da nada a cambio de nada.

Me levanté de golpe, fuera de mí, y, para no pegarle, me fui soltando improperios. Me estuvo doliendo el estómago todo el día. De no ser tan orgulloso, me habría echado a llorar.

Cogieron a los más fuertes del batallón, entre ellos a mí, y nos mandaron a trabajar a los túneles. Nos llevaron a una montaña altísima que había entre los pueblos de Yavsán y Yozgat. Teníamos que abrir un túnel de novecientos metros y pico. Una cuadrilla empezó a trabajar por un lado de la montaña y otra por el otro. Los esclavos de la antigüedad eran señores comparados con nosotros. ¡Dieciocho horas al día trabajábamos! Perforábamos la piedra con picos y con unas mazas de mango corto muy difíciles de manejar. No teníamos dinamita, sólo pólvora. Nos habían dividido en cuadrillas y cada una tenía que hacer estallar todos los días varios barrenos. ¡Si no, te daban con el látigo! Al principio sacábamos los escombros con carretilla, luego nos trajeron vagonetas y respiramos un poco.

Para perforar la roca se necesitaba fuerza y nosotros desfallecíamos de hambre y teníamos todo el cuerpo entumecido de tantas penalidades y de tantas enfermedades. La mayoría escupía sangre y se acababa muriendo, aunque los había que soportaban todos los embates con entereza. Como Mitsos, hijo de un marino y de una cantante del pueblo de Kordelió. «Yo soy músico desde que llevaba pañales», solía decir. «Cuando estaba mi madre a punto de parirme y a mí me llegaba la hora de doblar el cabo, le dije a la comadrona: "Cógeme el salterio que ahora salgo yo a ver cómo diantres es el mundo…"»

Todas las mañanas, en cuanto se iban a comer los guardias, hacíamos corro en torno a Mitsos para que nos alegrara un poco la vida.

—¡Eh, vosotros!—nos gritaba—. ¡Vamos a contar unos chistes, que nos vendrá bien reírnos! ¡Venga, rediós! ¡Que la risa tonifica y alimenta! ¡Es como unas criadillas fritas, como un huevo revuelto o como unos higadillos con su sangrecita!

Las comisuras de los labios nos llegaban a las orejas.

—Venga, esmirniota—le decíamos—, ten un detalle. Cuéntanos lo de aquella Maritsa, la preciosidad aquella de los muslazos.

Mitsos no pedía otra cosa. Las mujeres siempre concentraban la atención general, igual que el pan de munición.

—Pero, bueno, panda de tísicos—bromeaba—, ¿todavía os queda energía que gastar en estas lides? Está bien, acercaos que os cuente esa historia, venga. Pero luego que me releve alguno de vosotros porque ya no sé las veces que os la he contado...

Y empezaba a describir la oronda belleza de Maritsa, a quien «maese Sotiros, su marido, alimentaba con tantos piñones, mantequillas, chuletas, cecina y pasteles de carne y berenjena que a la muchacha le dio una ictericia y estuvo a punto de palmarla...» Y maese Sotiros lloraba y se golpeaba el pecho: «¡Ay! ¡No lo voy a resistir! ¡Perder esos muslos! ¡Esos muslos!»

Un día uno de la panda interrumpió a Mitsos en el momento más desternillante de la historia, cuando describía el secreto encanto de aquellos muslazos.

—¡Joder!—le dijo enojado—. ¡Es que no paras con la tal Maritsa! ¿Por qué no nos hablas de alguna otra y cambiamos un rato de hembra? Que ésa ya nos la conocemos y estamos hartos.

Mitsos se ofendió, llegaron a las manos y por poco se matan.

—Al carajo vosotros y vuestra Maritsa—gritó metiéndose por medio Jristóforos Burnovalís—. Pero ¿vosotros creéis que tenemos aquí cuerpo para muslos de mujer? Si por lo menos se tratara de un jamón, con mucho gusto me peleaba por él.

Yo pensaba que aquella vida nos iba a acabar embotando el alma. Pero no fue así. Recuerdo el día en que se acabó el túnel y las dos cuadrillas se encontraron en el centro de aquella sombría montaña. ¡Menudo alegrón! ¡Fue emocionante! ¡Ay, pobres mortales! ¡Si a Dios lo llevamos dentro! ¿Qué éramos nosotros en aquella época? Una panda de tísicos, de esclavos famélicos que vivían del recuerdo de lo que era la vida. Siete meses estuvimos excavando la roca. Comiéndole las entrañas y ella comiéndonoslas a nosotros. Y cuando por fin logramos vencerla y dimos por terminado nuestro trabajo, nos sentimos orgullosos. Hasta tuvimos arrestos para imaginarnos tiempos de paz, cuando por esos túneles pasaría todo lo bueno de Oriente: higos, uvas pasas, tabaco, trigo y aceite. Griegos y turcos nos olvidamos de quiénes éramos y nos dimos las manos como buenos hermanos que acaban de ponerle el tejado a su casa y se sientan a echar un cigarrillo y a comer tranquilamente un poco de pan.

Pero aquello no duró mucho rato porque en seguida se oyó el silbato del oficial que nos hizo recordar quiénes éramos y los tiempos que vivíamos.

El río Rojo se había helado. Todas las mañanas cruzábamos a la otra orilla, cortábamos leña y la cargábamos a hombros como mulas. En aquella época nos ocurrió otra desgracia: se nos empezaron a caer los dientes como las hojas de los árboles en otoño. Por suerte llegó un médico que nos prescribió descanso y dio orden de que nos dejaran recoger hierbas comestibles y comérnoslas aunque fuera sin aceite. Nos enjuagamos un poco con vinagre y se nos fue quitando aquel mal. Parecíamos almas en pena, nos habíamos quedado en los huesos. Quien nos hubiera visto deslomándonos a trabajar se habría quedado horrorizado. No parecíamos seres humanos.

El ejército tenía gran necesidad de cestos porque con la guerra los sacos empezaban a escasear y no tenían con qué transportar los víveres. Un día vino un capitán a preguntar quién sabía tejer cestos. Se presentaron unos diez voluntarios y yo entre ellos. Nos hicieron hacer uno de muestra a cada uno para asegurarse de que decíamos la verdad.

Nunca imaginé lo que puede llegar uno a hacer por aferrarse a la vida. El señor Lefteris era el único de los diez que era cestero de profesión de modo que cogió y se puso a enseñarnos el truco de aquello. Nuestro deseo de libertad era tan grande que aprendimos en unas horas lo que normalmente hubiéramos necesitado meses y años para aprender.

El oficial nos ordenó que fuéramos a rastrear las orillas del río Rojo en un radio de cinco kilómetros para hacernos una cabaña con cañas y juncos. A una hora del campamento encontramos un lugar apropiado y nos pusimos manos a la obra. Cerca de aquel lugar había un pueblo de tajtayíes y pensé en irme hasta allí para cambiar unos cestos por comida.

—Me da miedo que te quiten los cestos y en vez de comida te peguen un tiro—me dijo maese Lefteris.

—No tengas miedo—le contesté—. Conozco bien a los tajtayíes. Son leñadores nómadas. Los cristianos les caemos bien, igual que a los kurdos.

Una vez en el pueblo comprobé que no me había equivocado. Los cestos desaparecieron en un periquete. Además, hubo un viejo que al oír que era griego me llevó a comer a su casa. Su hijo se sentó con nosotros a la mesa y, lo más curioso, también lo hicieron las mujeres, sin velo, y trajeron vino en vez de anís. Los musulmanes no tenían esas costumbres y empecé a sospechar que la suerte me había llevado a casa de unos criptocristianos.

En nuestro batallón había un aldeano de Kestín Madén que se llamaba Jasánoglu Grigorios y que siempre nos hablaba de los criptocristianos. Decía que ya desde antiguo en su región se habían islamizado muchos pueblos por la fuerza. Hasta se llegaron a cortar lenguas para que los griegos dejaran de hablar griego. Todos se pusieron nombres turcos, pero siguieron fieles a su fe manteniendo a escondidas iglesias y escuelas. Cuando la Constitución, en 1909, se creyeron todo lo que habían prometido los Jóvenes Turcos y dejaron de esconderse.

Al ver las costumbres cristianas de aquella familia, me acordé de lo que nos había contado Jasánoglu Grigorios. Inicié la conversación con discreción.

—Nosotros—me dijo el cabeza de la familia—somos musulmanes. Pero somos tajtayíes y no te niego que odiamos a los turcos. Si nos caen mejor los cristianos es porque son listos y trabajadores.

No me creí demasiado la explicación que me dio, pero no insistí. Cuando me levanté para irme me agasajaron con todo tipo de viandas. ¡Qué biscotes de cebada! ¡Qué huevos y qué queso! Hasta me dieron un galón de anís.

—Para tus compañeros—me dijeron—, para que olviden sus penas.

Cuando volví a la cabaña estaba ebrio, no tanto del vino de los tajtayíes cuanto de alegría por la bondad con la que me habían recibido. Pero en seguida se me pasó porque me salió al paso el capitán turco, que se había presentado por sorpresa. Cuando me vio cargado con todos aquellos manjares se quedó de piedra y me acribilló a preguntas. Le dije muchas mentiras y algunas verdades, pero al final me di cuenta de que lo único que le interesaba era el anís, de modo que sin dudarlo un instante le dije:

—Permítame, mi capitán, que le regale este anís, que es casero.

Al principio se hizo el remolón, pero luego me dijo:

—Ya que insistes, lo cojo, pero sólo si aceptas que te lo pague.

—¡Pero qué dice! ¿Aceptar dinero de usted?

Sabía cómo les halagan a los turcos los regalos y nuestro capitán no podía ser una excepción. Antes de irse me dijo:

—A partir de ahora los cestos los traerás tú al campamento. Y la próxima vez que vengas pregunta por mí. Quiero hablar contigo.

Dos días después fui al campamento a ver al capitán.

—Tengo que decirte una cosa, pero ándate con mucho cuidado, desgraciado, no se te vaya a escapar.

—Seré una tumba, mi capitán.

—Bien. Escucha. El furriel te va a dar una lata de aceite. Te la llevas al pueblo donde te dieron todas aquellas viandas y la canjeas por anís. Luego me avisas y yo enviaré a alguien a recogerlo. ¿De acuerdo?

—Lo que usted ordene, mi capitán.

Ese día empezó un intenso comercio con el capitán, el furriel, el ingeniero y el médico. Pero no duró mucho aquella inesperada suerte porque nos mandaron en seguida de vuelta a Ankara. El Segundo Batallón de Trabajo tenía que ayudar a los terratenientes turcos con la cosecha, que corría peligro de echarse a perder por falta de brazos.

Nos llevaron a donde las famosas aguas termales de Hamamköy. Nos dejaron descansar y asearnos durante un par de días y luego nos repartieron por los pueblos. A mí me enviaron con otros cincuenta a Gül Deré. Allí se congregaron varios terratenientes turcos que tenían a sus hijos en el ejército y nos tasaron a ojo.

—Flacos—decían—y maltrechos. ¿Cómo van a coger la reja y el azadón?

VIII

Quiso la suerte que otros seis y yo fuéramos a parar a manos de un buen terrateniente, que era además uno de los notables del pueblo. Tío Alí le llamaban. Vivía en su finca de Gül Deré con su mujer, que estaba enferma, y con su hija, Adviyé, una chica de unos dieciocho años.

—Yo también tengo tres hijos en el ejército—nos dijo—y sé lo que es sufrir. En mi casa no os van a faltar ni comida ni buenas palabras y estoy convencido de que vosotros tampoco me vais a dar ningún disgusto con el trabajo.

El viejo miraba a los ojos cuando hablaba y su mirada infundía seguridad. En cambio, la chica bajaba pudorosamente la vista al suelo y le recordaba a uno su condición de varón.

Ellos solos ya habían segado todos los campos de modo que mis compañeros y yo sólo nos tuvimos que hacer cargo de la trilla. Y la verdad es que aquello nos pareció un trabajo más bien fácil. Nos sentíamos a gusto en aquella finca y recuperamos un poco de nuestra dignidad. Comíamos bien, el jergón en el que dormíamos estaba limpio y nos podíamos lavar. Por fin respirábamos. Todas las mañanas, al despertar, nos santiguábamos y dábamos gracias al cielo. La fragancia del heno, el olor de los animales y el canto de los pájaros nos arrullaban el alma.

El tío Alí no nos trató nunca mal. Era buena persona. Un día me lo encontré al atardecer diciendo sus oraciones. De rodillas y con la frente apoyada en el suelo. A lo lejos se oía la voz del muecín, encaramado en lo alto del minarete, invocando a Alá. El tío Alí solía decir, con humildad y desgarro:

—¡Alá! ¡Si mi mano ha cometido una injusticia, córtamela! ¡Si mis ojos han mirado con recelo, sácamelos! ¡Si mi corazón ha pecado de codicia, arráncamelo!

Al principio poco faltó para que perdiera la confianza que tenía depositada en mí. En Gül Deré trillaban el trigo muy a la antigua y quise cambiar las cosas, pero un vecino fue y se lo contó todo al tío Alí: «El infiel, que si esto, que si lo otro y que si hace lo que quiere y que si te va a arruinar.» Pero el tío Alí, en vez de precipitarse a recriminarme, se dedicó a observar. Y cuando vio los resultados, me dijo entusiasmado:

—Me parece, chaval, que a ti te ha enviado Alá para que me eches una mano. A partir de hoy la era queda en tus manos. Yo ya tengo bastantes preocupaciones...

El tío Alí tenía huertos, prados, cabras, ovejas y vacas. Con razón daba gracias a Dios de que le quitara de encima la preocupación de la trilla. Todos los días mandaba a su hija Adviyé a traernos de comer. Y ella, al volver a casa, le contaba un montón de cosas de mí. Una tarde se me acercó y me dijo:

—Manolis, mi padre y señor desea que te pases esta noche por casa.

Y para allá que me fui un poco inquieto. ¿Para qué me querrá el viejo? A lo mejor es que le han dado orden de que volvamos al batallón. El tío Alí me recibió con jovialidad en la sala de las visitas.

—*Buyrun, Manolakis, buyrun kardeşim!* (¡Pasa, her-

mano, pasa!) Te he convidado a comer porque te estoy
tan agradecido como tú me lo estás a mí. Lo más preciado que Alá le ha dado al hombre es el alma y por eso,
para hablar con Él, hay que darle rienda suelta y dejarla
hablar.

Nos sentamos a la mesa con las piernas cruzadas y
empezamos a comer con apetito. Entonces vi una vela
de cera de abeja en un estante y le pregunté si tenía abejas y quién se ocupaba de ellas.

—Bueno, abejas, tengo muchas—dijo—, pero no
quien castre las colmenas porque ninguno de nosotros
resiste las picaduras. La única que se las apañaba era mi
mujer, pero desde que está enferma se echan a perder.

—Tío Alí—le dije—, que todas sus preocupaciones
sean ésas. Yo me ocuparé de sus abejas, que también teníamos en la finca y entiendo un poco.

Al día siguiente me puse manos a la obra. Saqué cuarenta panales y unas treinta arrobas de miel. El tío Alí se
volvía loco. No sabía cómo alabar mi destreza: que si yo
era un genio, que si qué mañoso por aquí y que si qué ingenio por allá. Su hija Adviyé, al ver la admiración de su
padre por mí, fue cobrando confianza y, cuando venía por
la era, se sentaba conmigo a charlar y me preguntaba cosas sobre las mujeres de Esmirna, sobre cómo vivían y
cómo se vestían y cómo eran el mar y los barcos. Y poco
a poco empezó a despertar en mí el deseo, yo encendía
cigarrillo tras cigarrillo, mi imaginación echaba a volar.
A ella le brillaban los ojos, suspendida de mis labios.
Cuanto más la admiraba, más me afanaba por contarle
cosas. Un día la llegó a embargar tanto la emoción que
me dijo:

—Nunca había oído a nadie hablar como tú.

Me volví a mirarla. Se le había subido toda la sangre a las mejillas. Bajo aquel grueso y rústico atuendo de lana, su cuerpo ardiente e inmaculado era presa del deseo. Sus cumplidos me halagaban y su compañía me tenía ruborizado. Pero tan pronto como me di cuenta de aquella fogosidad y de que ella no paraba mientes en otra cosa que no fuera mirarme y suspirar por mí, me arredré. ¿Adónde vas, Manolis? Que te vas a meter en un lío. Déjate ya de confidencias que ésta no va en broma...

Un mediodía vino a pedirme que la ayudara a llevar las colchas a lavar al río. En seguida comprendí que me estaba tendiendo una trampa, pero no pude decir que no. El tío Alí se había ido a Ankara. Cargamos la ropa en la mula, montó en su corcelillo pardo y echamos a andar. Durante todo el camino fui presa de la angustia. Pero ¿quién me mandaba a mí? ¿Para qué querría estar a solas conmigo? Yo no decía esta boca es mía. Caminaba cabizbajo, con la vista fija en el suelo, como una chiquilla vergonzosa.

Cuando ya nos hubimos alejado bastante, detrás de la colina, en lo más tupido del bosque, Adviyé se puso a cantar una quejumbrosa y lasciva melodía de una chica que sueña con los brazos del hombre al que ama. El potrillo trotaba alegre y a ella se le subía continuamente la falda, y aquella pierna desnuda, del color del pan, y aquellas rosaditas plantas de los pies me excitaban y toda la sangre se me subía a la cabeza. Me latían las sienes y se me hinchaban los labios, tanto que hasta me dolían. Yo andaba detrás de su caballo, como hechizado. Así serán las ninfas de los cuentos, que surgen de las fuentes y vuelven locos a los viajeros...

135

Reuní fuerzas y aparté la mirada de la muchacha. Apretaba los dientes con tanta fuerza que me los oía rechinar. Intenté pensar en otra cosa para mantener la mente apartada del mal. Pensar en las ninfas me hizo recordar mi infancia. Yo no tuve abuela que me contara cuentos y mi madre nunca tenía tiempo para esos lujos. Pero un amigo mío, Stelios Pandiás, tenía un abuelillo al que en el pueblo llamaban el Viejo Centenario porque tenía más de cien años. Era marino y había surcado los mares y atracado en puertos famosos. Bueno, pues siempre corríamos a verle para que nos contara cosas. Él encendía el narguile, entornaba los ojillos, aquellos ojos que casi no se le distinguían bajo los muelles pliegues de la piel y que tantas cosas habían visto, y empezaba a hablar y no paraba. «Y como os iba diciendo: una vez estábamos el capitán Nikolas y yo en Egipto...» Nosotros alargábamos el cuello, abríamos ojos y oídos y surcábamos los mares con las historias del Viejo Centenario.

Un día—¿cómo se le pudo ocurrir semejante cosa? —nos contó la apasionada historia de amor de una dama turca y un grumete griego de diecisiete años. La turca lo empujó hasta su habitación y lo estrechó entre sus brazos con tanta fogosidad y descaro que lo volvió loco. El Viejo Centenario se imaginaría que la desgracia de aquel chaval nos haría sentar la cabeza. Pero a nosotros nos pasaba lo mismo que a los troncos de álamo de las techumbres del campamento de Kilisler, que el hálito febril de los soldados enfermos los llamaba a engaño y los hacía retoñar, y en cuanto nos enteramos de que había llegado a Kireçli una cantante turca, corrimos a la fonda donde estaba a decirle que estábamos locos de remate por ella. Al principio la turca, bien entrada ya en los cuarenta, se echó a reír y se burló de nosotros, pero, cuando se apercibió de nuestra hechura, se nos llevó a la cama. A duras penas conseguimos volver a nuestro ser y olvidar aquel prematuro despertar de la carne.

Enardecido por mis propios recuerdos, busqué con la vista a Adviyé. Había dejado de cantar y me estaba observando con una mirada turbia y lánguida. Estaba pálida y parecía alterada. Espoleó entonces el corcel como posesa, como si el caballo fuera el culpable de que el rítmico movimiento de la grupa y el cálido roce la hubieran excitado todavía más.

La vi salir al galope y pararse en seco, tirarse encima de la hierba y revolcarse como posesa. Eché a correr. Al llegar a donde estaba, me la encontré tumbada boca arriba encima de una mullida y esponjosa alfombra de hierbabuena y plantas olorosas. Crecía alrededor un cortinal de cañas y juncos de río que nos parapetaba. Su mirada se clavó en la mía. Parecía una fiera sedienta de amor. Tenía las piernas desnudas. Le temblaban las nalgas y los pechos. Yo habría querido huir, pero no me respondieron las piernas, más tozudas que un par de mulas gigantes. Se me paralizó el cerebro. Por mucho que en aquel momento hubieran descendido del cielo todos y cada uno de los santos de la cristiandad, no me habrían logrado detener. Me tiré encima de ella y nos abrazamos apasionadamente y Adviyé no paró de chillar mientras la hacía mía...

Cuando volví en mí y recobré el conocimiento, me invadieron una ternura y una alegría inmensas. Se me agolparon en los labios palabras de amor que, sin embargo, no pasaron de ahí porque furtivamente me pasó por la mente la imagen de mis amigos Jristos Golís y Kostas Panágoglu y sentí el tacto helado del primero y la mirada airada y vidriosa del segundo…

Pegué un brinco y eché a correr hasta el río. Me salía humo de la cabeza. Me daba la impresión de que había mancillado mi alma con el más anticristiano de mis actos. Nuestro pueblo, combatiendo a muerte con los turcos, y yo allí, con el cuerpo de aquella chiquilla entre mis brazos, símbolo de nuestro secular enemigo. Agarré la pala de lavar y empecé a darle con rabia a la ropa. Adviyé, palidísima, me miraba sin decir nada. De haber podido, la habría ahogado en aquel mismo río que corría tranquilo e indiferente mientras en torno revoloteaban decenas de alegres mariposas y gorriones que no sabían de desgracias humanas.

¿Qué iba a ser de mí, Señor, qué iba a ser de mí? ¿Qué me iba a deparar aquella nueva aventura?

Tres días estuvo Adviyé sin aparecer por la era. Yo no sabía si aquello era buena o mala señal. Perdí el sueño y la tranquilidad. Al cuarto día, al subir al bosque por leña, la oí detrás de mí con su paso liviano. Me volví y vi que me seguía. Me paré a esperarla. Se echó en mis brazos y rompió a llorar con amargura, sin decir nada, y me eché a llorar yo también. No sé cuánto tiempo estuvimos así, uno en los brazos del otro, felices y desdichados a la vez. Ese momento lo tengo profundamente grabado en la memoria. Todavía hoy, medio siglo después, la estoy viendo llevarse las manos a la cara, desesperada:

—*Nedir benim başıma gelen?* (¿Qué me está pasando?)

Al cabo de dos o tres días vino a verme a la era. Estábamos solos y charlamos. Estaba preocupada, casi aterrorizada.

—Las ovejas han cogido una enfermedad muy mala que las está matando a todas. Tengo miedo de que sea por culpa nuestra. ¡Si se enteran mis padres, nos matan!

—¿Tienes miedo? ¿O es que te arrepientes?

—Ni me arrepiento ni tengo miedo por mí, Manolis. Lo único que me preocupa eres tú. No quiero que te pase nada por mi culpa. Me ha cegado el amor y he perdido la razón. Tú eres cristiano y yo turca. Las leyes son muy estrictas y lo de casarnos está muy difícil. ¿Qué puedes desear de la vida de aquí tú que tienes tantas fincas por Esmirna?

—Adviyé—le contesté—, yo he hecho todo lo que he podido por evitar este amor, pero ha sido más fuerte que nosotros. No quiero que pienses que es él el culpable de que las ovejas estén enfermas. No es justo que te tortures con esa idea. Lo de casarnos, es lo que tú dices, ahora no se nos puede ni pasar por la cabeza...

La chica luchaba por contener las lágrimas. Luego se acurrucó cariñosamente contra mí.

—Será lo que tú digas, Manolis—me susurró.

Aquella noche no pegué ojo. No me quitaba a Adviyé de la cabeza. Estaba hecho un lío. Tenía miedo de que la gente se enterara de nuestra relación y de que me obligaran a hacerme musulmán para casarme con ella. Tenía que tomar rápidamente una decisión, por muy dolorosa que fuera. Decidí fugarme. Le confié mis peripecias a mi amigo Panayís Dervénoglu, un chaval muy majo de Kokluca.

—¿La quieres?—me preguntó.

—No sé. Lo único que sé es que me tengo que alejar

de ella—le contesté—. No veo otra solución…

—A mí también me gustaría irme, no lo resistiré si tengo que volver al batallón. Pero estamos muy lejos de nuestro pueblo. Lo veo difícil lo de fugarnos.

Se quedó muy pensativo y luego dijo con decisión:

—¡Qué demonios! Te tengo confianza. Me voy contigo. Tú lo vas a conseguir. No se me va a presentar mejor ocasión.

Al día siguiente, en cuanto volví del mercado, llamé a Panayís y le enseñé un revólver y cuarenta balas.

—Pero bueno, ¿dónde diantres has encontrado eso?

—Lo he comprado por dos libras y veinte piastras—le contesté—. Esta arma nos protegerá. Así no habrá que temer que nos acabe apresando algún aldeano o algún pastor.

De modo que empezamos los preparativos. Teníamos que llevarnos bastantes provisiones porque durante diez o doce días no íbamos a poder acercarnos a ningún pueblo ni a nadie por el camino. Los turcos sabían perfectamente que cualquier extranjero que se les acercara a pedirles pan era un desertor, y, o lo entregaban, o lo mataban. Me acordaba de los desertores que trajeron al batallón. Como si no tuvieran bastante con todos aquellos suplicios, encima se peleaban entre ellos y se echaban las culpas unos a otros del fracaso de su tentativa. Se lo comenté a mi amigo.

—Para que no nos pase lo mismo, no estaría de más que decidiéramos cuál de los dos va a mandar. No nos vayamos a liar a discutir por nada.

Panayís se sonrió. Por lo visto me comportaba como un niño.

—Me recuerdas cuando jugaba a policías y ladrones.

Pero bueno, ya que lo mencionas, te puedo decir que te acepto como jefe. Hablas turco como un turco y te sobra conocimiento y arrojo. ¿Qué más puedo pedir? Manda tú y que Dios nos proteja.

Al día siguiente nos levantamos al rayar el alba. Por muchos quebraderos de cabeza que tuviéramos, entusiasmo no nos faltaba. La juventud siempre ha ido de la mano de la alegría. Panayís me llamaba jefe y hasta me echó agua con el cubo para que me lavara. Comimos pan y queso con apetito. La decisión de fugarnos nos levantaba la moral. Echamos una mirada a la era y a los árboles de alrededor. Un becerro se acariciaba frotándose contra su madre. Me embargó la ternura. Me vino la inspiración y empecé a cantar:

> En lo alto del monte
> se enciende una luz.
> Y hay junto a la luz
> un cantante insomne.
> ¡Si en la mano de Dios,
> sólo en Su mano estuviera,
> la llegada de la muerte
> y el hombre no pudiera
> a nadie decirle adiós!
> Corren los ríos
> llenos no de agua,
> de mis lágrimas llenos.
> De mi país me han echado,
> de mi amor me han alejado
> y a mi hermano una bala se lo ha llevado.

Justo cuando nos disponíamos a empezar nuestra jornada de trabajo, veo venir al tío Alí pensativo y de mal humor.

Nos da los buenos días, se para como para decir algo, se lo piensa y se queda callado.

—Temprano se levanta usted hoy, amo. ¿Pasa algo? —pregunté.

—Sí. Quería hablar contigo, pero prefiero que estemos a solas—contestó echando a andar hacia el establo.

Mi amigo y yo nos miramos... Los dos pensamos lo mismo: Adviyé se lo ha contado todo. Y ahora ¿qué va a pasar? Panayís se dio por enterado y se fue, no sin antes acercárseme y murmurarme al oído:

—Venga, Manolis. Ten presente que, pase lo que pase, nosotros nos largamos, nos tenemos que largar...

Me quedé solo y esperé cabizbajo. Al poco volvió el tío Alí.

—Tengo tantos quebraderos de cabeza que no me he acordado de darte esta carta de tu casa—me dijo—. Mientras la lees, acabo lo que tengo que hacer y luego hablamos. ¡Ea, espérame en el pozo!

Cogí la carta y en vez de abrirla con desespero, la estreché en mi mano como si estuviera agarrando del brazo a mi misma madre. Ya me estaba imaginando en el juicio. Yo sentado en el banquillo y el tío Alí tensando nerviosamente aquel cuerpecillo microscópico y gritando: «Ante tamaño estupro no queda sino que dicten ustedes, señorías, que lo cuelguen del plátano del pueblo y que lo flagelen hasta que entregue el alma. A menos... a menos, evidentemente, que se enmiende, abrace nuestra fe y contraiga matrimonio con mi hija...»

Me puse a dar vueltas junto al pozo. Cada segundo que pasaba me parecía un siglo. La carta me abrasaba la mano. ¡Madre, compadécete de mí, que estoy en un buen aprieto! Mi vista se detuvo en el sobre arrugado. Lo alisé amorosamente con la palma de la mano y lo abrí sin prisas. En cuanto leí las primeras líneas me di cuenta de que la muerte y la desgracia se habían abatido sobre nuestro pueblo. Mi hermana me contaba que los fugitivos turcos estaban arrancando de cuajo todo rastro de vida griega. No dejaban aldeano con vida. Los muertos se contaban por centenares. «Y nosotros, Manolis (¿ay, cómo encontramos palabras para decir estas cosas?), hemos perdido a Panagos... ¡Nuestro hermano se murió solo y desamparado! Ni su cuerpo pudimos encontrar para que pudiera recibir sepultura en el cementerio...»

Me quedé lívido, me flaqueaban las piernas. Me senté en el pretil del pozo, sin poder llorar. En ese estado me encontró el tío Alí. Me las vi y me las deseé para explicarle las terribles noticias. Él me escuchó afligido.

—Pero ¿esto qué es?—dijo—. ¿Adónde vamos a ir a parar? Nos hemos convertido en antropófagos.

Su voz, al consolarme, sonaba sincera y compasiva. Apoyó la cabeza en mi hombro y me dijo:

—Ven, ahora tenemos que hablar de lo nuestro...

Me volví y lo miré con odio. La injusta muerte de mi hermano me hizo cobrar fuerzas. Pero el viejo seguía como siempre: apacible y con su mirada sincera.

—Ya te habrás dado cuenta—empezó a decir—de que tu buen comportamiento y tus méritos han hecho que te quiera como a un hijo. Me caes bien, Manolis, ¿qué quieres que te diga? Bueno, pues, resulta que ayer vino un sargento del batallón con la orden de que os prepararais, que dentro de un par de días os volvéis todos al campamento, a Hamamköy. Y se me ha ocurrido una cosa. Yo necesito a alguien que me ayude, ya estoy viejo y cansado. ¡Y sabe Dios cuándo van a volver mis hijos de esta maldita guerra! Por más que busque no voy a encontrar otros brazos como los tuyos. Muchacho, estaba escrito que nos íbamos a encontrar. Eres el tipo de persona a la que no se le escapa una. Quédate con nosotros hasta que acabe la guerra. Me sacarás y te sacarás a ti mismo de apuros. Yo puedo conseguir un papel del coronel para que prorroguen hasta nueva orden tu estancia a mi servicio. Claro que… no habrá nuevas órdenes que valgan porque el coronel me dará a mí el certificado y en el batallón te darán por desaparecido. ¿Entiendes? Aquí, en estas tierras, al tío Alí se le respeta y se le aprecia y ¡ay del que se atreva a levantarme la mano…!

Mientras hablaba el tío Alí, yo pensaba en lo injusto que había sido con Adviyé. Y, sin embargo, fíjate tú que precisamente ese amor me obligaba ahora a no aceptar la única buena solución que se me presentaba.

—Tío Alí—le dije—. Tú consigue el certificado. Pero como siempre he sido franco contigo, te voy a confesar una cosa. No podré quedarme mucho tiempo a tu servicio. Pienso fugarme uno de estos días y volver a mi pueblo, a ver qué ha sido de mi pobre madre y de mi indefensa hermana. Eres padre y sabrás valorar la devoción y el amor de un hijo…

El tío Alí me miraba sorprendido, pero agradecido al mismo tiempo de que le hablara con franqueza.

—Si me permites que te dé un consejo, no cometas esa tontería—me contestó—. Canallas como los que han matado a tu hermano hay muchos, no lo olvides, y el viaje es muy largo. Sería una pena que echaras a perder así tu juventud…

Mientras hablábamos se oyó a lo lejos un galopar de caballos y unas voces confusas. Allá arriba, en lo alto, las revueltas de la carretera se habían oscurecido como si bajara por ellas un rebaño. Nos tapamos el sol con la mano intentando vislumbrar lo que era aquello. Tres jinetes llegaron al galope hasta la finca del tío Alí y lo saludaron con respeto.

—¿Qué pasa, Mehmet?—preguntó el tío Alí al policía.

—Tío Alí—le contestó—, me he enterado de que andas falto de brazos. Esos que bajan son armenios y los llevamos... de paseo.

Le guiñó el ojo pérfidamente y blandió el brazo en el aire a modo de espada dando a entender que los iban a degollar.

—No tenemos hombres para darte—dijo Mehmet—. Sólo mujeres y niños. Ven a echar un vistazo. Hay chicas bien alimentadas y chicos robustos y espabilados que se desvivirán por ayudarte. El alcalde ya se ha quedado con tres...

El tío Alí escuchaba pensativo. Luego se volvió hacia mí y me dijo:

—¿Por qué no vamos a echar una ojeada? ¿Qué podemos perder?

A medida que nos aproximábamos a aquel rebaño humano, iba llegando a nuestros oídos un plañido lastimero, un clamor roto y cansino, cuyo eco se desparramaba por toda la llanura.

—¡Piedad!

—¡Tened piedad de nosotros!

145

Mujeres desgreñadas caminando con sus bebés en brazos, niños pequeños que apenas se tenían en pie y se agarraban a la falda de sus madres, llorando; detrás, las abuelas, sostenidas por sus nietos para que no se desplomaran en el suelo, que al que se caía le pegaban un tiro y lo abandonaban. El látigo chasqueaba sin cesar flagelando y lacerando las carnes de pequeños y mayores.

De repente se congregó en aquella carretera un gentío enorme, turcos de los alrededores, sedientos de espectáculos, de saqueos y de orgías de sangre. Los gendarmes reían a mandíbula batiente. Arrancaban a los bebés de los brazos de sus madres y se los tiraban a las turcas igual que hacen los verduleros con las sandías en los mercados.

—¡Tomad, son gratis! Que si no, la van a palmar los pobrecicos…

Algunos granujas andaban buscando chicas. Les rasgaban la blusa para ver si tenían el pecho bonito, les metían mano y les decían groserías. Un guardia les dijo:

—Imbéciles, coged a las abuelas y rebuscadles en los pliegues del coño, que es donde esconden el oro y las libras.

De buena gana me habría abalanzado sobre ellos. Mi amigo Panayotis se dio cuenta a tiempo y me agarró del brazo.

—No te metas en más líos—me dijo—. ¿Ahora te enteras de que los cristianos no somos más que esclavos? No somos dueños ni de nuestra honra ni de nuestras vidas.

Nos alejamos indignados. Lo único que podíamos hacer era blasfemar. De vuelta, el tío Alí se trajo con él a un par de niños armenios aterrorizados.

—Los he salvado de una muerte segura—dijo—. Conmigo no les faltará el pan ni perderán la vida.

Aquella escena lo había trastornado.

—¡Es para avergonzarse de estar vivo!—dijo—. Es el fin del mundo, no va a quedar nada en pie.

Bajé la cabeza, sin contestar, y agarré la azada, encorajinado.

Los niños armenios se metieron en el cobertizo y no se movieron de allí. Adviyé les llevó leche, pan y nueces, pero no tocaron nada. Se pasaba uno la noche sin atreverse a mirar aquellos ojos que brillaban en medio de la oscuridad. Nosotros dormíamos con ellos, nos ocupábamos de ellos y nos desvivíamos por aliviar su dolor y por ganarnos su confianza.

—¡Ojalá no hubiera nacido!—me decía Stepán, el mayor de los dos, un chaval de unos dieciséis o diecisiete años.

Nos hicimos amigos. Era bachiller, inexperto en las labores del campo, y necesitó mi ayuda desde el primer día. Delgado, delicado, de pelo oscuro e hirsuto y un par de ojos tristes y afables, se consumía como un cirio, mientras que Serkos, el otro chico armenio, se adaptó y en seguida halló consuelo.

—Stepán—le dije una noche al acostarnos—, tú que sabes tantas cosas, ¿no has oído decir que el hombre es una fiera salvaje y que todo lo resiste? Tienes que aguantar, como aguantamos nosotros. Tienes que vivir, chiquillo…

—¿Y por qué tengo yo que vivir si no quiero?—me interrumpió.

—Ésas son palabras mayores, Stepán. La vida merece la pena, vengan dadas como vengan dadas. Te lo digo yo, que he visto muchas cosas.

—¡Si supieras todo lo que he visto yo!

—¿Tienes familia? Quiero decir, ¿tienes esperanzas de encontrar a alguien con vida después de la guerra?

El chaval mudó de color. Me di cuenta de que había puesto el dedo en la llaga. Se incorporó y se recostó sobre el codo. A la luz del candil parecía un viejo. Tenía la cara surcada por unas gruesas y profundas arrugas. Tenía necesidad de hablar.

—Te lo voy a contar todo tal como ocurrió—me dijo—. Hace diez días llegó a nuestro pueblo un bandolero llamado Nurí. La gente creía que había venido a saquearnos como otras veces. Y justamente lo primero que hizo fue pedirle tres mil libras a todo el pueblo. Mi padre era el alcalde. Bueno, pues, él y el pope cogieron y se fueron de puerta en puerta, reunieron la cantidad exigida y encima la redondearon con dinero suyo y del ayuntamiento. Cuando mi padre se puso a contar las libras, el bandolero, en vez de sosegarse, se enfureció todavía más: «Maldito armenio de mierda», profirió, «¿no has traído ni una libra de más ni una de menos? ¿No os falta el dinero, verdad? Tenéis las gavetas llenas. Pues ya te estás volviendo a traerme cinco mil libras más y las alhajas de las mujeres. Y escúchame bien, desgraciado: que no falte ni una sola medalla, ni una sola alianza ni un solo diente de oro. ¡Espabila! Te doy dos horas. ¡Búscate un pregonero, haz sonar las campanas, quiero el dinero!»

»Mi padre llegó a casa corriendo y se lo contó todo a mi madre. «Coge a los niños y corred a esconderos, que todavía estáis a tiempo», dijo, y le explicó el escondite al que teníamos que ir. Las calles estaban vacías. Los irregulares de Nurí se habían congregado en la escuela a esperar el reparto del botín. Mi madre dudaba si irse o no. Mis dos hermanos mayores no habían vuelto de la tienda y no sabíamos qué había sido de ellos y el pequeñín estaba enfermo con fiebre. «Yo no me voy. Me quedo aquí a cuidar de tu padre y de Varán y Karabet...»

»Al rato oímos las campanas y la voz del pregonero: «Que todos los hombres mayores de quince años se reúnan en la iglesia.» Miré aterrorizado a mi madre. Recorrió con la mirada las paredes, los muebles, el altillo. Se abalanzó sobre mí, me estrechó entre sus brazos, empezó a besarme: «¡No, Stepán, no, tú no te vas de mi lado! No tengas miedo, hijo mío, que yo te voy a esconder, yo te protejo. Pareces más joven de lo que eres. Nadie se dará cuenta de la edad que tienes.»

» La voz del pregonero resonaba en nuestros oídos: «¡El que no se presente será fusilado inmediatamente!» Fue entonces cuando pasaron por delante de casa con mi padre, que llevaba en las manos una pica en la que habían clavado la cabeza del pope. A través de los postigos vimos cómo se le llenaban los ojos de lágrimas al alzarla ante nuestras ventanas. Mi madre se ocultó el rostro entre las manos y se echó a llorar. Entonces cogió al pequeñín de la cuna, hizo un hatillo y, en cuanto volvió la calma, cogimos y nos fuimos. De pared en pared, de puerta en puerta, llegamos con mil precauciones al escondite del cementerio, construido para tales ocasiones.

»En la húmeda y sombría catacumba, a la que se entraba por una tumba familiar, nos encontramos ya a mucha gente, arrodillada y rezando en silencio. Estaban callados, casi sin respirar. Nos hicieron sitio. El pequeñín gemía desconsolado y al cabo de poco rato rompió a llorar estrepitosamente. Mi madre lo acunaba, le daba a mamar su pecho marchito y besos en los ojitos, en la frente, en el pelo, le pasaba el chal de lana por la tripita, le frotaba los pies para calentárselos. «¡Mi vida! ¡Corazón! ¡Niño mío!», le decía mirando a su alrededor a la gente enfurecida como pidiendo ayuda. «¡Ese niño nos va a delatar!», empezaron a gritar. «¿Opio, no tiene alguien opio para darle a beber?» Entonces se oyó una voz ronca y queda: «¡Que lo ahoguen! ¡Que lo ahoguen de una vez! ¿A qué estáis esperando?»

»Mi madre, asustada, se alejó pisando a la gente hasta la pared. Se le salían los ojos de las órbitas de terror. Se estrechó al bebé contra el pecho, lo cubrió con una manta, pero el niño se debatía, daba patadas, chillaba. Y entonces surgieron un montón de manos para agarrarlo. Una vieja le cubrió la cabeza con un cojín. «Aprieta, desgraciada», le dijo a mi madre, «aprieta fuerte que no se le oiga llorar. Más fuerte. ¡Más! ¡Más! ¡Más! ¡Así, así!» Y puso la mano encima del cojín y cuando la retiró el llanto de nuestro bebé se había detenido para siempre.

»A mi madre se le doblaron las rodillas. Se cayó al suelo y cogió cariñosamente con las dos manos al pequeñín envuelto en la manta susurrándole: «¡No vuelvas a llorar, tesoro, no, mi niño bueno! Que nos matarán.» Entonces se volvió hacia mí. Aquella mirada me dejó helado, así, en medio de la oscuridad. «Stepán, ¿por qué no se despierta el niño? ¿Por qué no respira? ¡Stepán! ¿Es que...?»

El chaval interrumpió la narración. Estaba llorando y yo no sabía cómo consolarlo.

—¡Tú qué sabes!—le dije—. ¡Puede que tu padre y tus hermanos sigan con vida! Yo he oído un montón de cosas increíbles.

—¡En el pueblo no dejaron un hombre con vida!—me contestó—. Los quemaron a todos vivos en la iglesia. Cuando se fue Nurí, nos engañaron para que saliéramos de los escondites diciéndonos: «No tengáis miedo. Lo hecho, hecho está. Ahora llegará la policía y restablecerá el orden.» Y en cuanto llegaron los policías nos cogieron, nos pusieron en fila y a latigazos y culatazos nos obligaron a caminar día y noche. Antes de entrar en Gül Deré, llegó un oficial y montó en cólera, separó a los mozos más crecidos del resto y empezó a insultar al jefe del destacamento: «¿Cómo habéis dejado a todos estos bastardos con vida? ¿No ves que son hombres hechos y derechos? ¿Quieres que se nos llene otra vez el país de armenios? ¡Fusiladlos inmediatamente!»

»Mi madre, al ver que me apartaban de ella, ni lloró ni opuso resistencia. Sólo dijo: «Hasta pronto, Stepán. Me voy yo primero para poder estar contigo en el otro mundo, hijo mío.» Y estando como estábamos en un alto, dio un salto y ¡se tiró por el precipicio!

»Justo cuando llegó el tío Alí a escoger sus esclavos, estaban a punto de fusilarnos a Serkos y a mí.

Desgracias como las de Stepán oí luego otras todavía más terribles que ocurrieron en Erzurum, en Diyarbakır, en Sivas, en Kastamonu, en Cilicia, en İzmit y en otros lugares. Ahora todo lo ha borrado el tiempo. Si abrís cualquier libro de historia, podréis leer unas escuetas líneas sobre las matanzas y las persecuciones de los armenios durante la Primera Guerra Mundial. Encontraréis también algunas frías estadísticas. Unas dicen que las víctimas llegaron al millón, otras que lo rebasaron y otras que junto con los griegos alcanzaron el millón y medio. Los responsables no fueron sólo los turcos. La nutrida población cristiana, que tenía en sus manos la riqueza y las llaves de Oriente, tenía que desaparecer porque era un obstáculo para el expansionismo alemán y para los capitalistas de la Entente. Por la línea del ferrocarril que iba desde Bagdad y Mosul hasta el puerto de Esmirna pasando por los campos de petróleo de Oriente Medio y las míticas riquezas de Asia Menor, por esa línea corrían los sueños más deshonestos y arteros del dominio económico extranjero. Una vez más se repetía la historia del vellocino de oro.

IX

Todo lo que oí de boca de Stepán hizo que me decidiera a fugarme cuanto antes. De modo que cuando vino Adviyé con el certificado, me la miré como a una extraña y no sentí el menor remordimiento por dejarla. Sólo le dije «gracias» y, para no tener que hablarle, cogí el certificado y me puse a leerlo. «Por orden de Hasan Efendi, director del Segundo Batallón de Trabajo», decía, «el recluta Manolis Axiotis, natural del pueblo de Kırkıca, provincia de Aydın, queda hasta nueva orden al servicio de Alí en el pueblo de Gül Deré, municipio de Ankara.»

Adviyé se sentó a mi lado, triste y cariñosa. Su mirada buscaba en vano la mía, pero yo no levantaba la vista del papel.

—Me he enterado de que tienes pensado desertar—dijo rompiendo aquel largo silencio—. No lo hagas, Manolis. Quédate con nosotros hasta que acabe la guerra y luego, si quieres, me voy contigo a tu pueblo. ¿Qué más da que le digas a tu familia que soy cristiana? Yo amaré lo que tú ames y creeré en lo que tú creas. Aquí en Ankara todas las cristianas hablan turco, y entre ellas y yo no veo que haya ninguna diferencia. No digas que me llamo Adviyé, di que me llamo María.

¡Pobrecita mía, Adviyé! Aquello sí que eran verdaderas palabras de amor, pero ¿cómo las iba a entender con el odio que la guerra reavivaba a cada momento? Aquella misma noche le dije a Panayís:

—¡Nos vamos hoy mismo!

Salimos a medianoche. Acordamos caminar sólo de noche, sin acercarnos a ningún pueblo. Los primeros días y las primeras noches fueron los más duros porque las carreteras estaban muy concurridas. Fuimos a parar al desierto de Sal. No encontrábamos agua por ningún lado y empezamos a desmoralizarnos. Lamíamos las piedras y sorbíamos las gotas del rocío.

—Me muero de sed, no aguanto más—me dijo Panayís con el terror en la mirada.

Y le di la última gota que quedaba en la cantimplora, que guardaba para tal ocasión. Pero cuando amaneció noté una repentina humedad en el aire.

—Panayís, estamos salvados. Por aquí en algún lado tiene que haber mucha agua.

Apresuramos el paso y todavía no llevábamos andada media hora cuando llegó a nuestros oídos el murmullo del agua.

—¡Un río!—gritamos los dos al unísono al ver el río Sangario.

Echamos a correr. Aunque nos hubiéramos tropezado con el mismísimo ejército turco, no habríamos parado de correr hasta llegar al río. Nos tiramos de bruces y bebimos hasta saciarnos. Metíamos la cabeza, la sacudíamos y la volvíamos a meter. Y suspiramos aliviados. Nos serenamos y nos escondimos a comer pan con queso y a dar gracias al Señor.

Ahora la cuestión era cómo cruzar al otro lado. Al final encontramos un paso que habían improvisado amontonando piedras hasta un islote que dividía el río en dos. Las piedras bailaban bajo los pies y la corriente era muy fuerte. De repente Panayís se cayó al agua y si no llego a agarrarlo no lo cuenta.

Conseguimos llegar a aquel islote largo y estrecho como un submarino. En una punta había un sauce y en la otra todo eran matas. Mientras pensaba en el modo de cruzar el segundo trecho, Panayís me tiró del brazo aterrorizado.

—¡Mira!—me dijo.

Una docena de hombres armados bajaba cuesta abajo desde un pueblo abandonado.

—Deben de ser fugitivos kurdos—le dije a mi amigo, con inquietud.

El día antes nos habíamos encontrado a un pastor, refugiado de la región de Salónica, que nos dio muy útiles consejos: «Andaos con mucho ojo no caigáis en manos de los bandoleros kurdos que andan por ahí destruyéndolo todo. Porque, pobrecitos, no iba a quedar de vosotros ni los huesos. Que ya han matado a mucha gente, oye. El Gobierno ha tenido que desalojar su aldea y se ha llevado a las mujeres y a los niños a Sivrihisarı para que no los puedan aprovisionar.»

Sin respirar, seguimos con la vista los movimientos de los kurdos. Llevaban un par de postes de telégrafos. Los echaron al río y cruzaron rápidamente sin mojarse los pies. Ahora nos entró más miedo todavía. ¿Qué pasaría si alguno de ellos se acercaba hasta donde estábamos nosotros?

Por suerte para nosotros tenían tanta prisa que no echaron ni una mirada alrededor. Levantaron de nuevo los postes de telégrafos, los echaron al otro lado del río y cruzaron casi casi corriendo.

—Si tienen tanta prisa es que los está persiguiendo un destacamento. Tenemos que salir de aquí cuanto antes.

Cruzamos con facilidad por los postes de telégrafos y cogimos el camino contrario. En cuanto hubimos subido unos quinientos metros, vimos llegar el destacamento. Era la primera vez que echábamos a andar de día. No podía ser de otra manera. Había que alejarse de aquellos parajes tan peligrosos.

Empezó a anochecer sin que hubiéramos tenido ni un momento de respiro. Tres pastores que bajaban por la ladera de la montaña, al vernos, echaron a correr hacia nosotros. Intuimos que no venían con buenas intenciones porque iban armados. Dejé que se acercaran un poco, saqué la pistola y disparé al aire. Un solo y único tiro bastó para que desaparecieran.

Caminamos durante treinta y seis horas. Estábamos muertos. En la primera fuente que encontramos nos paramos a comer un poco de pan. Ahora ya había que pedir comida. Como era agosto, de vez en cuando cogíamos fruta de los huertos, pero con aquello no teníamos bastante. Estábamos desfallecidos. Necesitábamos pan y no sabíamos cómo resistir aquella hambre.

Seguimos andando dos noches más hasta que encontramos un molino. Nos escondimos y decidimos ir por harina en cuanto hubiera anochecido y estuviéramos seguros de que se habían ido todos los aldeanos. Vimos al molinero y a su mujer atrancar las puertas. Llamamos varias veces, pero en vez de abrirnos apagaron las luces. Llamamos más fuerte.

—¡Abrid!—grité—. ¡Que prendo fuego y os quemo vivos!

Entonces salió el molinero con un candil en la mano.

—No me hagáis ningún mal y os daré lo que pidáis.

Lo cacheamos. El pobre estaba desarmado.

—Haz salir a tu mujer, la hayas metido donde la hayas metido—le dije.

Al oír lo que le pedía se quedó lívido. Me dio pena.

—No temas por tu honra, que no somos bandidos ni canallas. Desertores es lo que somos y llevamos días sin comer. Dile a tu señora que nos haga unas tortas.

Hizo venir a su mujer y, cuando se hubo cerciorado de que no mentíamos, le entró tal alegría que no sabía cómo agasajarnos. Pusieron la mesa y nos dieron de comer carne asada y unas berenjenas a la *imam bayıldı*. Nos dieron un morral lleno de tortas de pan y otro de pan seco y queso, y nos despedimos como cordiales amigos.

Anduvimos por montes escarpados, en la región de Afyon Karahisar. ¡Quién me iba a decir por aquel entonces que al cabo de unos años iba a volver a aquellos mismos parajes vistiendo el uniforme griego! Dormíamos en cuevas como fieras salvajes, nos había crecido la barba y estábamos sin lavar y medio asilvestrados. Para no perdernos ni desandar lo andado, antes de echarnos a dormir siempre ponía el puño del cayado apuntando en la dirección que íbamos a coger al día siguiente. Mi amigo no se había percatado de mi astucia y estaba acoquinado. Le entró la desazón de que a lo mejor no estábamos yendo en la buena dirección. Al principio me divertía verle y le dejé que dudara. Pero, cuando vi que se emperraba y no quería seguir andando, le dije:

—¿Tan tonto te crees que soy como para andar a ciegas?

Y le conté el secreto.

—¡Me cago en ti, Manolis! Esta noche tenía previsto coger y largarme por mi cuenta.

Llegamos al río Akar. Comimos, dormimos y cuando anocheció echamos a andar otra vez. Estábamos tan aturdidos que raras veces cruzábamos palabra. Aquella noche el cielo estaba nublado. No había ni una estrella que nos pudiera consolar. Hacía mucho viento y estaba tan oscuro que nos acercamos a un rebaño sin darnos ni cuenta. Para protegernos de los perros, nos pegamos espalda con espalda con los cayados en ristre y manteniéndonos en guardia.

Dos enormes canes se abalanzaron sobre nosotros. Suerte tuvimos de que el pastor corriera a ayudarnos. Nos habló amablemente, nos ofreció leche y nos acompañó un rato para enseñarnos un camino seguro.

—Más abajo—nos dijo—está el ferrocarril y hay patrullas. Antes de ayer cogieron a tres desertores y los colgaron allí mismo…

Le dimos las gracias.

—¡No hay de qué!—contestó—. Somos seres humanos. Todos hemos pasado necesidad y sabemos lo que es.

Fuimos a parar a la línea del ferrocarril Esmirna-Afyon Karahisar-Adana. Si no nos hubiera aconsejado tan bien el pastor, nos habríamos dado de bruces con las patrullas. El amanecer nos pilló entre viñedos. Ya era tarde para volvernos a echar al monte. Nos tumbamos y pegados al suelo esperamos a que anocheciera de nuevo.

En cuanto se puso el sol, llegó el amo de la viña con

su mujer a coger uvas. Era un turco descomunal. La vamos a liar malamente, pensé. En seguida se dio cuenta de nuestra presencia y se acercó furibundo. Saqué el revólver y le dije con determinación que se sentara en el suelo. Su mujer le rogaba que se sentara, pero él se negaba y maldecía. Me puse de pie y con un rápido movimiento le planté la pistola en la sien.

—Si le tienes aprecio a la vida, siéntate y hablemos— le conminé.

El arma y mi determinación le hicieron estremecerse. Se sentó humillado. Panayís lo cacheó. Le encontró un puñal de doble filo y se lo quitó. A partir de ese momento estuvo más manso que un corderillo.

—Ni vamos a mancillar tu honra ni vamos a robarte ningún dinero. Lo único malo que te vamos a hacer es retenerte hasta que amanezca para que no avises a la patrulla y cierren el puente.

Le mencioné el puente para enredarlo y que no supiera hacia dónde íbamos.

—No me gustan las complicaciones—respondió.

Y ya no volvió a abrir la boca.

Las montañas por las que tiramos después eran muy escarpadas. Pero aquella soledad nos gustaba. Al pasar cerca de un pueblecillo de una veintena de casuchas, nos topamos con un viejecillo.

—*Merhaba!*—nos saludó, y nos preguntó quiénes éramos y qué se nos había perdido por aquellos andurriales.

Le contesté que éramos desertores y que volvíamos a casa.

—¿Y por qué no os llegáis hasta el pueblo y seguís por la mañana?

—No sería prudente—le contesté.

Pero él insistió.

—No hay policía en el pueblo. Yo soy el alcalde. Dejadme que os acoja en mi casa y así os laváis, os coméis una sémola caliente y os bebéis un trago de anís, que os levantará el ánimo. Mi casa es la última del pueblo. No os va a ver nadie.

La tentación de la sémola caliente acabó venciendo todas nuestras reticencias y, a pesar de todos los mohínes que me hizo Panayís, dije que sí. Fuimos a su casa. El viejo nos hizo pasar a la sala de las visitas y nos estuvo hablando con cordialidad, pero, cuando salió como para ir a buscar la sémola, cerró y echó la llave. Yo corrí hasta la puerta y le grité desde dentro:

—¿Por qué echas la llave, alcalde? Necesito salir afuera.

Y me contestó que éramos sus prisioneros y que por la mañana nos entregaría a los gendarmes. Panayís se quedó lívido y la tomó conmigo:

—Por tu mala cabeza nos han pillado como a un par de imbéciles. ¡Qué vergüenza!

Lo tranquilicé diciéndole:

—El viejo ha echado mal las cuentas. No va a ser una prisión como ésta la que nos retenga. Tú mejor intenta dormir un poco y cuando sea la hora de irnos, te aviso.

Panayís, sea porque estaba derrengado, sea porque tenía fe en mí, se echó y se quedó dormido al instante. Cuando lo desperté, se encontró con que había arrancado toda la ventana, con cerco y todo, y la había dejado apoyada en la pared. Doblé una alfombrilla de İsparta que había allí, me la eché a los hombros y le dije:

—¡Vamos!

Panayís me miró extrañado.

—Y esa alfombra ¿para qué la quieres? ¿Qué te ha dado ahora? ¿Nos hemos convertido en ladrones o qué?

—Voy a darle su merecido a ese viejo de mierda. Esta alfombra es lo más caro que tiene.

—¡Pero qué merecido ni qué ocho cuartos! ¿Cómo vas a cargar con ella?

—Se la regalaré al primer infeliz que encontremos para que eche una bendición a mis muertos.

Al irnos me acerqué a la ventana del viejo y le grité:

—*Oğur ola, muhtar!* (¡Gracias por tu hospitalidad, alcalde!) ¡Pero escúchame bien: ni se te ocurra moverte de la cama porque te pego un tiro, cabrón!

Estoy seguro de que ni se dio la vuelta. Se quedaría mudo. Nos pasamos diez horas sin encontrarnos a nadie y arrastrando la alfombra. Hasta que nos topamos con un vaquero que vivía bajo una tienda con su mujer. Sus hijos estaban en los pastizales. Le regalamos la alfombra. No le importó mucho, que digamos, cómo la habíamos conseguido. Le bastaba con que fuera suya. Nos ofreció una escudilla de yogur a cada uno, pan de centeno, nueces y queso, y también nos regaló su tabaquera y todo su papel de fumar. Su mujer, que estaba como loca con la alfombra, le dijo:

—¿Por qué no los acompañas hasta esos barrancos tan escarpados que han abierto los terremotos?

Por aquel entonces había habido unos terremotos espantosos en İsparta, que abrieron simas por todas partes. Nos pasamos cuatro días echando el bofe a gatas por aquellos quebrantados montes sin ni siquiera ver volar un pájaro. Estábamos agotados y nos flaqueaban las piernas. Al quinto día nos topamos al pie de una colina con una tienda aislada.

—Vamos—dije—y que sea lo que Dios quiera.

Nos acercamos. No nos salió ni un perro a ladrar. Me agaché a mirar por la puerta de la tienda y me aparté ofuscado. Había una jovencita turca, arremangada, amasando y canturreando. Me pareció un verdadero ángel. Al verme se asustó y pegó un grito. Le hablé sin volver a mirar para adentro.

—Disculpe, *küçük hanım* (señorita). Estamos de paso y todavía nos queda un largo camino por delante. Si quiere hacer una buena acción, denos un poco de pan que le sobre.

—No tengo pan—contestó—. Todo el que tenía se lo han llevado esta mañana los pastores. Ahora estoy amasando más.

—Entonces denos un poco de agua.

—Agua hay debajo de aquel plátano. Pueden ir a refrescarse.

Comprendí que no le apetecía mucho ayudarnos.

—Vámonos—le dije a mi Panayís—, porque para mí que de aquí no vamos a sacar nada.

Todavía no habíamos andado cien metros cuando se nos apareció delante un hombretón apuntándonos con la boca de un máuser.

—¡Arriba las manos!—gritó.

¿Qué íbamos a hacer? ¡Pues obedecer! Nos llevó de vuelta a la tienda, que estaba dividida en dos partes. Nos metió en la que no estaba la mujer. Seguía con el rifle en ristre, pero parecía tranquilo. Nos escudriñó con la mirada de la cabeza a los pies. Luego nos dijo en voz baja:

—*Otur!* (¡Sentaos!)

En cuanto nos sentamos dejó el arma, sacó la tabaquera y nos dio a liar un cigarrillo. Estábamos perplejos.

—Dejaos estar de cuentos—dijo llanamente—, que ya veo que sois un par de desertores. Lo único que quiero saber es de dónde os habéis escapado y adónde vais.

Le contesté con la misma sinceridad: que nos habíamos fugado de Ankara y que nos dirigíamos a Esmirna.

—A mí eso tampoco me importa—dijo—. Lo único que quería saber es qué clase de gente sois y cómo tratáis a las mujeres que se os cruzan en el camino. Y como ya he visto con mis propios ojos que respetáis la honra de una mujer indefensa, sólo os deseo una cosa: que vayáis con Dios y consigáis llegar a vuestro pueblo. Os he visto desde que bajabais por la ladera y me he dicho: «Ya verás como éstos van a meterse en mi tienda.» Os habría pegado un tiro, pero no quería mancharme las manos sin antes haberos puesto a prueba. Pero, bueno, ahora, ya que habéis pasado por aquí el día de la fiesta del Cordero, quedaos a comer.

Puso él solo la mesa y trajo carne y fruta. Se reía, divertido, viendo el hambre que traíamos.

—Hay un montón de carne asada—dijo—y mi mujer está haciendo tortas con miel. Os daré para el camino.

Nos acompañó un rato y al despedirnos nos explicó que era oficial del ejército y que su misión era perseguir a los desertores, pero que, como era la fiesta del Cordero, había venido al monte a pasar un par de días con su mujer.

Su confesión nos conmovió.

—Debes de ser muy buena persona—le dije.

—No más que cualquiera—me contestó—. Soy justo y sé recompensar la honestidad. El que respeta al prójimo se respeta a sí mismo. Si no hubierais resistido la tentación de importunar a mi mujer, en este momento estaríais muertos. Os habría colgado de la lengua y os habría dejado sin sepultura para que os comieran los perros y los chacales.

Estaba a punto de amanecer cuando avistamos el pueblo de Thira. Nos dio un vuelco el corazón. Estaban a punto de acabarse nuestros males. En un momento dado cogí a Panayís de la mano y le dije:

—¡Escucha!

De allende el llano, traía la brisa hasta nuestros oídos una dulce canción cantada por una voz de mujer. Apresuramos el paso. Cantaban en griego. ¡El primer griego después de tantas semanas! Nos quedamos callados. ¡Ni el canto de los ángeles nos habría causado mayor impresión!

> Thira mía, tú con tus acequias
> y con tu verdura
> y tus muchachos
> y tus guapas muchachas,
> ¡escucha el molino de Stathis!
> Escucha cómo chirría.
> Chirría el corazón de Jrisula
> sin novio y sin marido.
> ¿Cuándo vendrás amor mío?
> ¿Cuándo vendrás pajarillo mío?
> ¿Cuándo saldrás del cuartel?
> ¿Cuándo volverás del batallón?

Que haya bodas
que haya bautizos
que mi madre vea a su nieto
que la novia vea varón.
Que brote de nuevo el árbol
que dé frutos la tierra
que se abra la iglesia
que se encienda el candil.
¡Escucha el molino de Stathis!
Escucha cómo chirría.

Panayís empezó a gritar y a mover sus largos brazos. Las chicas que cantaban, en cuanto nos vieron, dejaron la faena y el cante, y echaron a correr chillando «¡Ay!, ¡ay!, ¡ay!» como si las estuvieran matando.

—Pero, bueno, por el amor de Dios, ¿por qué os vais? Parad. Que nosotros también somos cristianos, desertores.

Algunas de ellas se hicieron las valientes y se detuvieron. Y en seguida volvieron las demás. Entablamos conversación. Nos dijeron que eran jornaleras de los pueblos de alrededor y que estaban recogiendo tabaco.

—Pero como teníamos sueño—dijo una de ellas— nos hemos puesto a cantar para no dormirnos…

Nos sentamos a descansar. Nos trajeron de todo lo bueno que tenían: higos frescos, pan blanco, aceitunas. Panayís estaba a gusto y quiso que nos quedáramos a contarles nuestras aventuras.

—¿Ahora que estamos a punto de conseguirlo vamos a hacernos los remolones?—le interrumpí—. ¡Venga! Que tenemos que llegar al pueblo con vida.

Y reanudamos la marcha.

X

Llegamos a Kırkıca pasada la medianoche. No había ni un alma. Las calles, a oscuras y desiertas; las puertas, cerradas a cal y canto. Cuando llamamos a la puerta de casa, mi madre se asustó y al verme así, de repente, delante de ella, se me tiró a los brazos y rompió a llorar.

—¡Hijo mío! ¡Hijo mío!—decía con voz queda—. ¿Cómo lo has conseguido? ¿Qué santo te ha protegido, hijo de mis entrañas?

Nos dijimos cosas muy tiernas que nunca nos habíamos dicho. Luego se ruborizó por haber dado rienda suelta a sus sentimientos y corrió a agasajarnos, a traer agua, a darnos de comer y a hacernos la cama para que nos pudiéramos echar a dormir. Me cogió aparte y me preguntó, inquieta:

—¿El forastero se queda a dormir aquí?

—Sí, madre. No hay más remedio. No lo vamos a dejar en la calle.

—¡Claro que no, hijo mío! ¿Qué estás diciendo? Pero es que ¿sabes lo que pasa? Que debajo del tejado está escondido tu hermano pequeño...

—¿Yoryis? ¿Qué dices?

Corrí a sacarlo de allí y a estrujarlo entre mis brazos. Estaba desconocido: con barba, el pelo largo y los ojos vidriosos. Se había olvidado de hablar y de andar. Pero me confesó que había hecho un agujero en su escondrijo para ver la puesta de sol, que tanto le había gustado siempre.

—No tienes remedio. ¡No me digas que consigues pintar!

—¡Qué va!—contestó—. Se me han embotado las manos, las piernas y el alma.

Pasadas las primeras alegrías, me puse a pensar. Tres desertores bajo el mismo techo era un asunto feo.

—Madre, me voy a ir—le dije—. Me iré por aquí cerca, al monte. Conozco buenas cuevas.

Mi madre palideció y arrugó el entrecejo de dolor.

—¡Por el amor de Dios!—dijo—. ¡Parece que estoy oyendo a Papagos! Así se fue él una noche y esos canallas me lo mataron. Hijo mío, si me quieres, no te vayas. O vivimos todos o ninguno...

Al cabo de diez días Panayís decidió que se iba. Le quedaban setenta kilómetros hasta su pueblo. Yo estaba preocupado, me daba miedo que se fuera. Pero mira tú por dónde era a mí a quien acechaban las desgracias.

Mi madre hacía tiempo que había recogido a una chica en casa, una huérfana de catorce años, Catinió. Era hija de Tramuntanas, el pescador que mataron los turcos en Çağlı porque al parecer tenía tratos con las autoridades griegas de Samos. Una noche entraron en su cabaña y le pegaron un tiro mientras dormía. La bala se llevó también a su hijito de dos años, que aquella noche quería mimo y dormía abrazado a su padre. Luego, cuando echaron a los griegos de la costa, la familia, huérfana de Tramuntanas, se dispersó por los caminos del exilio.

Catinió, con todos esos sobresaltos, se había quedado medio tarada y siempre estaba atemorizada y en Babia. Un día, al ir por agua a la fuente, se dejó la llave en la puerta. Con la fatal coincidencia de que pasó justo en aquel momento una patrulla. El brigadier turco vio la llave y no resistió la tentación de hacer un registro por sorpresa. No teníamos dónde escondernos los dos hermanos y, además, si pillaban a uno nos arriesgábamos a que pillaran al otro.

Empujé a Yoryis para que se metiera corriendo en su escondrijo y yo, sin vacilar ni perder la sangre fría, me quedé para burlar a la patrulla. Me senté tan tranquilo junto al hogar e hice como que me estaba calentando las manos. Cuando subieron los turcos al piso alto, me levanté, saludé al suboficial y le confesé que era un desertor y que me había fugado de Ankara. El turco se quedó desconcertado ante tanta franqueza.

—¡Es la primera vez que veo a un desertor que no intenta esconderse!

—¿Esconderme?—le contesté—. ¿Para qué? ¿Acaso no me ibais a encontrar al registrar la casa? No soy tan tonto como para contaros un embuste y arriesgarme a recibir una buena tunda de palos conociéndome como me conocen en comisaría y sabiendo como saben dónde estoy destinado.

—Bueno, pues prepárate, que nos vamos—dijo bajito el oficial, como apiadándose de mí.

Hice un intento para ver si se los podía sobornar.

—Sería un honor para mí—le dije—que aceptarais un cafecito...

—¡No, no! ¡Coge lo que tengas que coger y vámonos!

De modo que antes de que pudiera volver a ver a mi madre me encontré de nuevo en comisaría. Sentía una opresión plúmbea en el pecho, pero al menos me quedaba el consuelo de que había salvado a Yoryis.

Sin tocarme ni un pelo me enviaron a Azizyé, donde estaban concentrados todos los servicios militares. Me metieron en una prisión abarrotada de desertores, reos y soldados de permiso griegos, turcos y armenios. Otra vez aquel hedor, los piojos, el hambre y ni un rincón donde echarse a dormir. En vano pedíamos que nos dejaran salir afuera a hacer al menos nuestras necesidades.

Al tercer día poco faltó para que se cometiera un asesinato en el calabozo. Nos habían traído una nueva hornada de desertores turcos, y un nómada montañés, a quien su padre había dado un billete de cinco libras, empezó a gritar que alguien de allí dentro se lo había robado. Por lo visto, para que no se lo encontraran al registrarle, lo había metido entre unas tortas que llamaban *yafká*. Y que si has sido tú, que si yo no he sido, llegaron a las manos y sacaron las navajas.

—¡Estaos quietos de una vez!—gritó un chaval turco, que se había quedado blanco como el papel—. No vayáis a cometer una fechoría, que la culpa es mía. Ayer noche me sentí desfallecer con el olor de las tortas, alargué la mano y cogí dos o tres del morral. Seguramente me tragué el billete de cinco libras sin darme cuenta. ¡Perdóname!

El montañés, desconsolado, empezó a llorar y a darse golpes delante de todos los presentes, que no paraban de carcajearse. Allí dentro todos buscaban motivos para reírse. Aunque fuera a costa de los demás. Había un pobre armenio al que se le soltó el vientre y se lo hizo encima y todos se reían de él. También se reían de mí porque me entró dolor de muelas y se me hinchó la cara. Empecé a bramar como un búfalo y con una navaja oxidada intenté abrir el absceso para aliviarme el dolor. Le di a escondidas una libra al guardia para que mandara venir al barbero y me sacara la muela, pero tuve la mala suerte de que se diera cuenta el sargento y se pusiera hecho un energúmeno.

—Aquí no se hacen este tipo de cosas. Cuando vuelvas a tu batallón, te presentas, pides que te manden al dentista y punto.

—Pero, oye, ¿eso son maneras? ¿No ves cómo estoy? El pus me ha hecho un boquete en la mejilla…

—Lo único que puedo hacer es mandarte con un convoy que sale hoy.

Mantuvo su palabra y me expidió con otros veinte griegos. En cuanto nos subimos al tren, decidimos fugarnos. No podíamos más y no parábamos de repetir: «Nos largamos, pase lo que pase.» Les dijimos a los dos gendarmes que nos escoltaban que, si hacían la vista gorda, cada uno de nosotros le daría diez libras. Y ellos empezaron a regatear y a pedir quince.

—¡Quince! ¡Quince!

—¡Pues, venga, quince y acabemos de una vez!—dijo la mayoría.

Un chaval de Valacık y yo les pedimos por favor que a nosotros nos dejaran darles sólo diez libras y al final accedieron y en el primer apeadero vinieron y nos dijeron:

—Vosotros dos bajaos aquí, que está tranquilo. En la cuesta de Azizyé será más difícil y peligroso que saltéis todos juntos.

Nos pareció bien. En el apeadero no había un alma. Nos bajamos y nos escondimos detrás de unas traviesas amontonadas, sin hablar y conteniendo la respiración. Esperamos el pitido del tren para encomendarnos a Dios. Pero el tren no se iba y al cabo de un rato se nos pusieron delante dos guardias a caballo.

—¡Documentación!—nos dijeron.

Documentación no teníamos ninguna, claro, y nos cogieron, nos esposaron y nos llevaron a interrogarnos. Nuestra captura no había sido casual. ¡Por lo visto nos delató el par de gendarmes a los que habíamos sobornado porque les habíamos escatimado cinco libras!

Esa confidencia de los guardias me sirvió para pergeñar un plan, y el de Valacık y yo acordamos no ocultarle la verdad al oficial que nos iba a tomar declaración.

—¿Sabe usted una cosa?—le dije—. Que por sobornar a un funcionario del Estado nos pueden llevar a juicio y un juicio supone prisión preventiva. Así que tendremos todo el tiempo del mundo para avisar a nuestras familias y que encuentren algún modo de salvarnos. Y aunque nos condenen a prisión, pues mira, mejor que mejor. Con tal de librarnos de los Amelé Taburú...

De modo que delatamos a nuestros delatores y nos pasamos seis meses pendientes de juicio al cabo de los cuales un tribunal militar condenó a los gendarmes a cinco años y a nosotros a tres. Pero los turcos tenían buenos padrinos y recurrieron. Bien es verdad que a nosotros nos rebajaron la pena a seis meses, pero a los gendarmes los declararon inocentes.

Sin embargo, no se acabaron ahí mis cuitas. Me enviaron a un campamento en Pánormos, donde tenían concentrados a miles de prisioneros cristianos y turcos. Unos por falsificación de documentos de identidad, otros por soborno, otros por algún crimen o por rebeldía. El hambre también era allí un suplicio. El rancho que daban para tres mil soldados apenas habría alcanzado para saciar malamente a dos mil. Todos robaban a manos llenas: pachás, comandantes, gobernadores y jefes de distrito, intendentes, proveedores, particulares. Se habían percatado de que Turquía ya había perdido la guerra y todos venga corre que te corre a pillar lo que podían. Como se decía en aquella época, «al que tiene dinero le limpian las botas pachás y visires». No respetaban ni patria ni honra.

Luego nos llevaron al cuartel de Selimiyé, en Estambul, donde estuvimos bastantes semanas con higos cocidos llenos de moscas, cucarachas y ratones como único alimento. Y otra vez todo plagado de piojos. Todo tipo de enfermedades, desde el tifus exantemático hasta la gonorrea, estaban diezmando el ejército entero. Si no hubiera llegado orden de que nos laváramos, nos desinfectáramos y nos trasladáramos a Soğanlı, nos habríamos muerto todos.

En Soğanlı nos unimos a una división de combate que también volvía diezmada del frente ruso.

—Allí en Rusia se ha acabado la guerra. A ver si se acaba aquí también de una vez—dijo Mathiós, un herrero muy espabilado al que llamaban «Telégrafo» porque siempre era el primero en enterarse de la noticias.

—¿Y cómo es que en Rusia se ha acabado esta maldita guerra?—preguntó Ahmet, el panadero.

—Pues es que he oído a unos prisioneros de guerra

rusos hablar de un jefe con perilla, Lenin o algo así se llama, que ha dado orden de que dejen de combatir y así ha sido. Y por lo visto ha dado orden también de que no haya ricos ni pobres y así ha sido también. Y han repartido la tierra y han sacado a los príncipes de sus palacios y han metido en ellos a pobres como tú y como yo.

Ahmet se echó a reír.

—Pero ¿qué dices, cuentista? *Ne diyorsun?* ¿Cómo es posible? *Olur mu?* ¿Tú te crees que un potentado va a dejar que venga otro a quitárselo todo por mucha perilla que tenga? ¡Venga ya! ¡No me seas zoquete!

Nosotros no sabíamos nada de todo eso y no lo entendíamos. Pero uno de aquellos días llegó un maestro de la región del mar Negro, Serafimidis, que nos lo contó todo con pelos y señales.

Serafimidis y yo nos hicimos buenos amigos. Había tenido una vida muy atormentada. Salió huyendo del mar Negro en 1916, cuando ocuparon la región los rusos. En su retirada, el ejército turco se llevó de allí a miles de familias al Amelé Taburú de los griegos de Trebisonda, en el que estaba Serafimidis. Al cabo de cinco meses, Serafimidis se fugó, pero lo cogieron los turcos a un kilómetro de las líneas rusas, lo torturaron y lo quisieron colgar.

—Ya me habían echado la soga al cuello cuando en ese preciso instante se paró delante de mí un coronel turco que pasaba por allí y se me quedó mirando. «¿Tú no eres el sobrino del pope Gligoris?», me preguntó. «Sí», le contesté. Y va y se vuelve hacia el verdugo y le dice: «Suéltalo.» Yo no me lo podía creer. «Conozco bien a tu tío el pope, éramos vecinos», me dijo. «Y por lo que sé se está portando muy bien con los turcos que se han quedado en Trebisonda. Por eso te perdono la vida, para que se lo puedas contar.»

»Por lo que me dijeron después, aquel oficial estaba destinado en un servicio encargado de recabar información sobre la vida en la región del mar Negro ocupada por los rusos. Se me llevó con él a Suşehrí, al cuartel general donde estaba Vehip Pachá. Allí me enteré de que los rusos habían entregado la administración de Trebisonda a los griegos y a los turcos. Hasta los tribunales eran comunes, y la guardia nacional. El ayuntamiento se había declarado municipio independiente y su primer alcalde fue Konstandinos Theofílaktos, pero el auténtico gobernador era monseñor Jrísanthos, el obispo ortodoxo, que gracias a su inteligencia y a su gran corazón fue un gran político y un dirigente notable. Protegía por igual a cristianos y musulmanes y no permitió que los armenios se tomaran ninguna represalia. La vida volvió a ser como antes. Los turcos que se habían expatriado se arrepintieron de haberse ido y quisieron volver, pero Reşat Pachá no se lo permitió. Para que veas las ganas que tenían de volver, mira la canción que cantaban sobre monseñor Jrísanthos:

> *Metropolit, vatan sana amanet*
> *Eleviye bastım da koptu kıyamet...*
> (Metropolita, la patria en prenda a ti te han dado
> y a nosotros las desgracias en Elevián nos han asaltado...)

A Serafimidis le temblaba la voz de emoción. Tenía a monseñor Jrísanthos en gran estima.

—Es muy listo, su ilustrísima. En el 17, cuando la revolución rusa, ingresó en el sóviet de Trebisonda y desde allí empezó a gobernar el lugar. Los bolcheviques no le negaban nada de lo que pedía. Y en cuanto se enteró de que se iba a firmar un armisticio y comprendió que los rusos acabarían abandonando la región del mar Negro, pidió que les entregaran armas y uniformes a los griegos, porque los guerrilleros de Kahrimán ya habían empezado a saquear y a degollar a la gente. ¡Y en menos que canta un gallo la Unión Nacional de Jóvenes se convirtió en milicia popular! Era la primera vez, quinientos años después de la caída de Trebisonda en manos de los turcos, que los cristianos empuñaban las armas para defender sus propiedades y su vida. Y fue así, según me cuentan, como se salvó la mitad de la población y la otra mitad consiguió huir a Rusia.

Serafimidis me dijo que su información era de primera mano, que en Suşehrí había conocido a un joven y esforzado pope llamado Sidirópulos, al que monseñor Jrísanthos había mandado para firmar un acuerdo con Vehip Pachá.

—Pues Sidirópulos fue el que me contó lo que pasó en Ordú, la antigua Cocíoras, el pueblo de mi madre. Allí también lo pasó muy mal la gente, Axiotis. Un día aparecieron los barcos rusos a bombardear las líneas turcas y los cristianos se tiraron a miles al mar pidiendo protección a los rusos. Los bolcheviques echaron salvavidas, botes, hasta hubo marineros que se tiraron al agua. ¡Tres mil almas consiguieron recoger! Y entre ellos a mi hermano pequeño y a la familia de mi tío, once en total. Los llevaron a todos a Trebisonda y allí los acogió la diócesis y los repartió por las casas y los trabajos. Ni se enteraron del exilio...

Justo mientras hablaba con Serafimidis, nos llegó la orden de levantar el campo y ponernos en marcha hacia Arabia. Los cosas se estaban poniendo muy feas para Turquía. El Estado Mayor había decretado que cogieran las armas todos los cristianos de los Amelé Taburú, desertores, y convictos, y cuantos hombres fornidos se pudieran encontrar aunque fueran criminales y estuvieran en prisión. Los ingleses habían lanzado una ofensiva y había que detenerlos fuera como fuese.

Yo me ofrecí como panadero, amasador, porque me había enterado de que la intendencia necesitaba uno y no quería empuñar las armas y combatir, sobre todo ahora que todo indicaba que la guerra tocaba a su fin.

Durante unos días me harté de pan en los hornos militares de Soğanlı. Pero la orden no tardó en llegar: teníamos que seguir a nuestra división hasta el frente. De modo que empecé a pergeñar otro plan. Me tenía que funcionar bien el ingenio. Había que pensar en todos los detalles. Nada más enterarme de que había que levantar el campo, pedí permiso al cabo para correr a devolver unas lámparas que nos había dejado un tendero turco. Sabía que el cabo estaba prendado de la hija del tendero, pero que él no podía ir porque con aquella marcha precipitada se había armado la de Dios es Cristo y el capitán no le dejaba un momento en paz.

—Corre, ve—me dijo—y despídete de mi parte. Y ándate con ojo, desgraciado, que te quiero aquí en menos que canta un gallo.

En cuanto doblé la esquina tiré las lámparas en un

corral y me esfumé. Sabía que en aquella región todos los pueblos eran griegos. Ya encontraría alguna casa donde me pudieran esconder hasta conseguir una barca para pasar a Pánormos. Y a partir de allí, Dios diría.

XI

A la primera persona que me encontré por el camino fue a un buhonero de Estambul. Anastasis Melidis se llamaba. En Pánormos había oído hablar mucho de él, todo el mundo lo conocía. Vendía seda, perfumes, babuchas, horquillas y peines, afeites, alhajas, falsas y auténticas, y no sé cuántas cosas más. Aquel día no llevaba género. Sólo un maletín de piel, como si fuera diplomático. Y, a decir verdad, juro que tenía pinta de todo menos de buhonero. Según decía, en aquel maletín llevaba hierbas «para el amor y los achaques de la vejez, para tener hijos varones, para hígados enfermos, riñones averiados y desarreglos del corazón». ¡Lo que sabía aquel estambuliota! Tenía clientas no sólo en burdeles, sino también entre la aristocracia y en todos los harenes. Andaba metido en asuntos de contrabando y se echaba sus tragos con maleantes a los que protegía y de los que recibía protección. Viajaba de Beirut a Batú, procuraba mujeres a beyes y pachás turcos, aprovisionaba a capitanes y sargentos y a cualquiera que lo necesitara, porque decía que «hasta la gente más humilde nos puede ser útil…» Los turcos lo dejaban andar libremente de acá para allá. Serafimidis me confesó que también tenía tratos con ingleses y con griegos, porque decía que en el fondo llevaba a Grecia en el corazón. ¡La de vidas que llegó a salvar Anastasis!

Enemigos no tenía ni uno porque a todos complacía.

En cuanto hubimos andado un rato juntos por la nacional, se volvió y me dijo:

—Tú tienes que ser desertor. No me digas que no. Eres un desertor y además de pueblo.

Sin darme tiempo a contestar me volvió a decir:

—¿Quieres que te diga una cosa? Procura cambiarte de ropa, lavarte y afeitarte, que con esas pintas te vas a delatar tú solo. Me dirás que para qué quieres mis consejos… Vas a necesitar ropa, ¿no? Sí, ya lo sé, estás sin blanca… Pues yo te voy a ayudar. Ven conmigo y no te arrepentirás. Vamos a una casa que conozco por aquí cerca. Es una casa de citas, pero no importa. No vas a que te den la bendición. Pero te recibirán con los brazos abiertos y, lo más importante, te darán ropa que ponerte.

No sabía qué decir.

—Te agradezco tu amabilidad…

—¡Qué demonios de amabilidad ni qué ocho cuartos! En esta vida nadie da nada por nada. ¿No lo sabías? Yo no he dejado nunca a nadie desamparado. Y no me arrepiento, porque tengo amigos allá adonde vaya. Para que lo entiendas, cuando me encuentro a una mujer que se me queja del marido, yo le doy la razón. Y voy a ver al marido y también le doy la razón. Y al final consigo reconciliarlos. Y, cuando un notable turco me dice que los infieles son unos sinvergüenzas, yo le contesto: «¡Qué razón tienes, *Efendim*!» Y hago negocios con él, él me ayuda y yo le ayudo. Y al final me hago con su firma para salvar a alguno de esos sinvergüenzas.

Melidis no esperaba respuesta. Era entusiasta por naturaleza. Iba silbando y jugando con una cadenilla. Se había forrado con la guerra. Por él, que no acabara nunca. *Bon vivant*, recio, guapo, ya maduro, no se entendía qué ganaba haciendo de buhonero.

—Soy una nulidad con el dinero—me soltó—, tengo demasiado buen corazón. Porque si vieras a los griegos ricos de Estambul, te quedabas de una pieza. ¡Habitaciones enteras llenas de oro! Pero de patriotismo, nada. Todo para el bolsillo. No tienes más que ver a Bolakis. Proveedor del ejército turco. ¡Oro a porrillo, el muy cabrón! ¡El rey Midas!

Con su verborrea no me enteré de que habíamos llegado a la casa a la que íbamos. Andando entre los parterres llenos de flores me dijo:

—¿Has visto esas flores?—ufano como si fueran suyas—Y del palacete ¿qué me dices? Y ya verás la hurí que vive en él. Una muñeca, la fulana, una venus. Lástima que no tenga hijos que disfruten de sus riquezas y tenga que gozar sola de ellas. Es lo que tiene la profesión, ¿sabes? Se confunden los padres. Ésta, hijo mío, se baña en leche. ¡Ya verás qué baño, qué tinas de mármol y marfil y qué jofainas de oro! ¡Para quedarse de piedra! Y pagan el pachá turco y el banquero judío. Y ella le cierra tratos a Bolakis y le cobra comisión. Pero es una persona muy afable, madame Fofó, y tiene un gran corazón, ya te darás cuenta tú solo. Y ha estado en París, hijo mío, y se ha emborrachado con príncipes en Odesa, en Bagdad y en Teherán…

Yo no daba crédito a todo lo que estaba oyendo.

—Yo no me puedo presentar así. Yo…

Pero Melidis me riñó sin darme tiempo a acabar la frase.

—¿Tú qué? ¿No tienes agallas? ¡Un chicarrón como

tú! ¡Escucha, compatriota, no dudes, no te arredres nunca, tira para delante! Tú no vas de novio ni de amante. Madame Fofó es una salvadora de almas, se desvive por hacer una buena obra. Por eso te traigo. ¿Y quieres saber algo más? Dios te ha puesto en mi camino para tener una excusa con que ir a verla, que tiene una vieja de criada a la que hay que enredar para que te deje entrar.

Ya que estaba allí, entré en la casa diciéndome: «De perdidos, al río.» Nos abrió una vieja desabrida, enjuta y ceñuda, que Anastasis amansó en seguida con sus zalamerías.

—¡Cristinilla! ¿Qué pasa, tesoro? ¿Sabes que te he conseguido el san Fanurio? ¡Tal como tú lo querías: todo chapadito de oro y de cuerpo entero! Y ojo, que es un icono antiguo, de los que ya no se encuentran. En el próximo viaje te lo traigo. ¡A ver si te veo sonreír, demonio!

—¿Cómo es que te has acordado de nosotras, Anastasis?—preguntó la vieja con la mirada lánguida.

Abrió de par en par la puerta del salón y aparecieron ante mí sofás de seda, alfombras persas, consolas de nogal llenas de pájaros disecados y lámparas con pantallas de cuentas y animales persas de bronce y espadas damascenas y camellos de madera y cruces de filigrana del Santo Sepulcro.

Melidis me guiñó el ojo. Me mostró con un gesto de la mano todas aquellas riquezas y luego salió al vestíbulo y gritó con desenvoltura:

—¡Fofó! ¿Dónde estás, mi niña? Que hace un siglo…

Y por la escalera apareció madame Fofó. Llevaba un vestido de seda escarlata con bordados de oro. Chaparra, regordeta, de tez blanquísima como si nunca le hubiera dado el sol. Arrastraba con coquetería las babuchas de terciopelo contorneando las caderas y balanceando el pecho. Aquellas picardías le hacían a uno perder la cabeza, aquellos gruesos labios pintados, aquellos ojos verde aceituna, aquellas pestañas de a palmo.

—Fofó, te he traído a un joven para que hagas una buena obra y le ayudes. Sé lo pía y lo compasiva que eres. Es un desertor. Si lo dejamos andar por ahí con ese uniforme lo van a pillar. Tú tienes un montón de ropa de hombre. Venga, no te lo pienses más. Haz el bien y no mires a quién.

Madame Fofó, que seguía medio dormida, me lanzó una mirada, se llevó la manita a la boca y se dio un par de veces para detener el bostezo. Luego dijo, jovial:

—Anastasis, siempre serás el mismo. ¿Cuándo vas a sentar la cabeza? ¿Sabes que te he echado de menos, encanto?

Él, disimuladamente, le hizo un ademán señalándole a la vieja y le dijo:

—Bueno, Fofó, tenemos que ayudar a nuestro compatriota, que nos necesita. Es un desertor. Pero es cristiano y está en apuros y en situación irregular. ¿Lo entiendes? Ya verás cómo Nuestro Señor te borra de un plumazo todos tus pecados… Aunque la verdad, a mí me parece que eres un ángel caído del cielo…

Doña Cristina parecía emocionada. Y yo, allí plantado, con la mirada perdida, sin saber qué hacer ni qué decir ni dónde meterme las manos, y con los zapatos llenos de barro. No sabía cuál era mi papel ni entendía cómo de los hornos de Soğanlı había pasado a encontrarme en el serrallo de una mantenida que me iba a socorrer.

La vieja Cristinica me cogió aparte y me llevó ante un armario de tres puertas. ¡Lo que no habría allí dentro! ¡Albornoces árabes, uniformes de todas las armas turcas, tricornios de almirante!

Entre tanto la señora de la casa se fue para dentro con Anastasis. Al principio pude oír su conversación. Ella le decía: «Me ha tirado los tejos Enver Pachá[9] y me ha dicho: "¿Que Reşat te ha hecho un chalet? Pues si te vienes conmigo, yo te haré un palacio con cuarenta habitaciones y paredes de oro y plata..."» Y él: «¡El cabrón tiene dinero! ¡No me extraña! ¡Como que se lo ha quitado a griegos y armenios!» Y ella: «¡Claro que sí! ¡Tiene las manos pringadas! ¡En cambio mi Reşat...!"»

Doña Cristina me enseñó otro armario con ropa más sencilla y ya no pude oír lo que decían. Sólo sus carcajadas, que luego se dejaron también de oír. Se debían de haber metido en el dormitorio.

Cuando hube encontrado qué ponerme y me hube lavado y vestido, la vieja se me quedó mirando de arriba abajo.

—Bueno, ya has vuelto a tu ser—dijo—. ¡Mira qué chico tan apuesto! ¿De dónde eres?

—De la parte de Éfeso.

—¿No me digas? Yo también soy de por allí. Venga, ahora a comer alguna cosilla.

Tenía hambre y me llegaba el olor a leche frita y a queso, pero le contesté diciendo:

—¡Gracias! Sólo quiero despedirme del señor Anastasis y decirle que...

[9] Ministro otomano de la Guerra. (*N. del T.*)

La vieja movió la cabeza.

—¡Pero cómo vas a ver ahora a Anastasis, hijo de mi vida! ¡Si tienen para toda la noche! ¡Y a estar atentos, no se vaya a presentar algún Reşat!

—Pues dales las gracias de mi parte.

—Ve con Dios, paisano. Y buena suerte.

Me pasé años bregando con la clandestinidad, aprendí a burlar a mis perseguidores, a hacerme el muerto, a desconfiar de cada mirada.

En cuanto puse los pies en Hartalım y eché a andar por las calles principales del pueblo, me di cuenta de que me seguían. ¿Quién sería? Me paré como para atarme el zapato y poder atisbar quién era y, al ver a una chavalilla, me tranquilicé. Torcí por un par de calles para asegurarme. Y ella detrás de mí. Pero ¿qué ocurre? Me volví a parar y entonces ya me quedé desconcertado del todo al ver que pasaba junto a mí, sin cambiar de rumbo y mirando para otro lado como si tal cosa, y que me susurraba:

—¡Sígueme, Manolis Axiotis! Métete en la puerta en la que yo entre, pero no conmigo...

La seguí. Se metió en una casa de dos pisos.

—¿Quién eres, muchacha, y de qué me conoces?—le pregunté en la escalera.

—No soy yo la que te conoce—me contestó con la cara iluminada—, pero sí el que te está esperando arriba.

Me había olvidado de que Kirkör, un amigo al que ayudé a huir en Pánormos, era de Hartalım. Subí y me lo encontré esperándome con los brazos abiertos.

—¡Lo has conseguido, Manolis, hermano! ¡Qué alegría cuando te he visto por la ventana! Aquí la chica se llama Annika y es mi hermana.

Pusieron la mesa. Unas pocas patatas cocidas sin aceite.

—Las estamos pasando moradas—dijo Kirkör—. Han matado a nuestro padre y a nuestra madre y se han llevado todos los cuartos. Nuestra tienda se la han quedado unos forasteros. Yo estoy escondido. Vivimos de lo que consigue Annika.

Le dije que me tenía que ir por la noche. Ya tenían bastantes quebraderos de cabeza ellos solos como para ocuparse de mí.

—¡Pero qué dices! ¡Qué estás diciendo! Ni lo sueñes—replicó Kirkör.

Durante los cuatro meses que me quedé en su casa siempre hicieron gala del mismo afecto y de la misma franqueza, como si fueran hermanos míos. ¡Y qué cuatro meses! ¡Hay veces que te encuentras a una gente! Nos reconcilian con la vida por más insufrible que nos parezca.

Annika trabajaba duro. Tenía dos hombres que mantener. Nosotros hacíamos todas las labores de la casa, pero lo hacíamos a gusto. A veces, cuando tardaba, nos daban palpitaciones. ¿Qué iba a ser de nosotros sin Annika?

Nuestro escondrijo estaba dentro de un *haziné*, una cisterna. A menudo, en momentos de peligro, cuando bajábamos allí dentro, nos sentíamos como en una tumba. Salir y ver a Annika sonriendo era como volver a nacer.

Una mañana—¿cómo olvidarlo por más años que pasen?—se oyó gritar una palabra, una sola palabra que hacía años que esperábamos: ¡Armisticio! ¡Armisticio!

Annika llegó jadeando y gritó:

—¡El armisticio!

Y fue decirlo y echarse a llorar. Lo primero que hicimos fue ponernos a devorar periódicos para cerciorarnos de que era cierto. Luego abrimos las ventanas de par en par, que llevaban meses cerradas como si hubiéramos estado de luto. Parecía mentira que hubiéramos podido burlar a la muerte.

Annika nos trajo anís y arenques. No dormimos en toda la noche. Estuvimos hablando y hablando sin parar. Hicimos planes y soñamos. ¡Qué rápido se nos olvidaron los días aciagos!

Los turcos también estaban contentos, aunque hubieran perdido la guerra. Sus periódicos cambiaron de sonsonete. Ahora los enemigos eran los alemanes; y los traidores, Talat Pachá[10] y Enver Pachá, que habían colaborado con ellos y llevado a Turquía a la perdición. Ahora los amigos eran los ingleses y los franceses— ¿quién si no?—y sobre todo los norteamericanos. Todo eran halagos y decir amén. Pero antes de que enterraran definitivamente a Turquía, apareció un detractor de lengua acerada que no le bailaba el agua a nadie, una voz potente que llamaba a la insurrección: Mustafá Kemal. Hacía muchos años que Turquía no daba un hijo así.

Kirkör tenía una tienda en Esmirna y tenía prisa por ir a ver lo que había sido de ella. La misma prisa que tenía yo

---

[10] Líder del Partido de la Unión y el Progreso y visir del sultán. (*N. del T.*)

por llegar a mi pueblo. Salimos juntos. No teníamos los papeles en regla, pero ahora los turcos tenían otras preocupaciones, como ver qué iba a ser de ellos. No teníamos dinero ni para el billete, pero Annika lo arregló todo con un conocido suyo del ferrocarril para que cogiéramos el tren en Pánormos y nos escondiéramos en el ténder.

—De todos modos también vamos sin billete por la vida—dijo Kirkör riendo.

—¡Qué vais a ir sin billete!—dijo Annika—. Vuestro billete ya lo habéis pagado y bien caro.

Me despedí de ella emocionado.

—¡Annika, no te olvidaré nunca!—le dije con los ojos llenos de lágrimas.

Justo en aquel momento me di cuenta de que Annika era una mujer y de que habría podido enamorarme de ella y hacerla mía para siempre. Todavía ahora recuerdo la ardiente morenez de su cuerpo, sus dulces ojos aterrorizados. Annika, ¿cómo es que no te amé sino como a una hermana? ¿Tú crees que acaso lo impidió el miedo?

De los cinco hermanos que habían movilizado fui el primero en volver a casa. Sabía que Panagos ya no regresaría nunca, pero de los demás no teníamos noticias. «¿Qué habrá sido de ellos?» En cuanto llegué al pueblo me asaltó esa tenaz pregunta, que podía más que mi alegría. Durante cuatro años me había estado haciendo el duro, no me fuera a jugar una mala pasada la muerte y me pillara desprevenido. ¡Y ahora mira por dónde me daba la ñoñería!

Intentaba recordar la vida de antes, las costumbres de antaño. Lo cogía y lo examinaba todo con las manos.

Añoraba el calor de la mirada de mi madre y la frescura de la mirada de las chicas. Recorría con la vista las macetas alineadas en el alféizar, el huerto con las parras, el jazmín, la madreselva y los limoneros. Enfrente, el camino, idéntico siempre, polvoriento, con las acacias y las casas encaladas. Me acordé de cómo años atrás lo bajaba a zancadas al volver de la finca con Onios, nuestro borriquillo, que era tan listo que al acercarnos a casa rebuznaba para que saliera mi madre a desembridarlo. En un recodo manaba la fuente, cantarina. Yo metía la cabeza debajo del agua cristalina, fuera invierno o verano, me peinaba el pelo hasta desmadejarlo, arrancaba una flor—lo que hubiera: un clavel, un geranio, una flor de amor—, me la ponía en la oreja y me iba a pasear más tieso que una vela. Siempre había alguna chica que sabía la hora a la que pasaba y me espiaba tras los visillos.

Mi primera preocupación fue ayudar a mi madre y a mi hermana con las faenas del campo. Salía de madrugada camino de la finca. Me afligía aquella soledad. No se veían hombres. Sólo algunos tullidos, muchos viejos y mujeres de luto. Uno se estremecía sólo de pensar que le fueran a contar sus penas. Los campos parecían cementerios. Sin labrar y sin rastro de huella humana. Nos habían arrebatado los caballos, los búfalos, los rebaños. ¡No quedaba ni un maldito gallo para cantar al alba!

Al pasar por la finca de Filippas, Aleka, su hija, me paró para darme la bienvenida. Yo sabía que estaba enamorada de Yoryis e inicié la conversación.

—Cuando vuelva Yoryis, haré que sea él el primero en casarse.

La chica se me echó a llorar y acabó confiándome el

secreto que la oprimía. Todos sabíamos que Yoryis había sido detenido por los gendarmes delante de su casa. Pero nadie sabía ni cómo ni por qué, ni siquiera mi madre. Por lo visto era de noche, una noche de mucho calor y de los huertos del pueblo le llegaba a Yoryis el olor a jazmín y no lo resistió, eso fue lo que le dijo. Le abrasaba la vida por dentro. De modo que se descolgó del tejado y se tiró a la calle.

—Sus piernas le llevaron hasta mi ventana. Me empezó a tirar piedrecitas como solía hacer. Yo estaba en el primer sueño, lo oí y me desperté asustada. «Lo habré soñado», pensé, y me volví a dormir. Pero las piedras daban de verdad en el cristal de modo que corrí hasta la ventana y reconocí su silueta. Empezamos a susurrar hasta que me dijo: «Baja, Aleka, tengo necesidad absoluta de hablar contigo.» «¿Cómo quieres que baje, Yoryis? Se van a despertar mis padres, no puedo...» «Que se despierten. ¡He venido para pedirte que te cases conmigo! Ya no soporto más esta soledad. Me voy a volver loco como Lebesis...» No había acabado de hablar cuando apareció por la esquina una patrulla. En lo que tardé en bajar corriendo y abrir la puerta, la guardia a caballo ya lo había detenido. No le dio tiempo ni a echar a correr. El resto ya lo sabes. Lo torturaron y lo mandaron a su batallón. Me mandó una carta desde Çanakkalé y no he vuelto a tener noticias de él, y estoy que no me llega la piel al cuerpo.

—Mi madre también se queja de que hace meses que no recibe carta. Pero no te preocupes. Ya verás cómo vuelve. Lo sé.

Pero me equivoqué. No habían pasado dos semanas

cuando llegó la triste noticia: ¡una bala inglesa había matado a nuestro Yoryis en Çanakkalé!

—¡Ay de mí!—gemía golpeándose noche y día mi madre—. ¡Esos buitres me han arrebatado tu cuerpecillo! ¡No se ha apiadado la muerte de tu donosa figura ni de tus dulces manitas, laboriosas como las de Dios Padre!

La muerte era el enemigo intangible con el que generación tras generación nos las teníamos que ver. No parábamos mientes en los culpables, nos desahogábamos sólo con ella. La gente ya no esperaba turno en las iglesias para casarse, sino para celebrar funerales. En todas las casas lloraban a dos o tres muertos. Había familias enteras que habían dejado de existir y no quedaba más que algún viejo o alguna vieja para llorarlos.

Kostas y Stamatis, que creíamos muertos, volvieron al cabo de un tiempo. Kostas había encontrado refugio durante diez meses en una finca turca de Adana. Se le hizo tan imprescindible al amo que éste no quiso dejarle que se fuera y durante un tiempo le ocultó lo del armisticio. Y a Stamatis lo salvó un kirlí de los que bajaban a trabajar en nuestra finca. Se lo encontró en Konya justo cuando un sargento se disponía a matarlo. El kirlí, sin decir que lo conocía, se dirigió al sargento y le preguntó: «¿Adónde te llevas a ese desertor?» «A pastar», le contestó con un gesto que daba a entender que lo iba a degollar. «¿Y por qué no me lo dejas a mí que tengo más práctica con el cuchillo?» le dijo el kirlí guiñándole el ojo y poniéndole en la palma de la mano una moneda de veinte piastras. El sargento se miró la moneda, se encogió de hombros y dijo: «¡Llévatelo! Así no cargo yo con la culpa. *İşte!* (¡ten!)»

El kirlí se llevó a mi hermano a su casa y le dijo: «Te vas a quedar aquí con nosotros y no te preocupes. Serás uno más de la familia. Yo me he hecho un hartón de comer y de dormir en vuestra casa y eso no se olvida.»

Ahora que estábamos reunidos todos los supervivientes nos pusimos manos a la obra, a ver si conseguíamos salir adelante. Estábamos sin ropa, sin aperos, sin animales ni simiente. Con ayuda de la muchacha que teníamos en casa y gran peligro para sus vidas, mi madre y mi hermana habían recogido más de trescientas arrobas de higos. Las vendimos y nos dieron veinte libras de oro, pero como no teníamos ni para empezar tuvimos que echar mano de usureros. Kostas nos reunió a todos y nos dijo:

—Escuchadme. A los muertos no los podemos resucitar, pero la finca sí.

Salíamos al campo todavía de noche y de noche regresábamos. Trabajamos con ahínco. Para descansar cambiábamos de faena. Sólo comíamos pan y aceitunas, pero efectivamente conseguimos resucitar la finca y hacerla productiva. Plantamos tabaco, porque había demanda. Y rápidamente nos quitamos las deudas de encima.

LLEGAN LOS GRIEGOS

XII

Ya no teníamos miedo a los turcos. Ahora eran ellos los que nos tenían miedo a nosotros. En vez de cambiar de manera de pensar, trocamos papeles. En las ruinas de la antigua Éfeso, en los polvorines que allí tenían los alemanes, encontramos todo el material militar que quisimos. Los gendarmes turcos, que tenían que entregarlo a los aliados, como establecía el Armisticio de Mudros, lo abandonaron todo y se esfumaron. Habían malogrado tantas familias cristianas que ahora estaban muertos de miedo.

Años y años desarmados, sufriendo todo tipo de humillaciones y desgracias y, ahora que tenían la posibilidad, ¿iban los cristianos a dejar de empuñar las armas? Es difícil, muy difícil borrar de un plumazo el odio y la barbarie de la guerra. La sangre y el miedo traen más miedo. Los cambios bruscos siempre traen más desgracias.

La pobre gente de Kırkıca cogía de noche el camino de la antigua Éfeso y no paró hasta que se llevó al pueblo toda la pólvora y todas las armas. Sólo entonces empezaron a sentirse verdaderamente libres. Se irguieron los cuerpos antes encorvados. Y los jóvenes más modestos se ceñían cartucheras en la cintura y en el pecho y se paseaban con chulería, moviendo arrogantes el cuerpo, como provocando a los turcos: «¡Acercaos ahora si os atrevéis!»

El primero en coger las armas fue Kosmás Sarápoglu. Agarró el fusil y se fue para el cementerio. Le seguimos en silencio. Temíamos que hubiera hecho una promesa y se quisiera matar. Pero empezó a pegar tiros al aire y a gritar con voz desgarradora:

—¡Levantaos, mis valientes! ¡Que somos libres!

La vieja Jrisanthi, la del pueblo de Söke, decía que esa misma noche había visto con sus propios ojos las sombras de los muertos y que oyó sus llantos y sus lamentos.

—¡Miradlas!—decía señalando las sombras de la luna.

Cuantos quisieron creerla decían que los muertos esperaban que la buena vida no nos hiciera ahora olvidarnos de ellos y dejáramos de vengarlos.

En cuanto los turcos de los pueblos vecinos se enteraron de que estábamos armados abandonaron casas y campos y huyeron a Söke y a Kuşadası. El miedo había cambiado de bando.

Corrió la noticia de que había desembarcado en Esmirna el ejército griego y de que habían sido reducidos a cenizas cinco pueblos turcos de los alrededores. ¡Nuevas cenizas, nuevas desgracias que traerían más y más desgracias! Pero ¿quién podía hacer ese sencillo cálculo con la embriaguez de la victoria?

Los primeros en desembarcar en Ayasuluk fueron los italianos. La gente temió que las potencias hubieran decidido imponerles un nuevo amo, pero los italianos no se quedaron mucho tiempo y se fueron para Söke y Kuşadası.

El día que llegó el ejército griego al pueblo, la gente perdió la cabeza. Desde temprano por la mañana empezaron a repicar las campanas, pero no del modo habitual. Nunca se habían oído repicar así.

La noticia corrió de casa en casa, de campo en campo. «¡Ha llegado el ejército griego!» La gente dejaba sus faenas, alzaba la frente un instante, se lo repetía a sí misma silabeando para metérselo bien en la cabeza y luego lo gritaba en voz alta y corría a contárselo a los demás. Se santiguaban, se abrazaban y se echaban a llorar.

—*Christus resurrectus!*

¿Qué alegría es ésta que supera a todas las demás: bodas, partos, riquezas y gloria? De repente florecieron todos los corazones. Endomingada, la gente acudía con laurel, arroz y agua de rosas a recibir al ejército. Cubrieron de kilimes las calles que habían sido testigo de su esclavitud y el pueblo se llenó de banderas de todos los tamaños que las mujeres habían cosido durante los últimos meses.

Cuando se oyeron las primeras trompetas, viejos, jóvenes, mujeres y niños, todo el mundo, se hincaron de rodillas y pusieron la frente en el suelo. Se les saltaban las lágrimas mientras decían emocionados:

—¡Grecia! ¡Grecia de mi alma! ¡Eres nuestra madre!

El desfile en el pueblo lo abrieron los niños con los lábaros. Detrás iban los popes con las casullas brocadas y los diáconos con los incensarios. Y, entre tanto hábito, un gigante, Kosmás, con los calzones de fieltro y las polainas bordadas, caminando despacio, con solemnidad, como correspondía a aquel gran momento de la Historia, alzando con los brazos el icono de san Demetrio, tan pesado que normalmente se necesitaba el sudor de dos hombres para cargar con él.

Por la noche sacamos mesas a la calle y asamos corderos, trajimos cubas de vino, nos emborrachamos y cantamos. Y no parábamos de tocar con la mano a los soldados griegos para asegurarnos de que eran de verdad y no fruto de nuestra imaginación.

De repente nuestra vida cobró una gran trascendencia. Estábamos convencidos de que éramos la afortunada generación de esclavos cristianos que habría de vengar cinco siglos de sangre y de lágrimas.

Volví de Esmirna en tren. Estaba contento. Me venía con importantes pedidos de tabaco, higos y uvas pasas, y además me habían dado buenos anticipos, cosa rara. Le llevaba regalos a mi madre y el ajuar a mi hermana. Me traje también dos alianzas de oro con el nombre de Katina y Manolis. Pero no tuve prisa por grabar la fecha, porque no sabía si Katina iba a querer celebrar nuestra boda ese mismo año.

De vez en cuando me metía la mano en el bolsillo y acariciaba el estuche de terciopelo azul con las alianzas, como quien acaricia un sueño. Ya corría el agua en la acequia, la patria había sido liberada y no faltaba el trabajo. Hora ya, pues, de que tuviéramos una vida y una casa y de que fundáramos una familia.

El tren se acercaba a Ayasuluk. Contemplaba nuestros campos y me sentía orgulloso. Unos soldados que venían de Grecia me empujaban todo el rato en plan de guasa y me decían: «¡Mira cuánta agua!» «¡Mira qué trigales!» Un oficinista bajito al que llamaban el Chupatintas siguió bromeando:

—¡Ay, Grecia, que te me vas a poner buenorra, mi alma, con tanta exuberancia! ¡Que con estas ubres hay para alimentar no a una Grecia, no, a diez!

—¡Benditas tierras!—dijo otro soldado—. Que yo de esto entiendo, que soy labrador: que aquí echas a andar tres días y tres noches y no hay manera de encontrar un par de piedras con que partir una almendra. Cuando se acabe la guerra, voy a traer aquí a mi familia. Le he echado ya el ojo a unas fincas...

—¡Mira que eres avaricioso! ¡No tienes ni para un cigarrillo y ya estás soñando con una finca!—le interrumpió otro colega—. ¿Con qué dinero vas a comprar la tierra que quieres, tío?

—¿Con qué dinero? ¿Cómo que con qué dinero?— saltó otra vez el Chupatintas, que les tomaba a todos el pelo—. Si ahora vamos a tener que necesitar aquí dinero, ¿para qué coño estamos pagando todo esto con nuestra sangre? Toda esta tierra era propiedad de nuestros antepasados. Y lo dice su testamento, que a cada uno nos toca una parte...

—Lo cual, muchacho, a mí me deja frío—dijo un corfiota—. Obrero he nacido y no tengo muchas esperanzas de morir como un hacendado. Ahora, si te refieres a las chicas, ahí sí que estoy de acuerdo. ¡Dios! ¡Qué regordetas! ¡Qué pedazos de hembra! ¡Amasadas con mantequilla y azuquítar! ¡Dónde diablos se han mercado tanto coqueteo y tanto melindre!

Dejé hablar a los soldados y volví a mis cavilaciones. Hacía unos días mi madre, viendo mi premura por acabar la casa, se olió algo y me dijo, feliz:

—¡Qué prisas te han entrado, hijo mío! ¿No será que estás pensando en casarte y no me dices nada, a ver si me llevo una alegría, pobre de mí?

Le di una palmadita en la espalda y le dije:

—¿Le apetece tener nietos, señora Axiotis?

—¡Que si me apetece, dice! ¡Es ley de Dios! ¡Ojalá se nos vuelva a llenar el patio de niños! ¡Para que resuciten Panagos y Yoryis y no se pierda el nombre de vuestro padre! ¡Qué más puedo desear antes de irme al otro barrio!

No me preguntó con qué mujer tenía previsto casarme. Adivinaba que a la que quería era a Katina Selbesis, la sobrina del padre Fotis, el pope, pero no se atrevía a creer que le fuera a pedir la mano. Tenía miedo de que el padre Fotis considerara demasiado humilde a nuestra familia. Llegaban además a sus oídos las proposiciones que le hacían continuamente a la chica. ¡Unos chicarrones de buena familia y con posibles, como Theofílactos, el hijo del alcalde Jatzianastasíu, y Dufexís, que tenía ocho puestos de propiedad en el mercado!

Katina había tenido una vida muy difícil. No conoció a su madre, que murió en el parto. El padre, Yangos Selbesis, cogió al bebé y a un ama de cría y se fue a vivir a la finca que tenía en las afueras de Aydın, para no ver ni oír a la gente.

Cuando la chica se hizo mayor y tuvo que ir al colegio, la llevó a Aydın, a casa de su abuela, que era de buena familia. Allí tuvo una buena educación y una vida regalada. Pero nada más salir del colegio se murió la vieja y entonces Selbesis llamó a Katina y le dijo: «Ya está bien de estudiar, hija. Te tienes que venir conmigo a la finca a ayudarme. Cuando llegue el momento de casarte, ya hablaremos...» Y puso a la chica a ocuparse de la casa y a bordar.

Luego estalló la guerra y Katina le dijo a su padre:

«Padre, deja la finca en manos de Alí y vámonos tú y yo a Aydın, que aquí, tan aislados, tengo miedo…» «Alí es buena persona y nos aprecia mucho», le contestó él, «pero corren por ahí otras alimañas que me lo quitarán todo en cuanto me vaya.»

Y un día salió Yangos Selbesis a lomos de su caballo a supervisar sus tierras y por la noche el animal volvió solo con dos canastas a cuestas. ¡Habían troceado el cuerpo y lo habían metido dentro! Un par de labradores turcos le espetaron a Alí: «Mejor. Así nos quedaremos con la finca y con la casa.» Pero Alí les contestó: «Pues el que haya cometido el crimen con esa idea, se va a quedar con las ganas. Porque los que se quedarán con la finca no seremos nosotros.»

Y así fue. Apareció un tal Hasan Bey que dijo que la finca era suya, que Selbesis tenía una deuda con él. A Katina no le quedó más protector que una tía, hermana de su madre, casada en Kırkıca con el padre Fotis. Así que el pope cogió y se fue a buscar a la huerfanita y a vender lo que quedaba de las posesiones de su concuñado para comprarle a la niña algún terreno en Kırkıca.

De la historia de Katina me enteré la primera vez que vine de permiso del Amelé Taburú. Me dio pena la chica. Me empecé a fijar en ella, pero sin más. No tenía ni fuerzas ni tiempo. Y luego me fui y me olvidé de ella, pero algunas de las cartas que me mandaba mi madre estaban escritas de su puño y letra y siempre llevaban la misma posdata: «Katina te manda saludos.»

Con el armisticio se reavivaron mis sentimientos. Katina vino a darnos el pésame por la muerte de Yoryis y a partir de entonces siempre encontraba algún motivo para pasar por casa. Se había hecho amiga de Sofía aunque no tenían en común ni edad ni carácter. Un domingo por la mañana que mi hermana estaba fuera y mi madre estaba en la cocina ligando el jarabe, nos quedamos los dos en el patio y estuvimos hablando. Le conté mis aventuras. Me escuchaba igual que un niño un cuento y me preguntaba todo el rato: «¿Y qué más?» «¿Y entonces?» Cuando acabé me miró a los ojos.

—Has sido muy valiente—me dijo.

—Sí—le contesté—, es verdad lo que dices. No es por fanfarronear, pero he luchado a brazo partido. No he dejado nada al azar. Ni por un instante pensé que me fuera a morir. He visto árboles talados luchando por brotar en tumbas oscuras. He visto animales heridos luchando hasta el último suspiro por vivir. Pero no he conocido nada como la voluntad humana para luchar por la vida. No nos ha dado Dios sesos en vano…

Le estuve hablando mucho rato. ¿Cómo encontraba tantas cosas que decirle? La miraba y en mi cabeza se agolpaban las palabras como bandadas de pájaros que revoloteaban en torno a aquella mujer. Ella también me miraba y sus ojos negros refulgían, pillines, como diciendo: «Me gustas, me gustas mucho.» De modo que me envalentoné y un día en el campo, lejos de su finca, le cogí la mano y no se la solté durante todo el tiempo que estuvimos hablando. Y luego le dije:

—Estas manitas no están hechas para faenar. Las mías pueden hacerlo por los dos.

Hizo ver que no entendía.

—No soy tan refinada—me contestó.

Cuando el padre Fotis y su mujer no estaban con ella

en la finca, yo corría a verla a caballo, saltaba la cerca y la llamaba:

—¿Necesitas ayuda?

Hacía ver que le enseñaba cosas: «Así no, así...», le decía alargando la mano por encima de la suya para enseñarle. A ella le daban escalofríos y respiraba con dificultad y yo temblaba de excitación. Pero no nos atrevíamos a besarnos.

A veces conseguíamos apartarnos hasta unos tupidos juncos. Nuestros cuerpos se rozaban y sentíamos un dulce escalofrío que iba y venía del uno al otro.

—¿Qué?—decía ella tímidamente.

—¿Qué de qué?—decía yo.

No podía articular palabra, no fuera a desaparecer aquella felicidad. Alguna vez le rocé el pecho con la mano y entonces me entraba como un mareo. ¡Ni que me hubiera bebido un galón de vino! La carne me ordenaba que la estrujara entre mis brazos. Pero me contuve con todas mis fuerzas, me mordí la mano y me hice sangre. Con Katina no quería que me ocurriera lo mismo que con Adviyé. Quería que pensara en mí como en su marido, quería llevarla al lecho de bodas vestida de blanco, con corona nupcial y flores de azahar...

No sé si se dio cuenta de lo turbado que estaba. Se retiró un poco.

—¿No me tenías que decir algo hoy? ¿Te has olvidado? ¿No me has traído hasta aquí para eso?—dijo por pensar en otra cosa.

—No me he olvidado. ¿Cómo me voy a olvidar? Lo que te tenía que decir hace tiempo que lo sabes. Dentro de poco mi casa estará acabada y te estará esperando...

Me escuchó con la vista en el suelo, sin contestar. Llegaba hasta mí el calor y el olor a jazmín de su respiración.

—Hemos llevado vidas diferentes—le dije—. Tú te has criado en colegios y yo en la calle y en el campo, casi no sé leer. Tú has vivido rodeada de riquezas y has tenido un padre complaciente. A mí me ha faltado de todo y he tenido un padre honrado, pero severo, que se lo hizo pasar muy mal a mi madre. A lo mejor has oído hablar de él. Pues no me parezco en nada. Yo quiero quererte mucho, como quiere ser amada toda mujer que ha sufrido en esta vida. Y tengo mis defectos, como cualquiera. Soy demasiado orgulloso y egoísta, bastante egoísta. Y testarudo. Lo que quiero lo quiero ya, sin rodeos ni historias. ¿Ves? Te estoy entregando mi corazón.

Katina apoyó su cabecita en mi pecho con los ojos abrasados por las lágrimas. Le cogí el mentón con dos dedos y le levanté la cabeza:

—¿Estás llorando? ¿Por qué?

—Porque te quiero mucho. No sé cómo decírtelo…

—Lo dices muy bien…

La estreché en mis brazos, busqué sus labios y comprendimos entonces que estábamos hechos el uno para el otro. Me sentía como una fruta en sazón. Habría querido que tocaran música y bailar y decir palabras que nunca antes se me habían pasado por la cabeza. ¡Qué hermosa es la juventud cuando se está enamorado!

Serían las tres cuando llegué a la estación de Ayasuluk y eché a andar camino del pueblo. Andaba despacito, ya calentaba el sol de marzo, brotaba el trigo y los árboles retoñaban. ¡Un tiempo espléndido! Mi corazón rivalizaba con mirlos y jilgueros.

En marzo todas las chicas del pueblo se trenzan anillos con hilo rojo y blanco. Y las viejucas van detrás de las que no se lo ponen y les dicen: «¡Hija, que ya ha llegado el mes de marzo y no te has puesto el anillo! ¡Te va a dar una insolación!»[11] «Pues este año Katina lo que se va a poner no será un anillo de hilo rojiblanco, sino uno de pedida de veinticuatro quilates. ¡Y lo voy a celebrar de forma que todo el mundo lo va a recordar durante mucho tiempo! Y Katina estará resplandeciente y será la más guapa de las guapas...»

Antes de llegar a la plaza vi de lejos gente reunida en el café. Estaba abarrotado de gente. ¿Qué pasa? ¿Por qué han dejado los hombres las faenas del campo tan pronto?

Mi hermano Stamatis vino hacia mí y me dijo con la voz entrecortada:

—¡Manolis, vete preparando, que se nos llevan de soldados! ¡El periódico habla de quince quintas!

—¡Anda, venga! Que vengo de Esmirna y no he oído nada semejante.

No estaba seguro, pero no quería que se me notara mi estupefacción. ¡Adiós a nuestros esfuerzos! Ahora que íbamos a forrarnos con el tabaco...

—¡No te precipites!—le dije, ya preocupado.

—¿Cómo que no me precipite? En cuanto han llega-

---

[11] Según la creencia popular griega, anillos y brazaletes trenzados con hilo rojo y blanco protegen del traicionero primer sol de marzo. (*N. del T.*)

do los periódicos con el correo de las dos ha corrido la noticia. En el café no se habla de otra cosa... ¿Qué quieres que te diga, hermano? ¡Esta vez tengo miedo, te lo juro por María Santísima! ¡Tengo miedo! Una pase, dos vale, pero a la tercera va la vencida...

Pero yo estaba pensando en otra cosa: que nuestra región todavía no había sido anexionada a Grecia y que seguíamos siendo súbditos otomanos. ¿Cómo era posible que nos movilizaran? Si es necesario, nos alistaremos, no digo que no, pero...

Cogí el primer periódico que encontré en el café y leí atentamente cada línea. Hablaba de los «súbditos griegos de Asia Menor y de quince quintas y de los insumisos, etc.»

—¿Por qué os ponéis así?—les dije a unos amigos míos que lo pintaban todo muy negro—. No están hablando de súbditos otomanos, sólo de griegos.

Volvieron a coger los periódicos y soltaron con alivio una bocanada de aire de sus pulmones.

—¡Ah, sí, claro! Tiene razón Manolis. ¿Qué diantres estábamos leyendo todo este rato?

Los notables del pueblo, popes y miembros del consejo, todos reunidos allí, se abalanzaron sobre mí:

—¡Te crees muy listo! ¿Con qué derecho te las das de patriota? ¿Desde cuándo te enorgulleces de ser súbdito otomano?

—¿Acaso queda algo de Turquía para que tenga súbditos todavía?

—¡Ponedle el fez para que pueda presumir! ¡El fez!

—¡Lo que hay que oír! ¡Que si griegos y otomanos! Los que se consideren otomanos que lo digan...

Todos agacharon la cabeza. Por la noche salió un pregonero:

—Que mañana por la mañana estén en la estación de Ayasuluk todos los hombres de entre veintiún y treinta y cinco años. Todo el que no se presente será severamente castigado...

—Nos vamos a meter en un lío de mil demonios— dijo el hijo de Járitos, el labrador—. Si los turcos cogen a un soldado griego que sea de Asia Menor, lo colgarán de la lengua. Que con nosotros no va la ley de la guerra, que somos voluntarios...

Al día siguiente viajaron de Ayasuluk a Esmirna cuatrocientos hombres de Kırkıca. En el Malecón, delante de la Casa del Soldado, hubo uno que nos enjaretó una soflama patriótica y nos emocionamos tanto que se nos saltaban las lágrimas. Estábamos convencidos de que nuestro deber para con la patria era coger el fusil y no soltarlo hasta que entráramos en Constantinopla. A decir verdad, yo no era de los que querían reconquistar la ciudad. Me conformaba con lo que habíamos conseguido. Pero, cuando me vestí de caqui, me dije: «Bueno, venga, acabemos de una vez, no vayamos a liarla.» Y me puse yo también a gritar que había que echar al turco al país de la Manzana Escarlata.[12]

El día en que juramos bandera se llenó el Malecón de toda la gente de los pueblos de alrededor: de Vurla, de Kukluca, de Burnova, de Sevdikiyé, de Kuşadası, de Kırkıca. Los feces saltaban por encima de nuestras cabezas y los zaragüelles ondeaban al viento. Las chicas nos rociaban

[12] Mítico país del que afirman ser originarios los turcos. (*N. del T.*)

de flores, sonaban los instrumentos de música de cada uno de los pueblos y nos pusimos a bailar. Empezaba bien aquel servicio militar...

No alcancé a pedirle la mano a Katina y, lo que es peor, no pude despedirme de ella. El padre Fotis se cuidó de mandarla a Aydın antes de que yo pudiera verla. Al parecer tenía que ir a firmar unos papeles para recuperar la finca de su padre. Pero le dio tiempo de mandarme a escondidas una carta rebosante de amor. Empecé a sospechar que el pope no quería que nos casáramos y que estaba haciendo todo lo posible para distanciarnos. Me acusaba de no haberme comportado como un patriota con lo del alistamiento y por lo visto no me quería volver a ver ni en pintura. Yo confiaba en Katina: era la única que podía hacerle cambiar de opinión.

Desde Esmirna le mandé una carta muy larga. Le pedía que nos prometiéramos antes de que yo me fuera al frente. «Tu amor es un talismán para mí, Katina», le decía. «Por lo que más quieras, haz lo posible para que nos podamos ver.»

No sé qué fue de ella. No recibí respuesta ni a ésta ni a las otras dos cartas que le mandé. Y ya no volví a escribir. Me dio miedo que se le hubieran subido los humos al recuperar la finca de su padre y se hubiera arrepentido de lo nuestro. Aunque en el fondo de mí mismo todavía abrigaba esperanzas, necesitaba pensar así. Y esperaba...

Sólo tuvimos veinticinco días de instrucción y en seguida nos mandaron al frente. Aquellas prisas del cuartel general no me gustaban nada. Habían creado unos regimientos autónomos de lo más peregrino: la tropa era de Asia Menor y los oficiales de Grecia. A mí me tocó el primer regimiento autónomo, que luego llamaron el 31. Nos mandaron a Pérgamo, a una misión especial, y al cabo de tres meses destinaron a mi pelotón a Dondarlí.

La comarca de Dondarlí estaba bajo control de un conocido guerrillero llamado Mehmet *el Ciego*, que hostigaba continuamente al ejército. Toda una noche nos tuvo en vela y acabó liquidando a varios de los nuestros.

—¿Sabes una cosa?—me dijo un día el sargento en tono de confidencia—. Sé de buena fuente, que Mehmet *el Ciego* se esconde en un pueblo de por aquí cerca. ¿Te imaginas que lo cogiéramos nosotros por nuestra cuenta y riesgo?

—Hombre, no estaría mal—le dije—. Pero estas cosas hay que madurarlas. Necesitamos saber de cuántos hombres y de qué armamento dispone, qué medidas de seguridad toma y qué costumbres tiene. No podemos volver con el rabo entre las piernas. Si es que volvemos y no nos saltan la tapa de los sesos…

Al sargento le ofendió mi falta de confianza en él.

—Yo no hago las cosas a tontas y a locas—dijo—. Me he enterado de muchas cosas de Mehmet *el Ciego*. Lo único que nos hace falta es hombría.

—Hombría no nos falta, desde luego.

Requisamos cinco caballos, cogimos al guía turco, que era guardia campestre y conocía la región, y salimos a medianoche. En todo el camino no nos topamos con pueblo griego alguno. Además, ningún cristiano de Pérgamo se atrevía a asomar la nariz por aquellos pagos.

Nos habíamos metido como quien dice en la boca del lobo. La operación que había planeado el sargento podría haber salido bien con un destacamento importante. Pero nosotros no éramos en total más que cinco y nos lanzamos sin plan y sin informar a nuestros superiores. Le dije al sargento que nos diéramos prisa, antes de que se hiciera de día y los turcos salieran a faenar al campo.

Dejamos dos soldados apostados a la entrada del pueblo para que la emprendieran a tiros. Los demás, con el guía, seguimos hasta la casa paterna de Mehmet *el Ciego* y avisamos a la gente de que se encerrara en casa, que al que se atreviera a salir ni que fuera a la ventana lo matábamos. Con el follón que armamos la gente se pensó que éramos el ejército griego, que había rodeado el pueblo, y nadie se asomó.

Buscamos corriendo la casa de Mehmet *el Ciego*. Encontramos a su cuñado, le pedimos que se viniera con nosotros hasta Dondarlí, que el oficial le tenía que preguntar un par de cosillas, y aceptó. Hasta nos invitó a un trago, pero teníamos prisa. Ni por un instante pensamos en lo que sentíamos nosotros cuando la policía irrumpía sin previo aviso en nuestras casas para hacer algún registro o practicar alguna detención. Ni siquiera nos acordábamos de que hacía muy poco éramos nosotros los que acusábamos a los turcos de ser unos salvajes. Ahora la guerra había puesto sus bárbaras armas en nuestras manos. ¡Allí los que mandábamos éramos nosotros!

De camino, el cuñado de Mehmet *el Ciego* no paró de hablar, pero durante el interrogatorio apretó los dientes y no pudimos sonsacarle nada de Mehmet *el Ciego* ni de sus milicianos. El sargento insistía, colérico:

—Ándate con ojo, cabrón, porque sé muy bien cómo hacer que lo largues todo de golpe...

Y empezaron los palos y las torturas. Cuando se cansó, lo dejó en manos de un antiguo policía que dijo que iba a intentar otra cosa, más pérfida. Le ofreció un café como a escondidas de los demás y le dijo que no le iba a hacer nada.

El cuñado de Mehmet *el Ciego* lo escuchaba con desconfianza. De vez en cuando levantaba aquella manaza suya, se apartaba la sangre que le salía de la nariz y de la boca y se la sacudía como si fueran mocos.

Y no soltaba prenda.

Por la noche el guardia fue otra vez a verlo con comida y un par de consejos.

—Haces mal cerrando el pico. Porque de todos modos nosotros lo sabemos todo con pelos y señales. Tenemos hombres detrás de vuestras líneas. ¿De qué sirve que te calles? Lo único que conseguirás es que se enfurezca el sargento y que mañana te abra las piernas con una cuchilla y te las llene de sal.

Le estuvo hablando durante mucho rato y al final salió y nos dijo:

—Esto es lo que hay. Mañana el turco nos lo dirá todo. ¡Si sabré yo cómo hacérmelo!

Al amanecer, antes del toque de diana, el turco intentó escapar. Le pidió permiso al centinela para ir a hacer sus necesidades y el centinela, sin sospechar nada, le dejó. Y entonces el turco le pegó un empellón, lo tiró al suelo y echó a correr como un poseso.

El primero que oyó los gritos y se levantó de un brinco, todavía desnudo, fui yo. Eché a correr y lo alcancé en la cuesta, antes de que se tirara por un barranco y desapareciera. Luchamos encarnizadamente. Me costó reducirlo porque era fuerte de brazos e intrépido. Pero yo tampoco me arredré.

Nuestros cuerpos cayeron al suelo hechos un ovillo, jadeantes. El turco me oprimía el pecho desnudo con su férrea rodilla y la mantuvo así clavada. Me tenía inmovilizado. Sus ojos, encorajinados, ebrios, se cruzaron con los míos. Se diría que en aquel momento eran Grecia y Turquía las que se debatían...

Tal como me tenía en el suelo habría podido agarrar una piedra y partirme la cabeza. No se le ocurrió. Yo me devanaba los sesos para concentrar en un solo movimiento todas mis fuerzas y derribarlo.

Justo en ese momento apareció el sargento con dos hombres apuntando al turco con el fusil. Éste, con un diestro movimiento, se lo arrebató de las manos y se levantó de un salto apuntándome a mí, dispuesto a apretar el gatillo. Yo, tumbado como estaba, lo agarré de los pies y la bala no me dio. Sus ojos cobraron una expresión de terror. Le pusimos las esposas y a patadas y culatazos nos lo llevamos para el puesto de guardia. Lo atamos con una cuerda. Entonces el sargento cogió el látigo y empezó:

—¡Habla, rufián!

—¡Habla, cabrón!

—¡Habla, perro!

—¡Habla, anticristo!

El cuñado de Mehmet *el Ciego* recibía los latigazos sin inmutarse, como si no fuera suyo el cuerpo que estaban torturando. Se le tensaban las venas del cuello como las jarcias de un barco, se le hinchaba el pecho, controlaba la respiración para no jadear y que no lo traicionara el dolor.

Me entró un pavor repentino. ¿Qué fuerza era ésa, que se diría que nos devolvía los latigazos y dejaba intacto su cuerpo? Nunca había pegado a un hombre. Cuando me tocó a mí hacerme cargo de él, porque a los demás los llamaron a sus obligaciones, sentí una aprensión que no sabía cómo reprimir. Le hablé con un hilo de voz, acobardado, sin mirarle a la cara.

—¿No ves que no tienes nada que hacer? ¿A qué esperas? Habla, si quieres volver esta noche con tu mujer y tus hijos. ¡Habla, joder! ¡Habla, me cago en Dios! ¡Habla y acabemos de una vez!

Me miró con odio y asco a la vez, como si me fuera a escupir.

—¡Malditos seáis, infieles!

Cogí una madera y empecé como loco a darle golpes en la cabeza. Se le nubló la vista, cedió la altivez de aquella frente y se desplomó la cabeza sobre el pecho.

Tiré la madera al suelo, me llevé las manos a la cara y pegué un grito.

—¡Lo he matado!

Eché a correr de aquí para allá. Esperaba que vinieran a detenerme. El primero en llegar fue el sargento y me tranquilizó.

—Una medalla es lo que te tienen que dar, no un castigo.

A continuación llegaron los demás y entre todos intentaron pergeñar lo que iban a poner en el informe para el jefe de la guarnición. «Habiendo sido detenido con denodado esfuerzo, el presunto cuñado del infame forajido conocido como Mehmet *el Ciego* sufre caída en un conato de fuga y...»

Todo el rato que se pasaron preparando el informe, yo estuve observando al muerto. ¡Por Dios, qué envidia le tenía! Parecía tan seguro de sí mismo... El capitán no se creyó una palabra del informe, pero no quiso saber más. Simplemente le dijo al sargento:

—En adelante andaos con más cuidado...

¡Y aquí paz y despúes gloria! En la guerra no es fácil distinguir el asesinato de la acción patriótica. Había participado en batallas, había disparado contra los enemigos de mi patria y me sentía orgulloso de haber matado a varios de ellos. Pero aquello me revolvía el estómago.

Al amanecer del día siguiente nos trasladamos a Çivril y con el miedo de la guerra se acabó desdibujando aquel recuerdo.

El frente de Çivril estaba tranquilo. Sólo sufrimos algunos ataques por sorpresa sin importancia y efectuamos alguna que otra misión de reconocimiento. Un día estaba yo de centinela en la torre de observación y hete aquí que me aparece un turco con una bandera blanca. Le grité que se acercara y le pregunté que qué quería.

—Que he desertado de las tropas de Kemal—dijo—. Estoy harto de combatir. Quiero volver a mi pueblo, con mi familia... —añadió sollozando.

Lo entregué al oficial de servicio. Cuando lo vio Yakumís, el de Nueva Éfeso, lo reconoció en seguida. Por lo visto era paisano suyo y en el 14 se había cepillado a muchos cristianos.

—Sois unos necios—nos dijo—. ¿Os creéis que el turco va a hartarse alguna vez de luchar y se va a volver al pueblo a plantar florecillas así como así? A éste, ilusos, le han encomendado una misión secreta. Lo que va es a la zona italiana, a Kuşadası, a reclutar gente para sembrar el terror en nuestros pueblos.

Dos soldados que no eran de nuestra región le replicaron que no llevaba razón, pero él se volvió y les dijo con voz estremecedora:

—¡Sé muy bien lo que me digo! Que en el 14 perdí a dos hermanos en los Amelé Taburú. Y el año pasado, en Aydın, a mi única hermana, que llevaba cinco días de casada. ¡Seguro que éste también estaba con los zeybekos del salvaje de Yürük Alí, que cruzó la zona italiana con su banda de gañanes y se dedicó a masacrar a la gente! ¡El muy sanguinario reunió a las chicas más guapas, las puso en fila, las desnudó, les acarició el pecho y luego desenvainó el cuchillo y les rebanó los pezones! Sus hombres se echaron a reír y él también, retorciéndose orgulloso el bigote, mientras proferían: «¡Me voy a hacer un rosario de pezones! ¡Voy a ser el único en el mundo que lo tenga!»

Por la rabia brutal con la que hablaba Yakumís, comprendí que Kel Mehmet tenía las horas contadas. Al cabo de dos días, al volver de una misión de reconocimiento, me enteré de que el desertor turco «había hecho un conato de huida y había sido muerto».

Me lo contó el propio Yakumís. Su expresión era tan fría como sus palabras, que no delataban emoción alguna: «Por la noche me acerqué a su cama. La una y cuarenta y cinco era. Ya me había encargado yo de que me tocara estar de jefe de dormitorio. Lo desperté y le dije: "Kel Mehmet, levántate a ayudarnos a coger un ternero que se nos ha escapado, que los cocineros no pueden pillarlo. Hay que matarlo para el rancho de mañana. ¡Venga, cálzate y vamos!" Y Kel Mehmet se levantó, un poco desconcertado. Al salir afuera por la puerta del patio, fingí que iba a hacer aguas y le dije: "¡Ve tú! Detrás de aquel edificio están los cocineros esperándonos." ¡Le dejé andar treinta metros y le pegué un tiro! La bala le dio de lleno en la frente. ¡Le partió el cráneo y el caparazón cayó al suelo como un plato de sesos! Y entonces disparé un par de veces al aire y grité: "¡A las armas!" Al sargento mayor, que fue el primero en bajar, le dije que Kel Mehmet había intentado huir. "¿Y quién era el imbécil que estaba de guardia?", preguntó. Y sin esperar a saber más se fue a tranquilizar al resto de la tropa, que se había alborotado. El comandante de la compañía aceptó el informe y ahora hace un momento que se me ha quedado mirando y me ha dicho: "¡Intenta no tomarte toda la justicia por tu mano, Seféroglu!"»

Ya nada nos sorprendía. Cundía el mal igual que proliferaban los muertos.

En la compañía yo tenía fama de tener buena puntería. Una vez acerté seis cartuchos a cincuenta metros de distancia sin fallar uno solo. Cuando había que salir de patrulla o ir de reconocimiento o tender una emboscada, siempre era lo mismo: «Llamad a Axiotis.» Un día que estábamos en las fuentes del Meandro, cerca del pueblo de Ishiklar, me mandaron con otros tres a un puesto de observación y en cuanto llegamos nos cayó encima una lluvia de balas. Nos tiramos de bruces al suelo. Los bobos de los turcos—calculamos que serían unos veinte— nos habrían podido liquidar a todos, pero en vez de eso corrieron a esconderse en un antiguo horno de cal, con lo cual las primeras andanadas hicieron más ruido que otra cosa. Nos envalentonamos y empezamos a dispararles nosotros también. Pero Xidakis, uno de nuestros compañeros, se puso de rodillas para apuntar, le tomaron de blanco y no tuvo tiempo ni de decir ¡ay! Y otro que se había quedado atrás a hacer sus necesidades, en cuanto oyó los disparos, se volvió corriendo para la compañía. ¡De modo que nos quedamos nada más que tres contra veinte! Nuestra situación era desesperada. Los turcos nos habrían podido rodear perfectamente. A mi lado estaba Yannis Patsís, un tirador de excepción y de mucha sangre fría.

—Yannis—le dije—, tú y Léandros cubrid el flanco derecho. El izquierdo y el horno dejádmelo a mí.

—Descuida, que por aquí no va a pasar nadie, aunque corra como una liebre—me contestó.

En aquel momento apareció un turco por la derecha y Yannis le acertó en la frente. A otro, que salió por la izquierda, le di yo en todo el pecho y cayó rodando como una pieza de caza. Luego abrí fuego contra la pared del horno para que no se les ocurriera asomar la cabeza. Y entonces se oyó una ráfaga y luego silencio. No acertábamos a saber lo que estaba pasando.

—Yannis—le dije a mi amigo—, disparad a la pared del horno. Voy a dar un salto para lanzar una granada.

Oí la explosión de la granada, pero de nuevo no

hubo respuesta. Ya no nos quedaba la menor duda de que habían huido. Pero ¿por qué? ¿Qué necesidad tenían? La respuesta la tuvimos al ver a un pelotón que había acudido en nuestra ayuda. Los nuestros montaron la ametralladora, nosotros tomamos posiciones y abrimos fuego contra la retaguardia de los turcos. Pocos de ellos consiguieron cruzar vivos el río.

Quise echar un vistazo al horno de cal, a ver a cuántos me había cargado con la granada. Había tres cadáveres, uno encima del otro. Cansado, me senté en la abertura del horno con las piernas colgando.

—Ya es hora de liar un cigarrito—le dije a Yannis.

Y, mientras él también sacaba el mechero, me incliné hacia atrás para encender un cigarrillo.

—Ha sido un juego de niños. Cuando hay suerte, hay suerte. Al único que le ha costado la vida ha sido a Xidakis…

No bien hubo acabado Yannis de proferir aquellas palabras, se oyó un pistoletazo dentro del horno y luego otro. Aparté en seguida las piernas. Sentí un peso en el muslo izquierdo y vi que brotaba sangre. ¡Me han dado!, pensé. Me entraron escalofríos. En seguida acudieron mis compañeros a ver lo que pasaba.

—¿Qué pasa? ¿Hasta sus muertos nos van a hacer ahora la guerra?

El oficial se fue a echar un vistazo y volvió diciendo que suponía que el forajido que me había disparado había resultado malherido, no había podido huir y se había escondido entre los arbustos. Mientras nosotros perseguíamos a sus compañeros, el señorito tuvo tiempo de meterse en el horno y, al ver que volvía y que me sentaba allí, tranquilamente, hizo lo que hizo y después se pegó un tiro.

—¡Esos malditos diablos luchan con uñas y dientes! ¡Con uñas y dientes!—decían los soldados que me llevaban en angarillas.

La herida no era grave, pero conseguí que me mandaran al hospital, a Esmirna. Estaba muy preocupado por lo mío con Katina. Había que aclarar lo antes posible aquella situación, no soportaba los asuntos pendientes. No quería mandar más cartas. Estaba seguro de que el pope se quedaba con ellas. De modo que escribí a mi hermana Sofía y le revelé mis sentimientos. Le dije que fuera a ver a Katina y que le dijera que estaba herido y que esperaba que viniera a verme cuanto antes a Esmirna, al hospital. Seguro que nada más enterarse de que estaba herido iba a reunir fuerzas para encontrar el modo de venir.

No había pasado ni una semana cuando un mediodía Stratís, el enfermero, me silbó y me dijo:

—¡Enhorabuena, Axiotis! Hay una chica abajo que pregunta por ti.

Se me subió toda la sangre a la cabeza. Me metí en la cama porque me pareció que así le causaría mayor impresión. Busqué el peine. Me eché por primera vez colonia en las manos, una colonia que nos repartían unas señoras de alto copete de Esmirna. No sabía cómo debía comportarme. ¿Debía besarla? ¿Debía decirle lo mal que lo había pasado? ¿Debía mostrarle el rencor que sentía por la actitud del pope? Nada, mejor sería hablar con el corazón en la mano. El resto se lo diría con la mirada. «¡Katina! ¡Venga, muchacha! ¡Que te quiero! ¡Te necesito!»

¡Cuando vi que la chica que venía a verme era mi hermana, se me heló la sangre! La pobre Sofía se asustó al verme en aquel estado. Se echó en mis brazos y me dijo:

—Manolis, ¿por qué no nos has dicho cómo estabas?

Me las vi y me las deseé para recobrar el habla y asegurarle que estaba bien y que la herida no revestía la menor gravedad.

—¿Te crees acaso que no tengo ojos para ver cómo estás? ¿Qué te ha pasado?

—¿Quieres saberlo?—le contesté sollozando.

Era la primera vez que lloraba por una mujer y me sentía avergonzado y humillado. Mi hermana, al oír mis penas, todavía se alteró más y no supo qué ocultarme ni qué contarme.

—Manolis, Katina ya no está en Kırkıca. Por eso no hemos podido verla ni hablar con ella. A lo mejor todavía te quiere, la muchacha. Pero no te enfades. ¡Que a ti te van detrás más mujeres que a ninguno! Por lo visto el padre Fotis ha leído todas las cartas que le has escrito a ella y por eso hizo que su mujer se la llevara a vivir a Aydın, y luego se ha ido él también para allá un par de veces. Dicen que la va a casar con un capitán. Y a nuestra madre el maldito cura—Dios me perdone—le encargó que te dijera que dejaras de escribir de una vez, que Katina no era de tu condición. Vete a saber lo que le habrá contado de ti a la chica…

—¡Basta!—grité.

Salté de la cama. Ya no soportaba aquel lugar. Pensé en desertar, en correr a buscarla para oírlo de su boca, para que me dijera: «¡Me voy a casar con el capitán! ¡Me gustan el lujo y las tierras! No debías haber apuntado tan alto…»

Me pasé toda la noche pasillo arriba y pasillo abajo.

Los gemidos de mi alma parecían los mugidos de un becerro malherido. ¿Por qué ahora esta congoja? ¿Acaso me la merecía? ¿Era tan difícil pedir un poco de felicidad? «Dime, Katina, ¿por qué tengo que perderte? ¿No soy de tu condición?» ¿Es que a los míos no les queda más que esta vida miserable de fatigas y guerras?

Acercó su cara a la mía. Tan cerca que podía respirar su aliento y ver su límpida frente como en una ampliación. Tenía los ojos cerrados y los labios hinchados por mis besos. «¡Katina! ¡Katina! ¿Yo qué te he hecho para que me des a beber este cáliz? ¡Katina!»

Me sentía como un enamorado que lleva años deseando a una mujer y al llegar la hora de hacerla suya pierde la libido. Así me sentía, como un ser mutilado que había perdido el gusto por la vida.

Me eché a llorar. Sentía que no iba a poder soportar tanta amargura. Me hundía, me hundía como en un precipicio. Y entonces di una patada con la pierna mala a unas rocas puntiagudas y me dolió tanto que me enfurecí. ¡Me cago en...! ¡Me cago en las niñas mimadas! En la vida hay cosas mucho más importantes. Aquí nos estamos jugando el destino de nuestra patria. ¡Pero si con una sola palabra el cuñado de Mehmet *el Ciego* podría haber vuelto junto a su mujer y prefirió la muerte! ¡Y el herido del horno de cal, que se podría haber quedado quieto y salvar la vida y prefirió dejar impedida la pierna de un soldado griego y matarse después! «¡Que estamos en guerra, Katina! ¡En guerra! ¡No hay tiempo para asuntos de faldas!»

Por la mañana me presenté en la dirección del hospital y pedí que me mandaran a primera línea de frente, donde más necesidad había.

XIII

En octubre de 1921 recibí la orden de incorporarme al cuarto regimiento de la primera división. En el tren conocí a un soldado de Creta que también acababa de salir del hospital y se incorporaba al mismo regimiento que yo. Se llamaba Nikitas Drosakis. Era estudiante y el Partido Popular lo mandaba siempre a primera línea de frente junto con otros cretenses indeseables.

Era de pequeña estatura, ágil, y tenía una mirada que subyugaba, profunda y penetrante, como si pudiera ver lo más recóndito de uno. Un muchacho alegre y afable, que en seguida entablaba conversación con todo el mundo y al reír le refulgía la cara, todo ternura y bondad. En seguida me cautivaron sus inusitadas palabras y su mente perspicaz y clarividente. Hablaba con arrojo y osadía y decía las cosas más serias del modo más ligero y desenfadado.

En el tren la soldadesca jugaba a los dados, maldecía la guerra y hablaba de mujeres. Fuimos los únicos que estuvimos un rato hablando de política. Leledakis, un compañero de La Canea, venizelista fanático, no paraba de meterse con un rival suyo que se llamaba Kuluriotis.

—Y ¿por qué te tienen todavía empuñando un arma, Spathakos, si ya peinas canas? ¿Dónde está todo lo que os prometieron a cambio de vuestro voto? ¡Que has dejado a tu mujer preñada y para cuando vuelvas ya tendrás nietos, desgraciado!

Spathakos, ante tal argumento, se rascaba la cabeza

disgustado y no encontraba respuesta. Un sargento quiso poner las cosas en su sitio:

—Mientras no le falte salud al rey Constantino —dijo—, todo irá bien. ¡Ya podéis dar gracias a Dios por habérnoslo enviado! ¡Lo que Constantino da, Constantino lo quita![13] ¡Dentro de nada entraremos en Constantinopla! Eso es todo lo que os tenía que decir.

—¡Imbécil! ¡Que no te enteras! —grito Leledakis—. ¡Sin Venizelos no habría ni Constantinopla ni Asia Menor ni Grecia que valga, desgraciado! ¡Que los aliados ya nos han dado cien veces por ahí y todavía nos van a dar otras tantas!

Drosakis se dio la vuelta hacia Leledakis y con una inocencia que delataba bastante ironía le preguntó:

—¿Tú crees que Venizelos tiene los ojos bonitos, compadre?

—Muy bonitos. Y de mirada más dulce que la miel, Drosakis.

—¿A ti te parece que es por sus ojos bonitos por lo que nos apoyan los ingleses y los franceses?

El sargento se echó a reír.

—¡No te rías, general! Que también tengo una preguntita para ti. A ver, si resultase que el rey no se llamara Constantino, sino Alejandro o Guillermo, ¿entraríamos lo mismo en la ciudad?

Por la puerta apareció un oficial que tenía a la tropa aterrorizada. Todos volvieron inmediatamente a sus pues-

---

[13] Constantino Paleólogo, último emperador bizantino, y su tocayo, el rey Constantino I, a quien, según el ideario irredentista, correspondía reconquistar Constantinopla, la actual Estambul. (*N. del T.*)

tos y se quedaron callados. El único que no se movió fue Drosakis. Se inclinó hacia donde yo estaba y, como me tenía confianza, empezó a chismorrear en voz baja:

—¿Los has oído? ¡Todo hablar por hablar! Esos desgraciados no buscan la raíz del mal. Ellos erre que erre: ¡que si Venizelos y que si Constantino![14] Y en el fondo, sin saberlo, tienen razón. Pero ¿y los poderosos y los gobernantes? ¡Nadie quiere darse cuenta de que esto es la danza de Zálongo![15]

—¿Por qué dices eso?—le pregunté sorprendido—. ¿Tan mal va todo?

—¡Pero bueno! ¿A ti qué te parece? ¿Que todo va sobre ruedas? Yo he estado en el desierto de Sal y en el río Sangario, Axiotis, y tengo información de primera mano, ¿sabes? ¡Todas aquellas impresionantes victorias de la primavera y del verano, Afyon Karahisar, Eskişehir, Kütahya, fueron nuestra ruina! Y en la retaguardia perdieron la chaveta: que si campanas a vuelo, que si banderolas, discursos y artículos de periódico. ¿Y el gobierno, en Atenas, qué hizo? ¡Pues en vez de aprovechar para buscar una solución razonable y consolidar el frente, no se le ocurre mejor cosa que dar la orden de avanzar hacia Ankara! ¡Qué cuajo que tienen! ¿Acaso contábamos con refuerzos? ¡Y van y lanzan la expedición a través del desierto de Sal,

[14] Constantino I (1868-1923), monarca germanófilo, y Eleuterio Venizelos (1864-1936), fundador del Partido Liberal y partidario de la Entente. (*N. del T.*)

[15] Según la tradición y la canción popular, cincuenta y siete mujeres se tiraron al ritmo de una danza por el barranco de Zálongo para no caer en manos de los turcos. El canto o la danza de Zálongo es sinónimo de acción temeraria y suicida. (*N. del T.*)

en pleno agosto, con el calor tórrido de Anatolia! Teníamos la piel reseca, nos ardían las entrañas, se nos cuarteaban la lengua y los labios como la tierra en pleno verano. Ni sudábamos, ni teníamos saliva, ni meábamos. Chupábamos el plomo de las balas para refrescarnos. Orestis Bekiris, un gran amigo mío, se acabó volviendo loco. ¡Se abrió las venas y se chupó la sangre para apaciguar la sed! Y por la intendencia mejor que ni preguntes. Echaron mano de los últimos reservistas, con las últimas municiones a punto de agotarse. Y el enemigo se batía en retirada, con pérdidas insignificantes, y nos llevaba a su terreno.

Drosakis bajó la cabeza y se calló. Dudaba si contármelo todo.

—La libertad cuesta cara—dije—. Cuando luchas por ella, la prudencia no sirve para nada. ¿Sabes lo que dicen en mi pueblo?: «Antes de que piense el prudente, el loco ya ha ido y ha vuelto.»

Se volvió y me miró agradecido.

—Bonitas palabras, Axiotis. Sólo que aquí no han lugar. Te lo digo yo, que si tuviera diez vidas las daría todas por la libertad.

—¿Por qué no han lugar?

—¡Eh! Eso nos llevaría muy lejos.

No me tenía confianza todavía, y con razón. Yo tampoco insistí. Escuchando con atención el resto de su relato, yo intentaba comprender por sus palabras con qué tipo de persona me las tenía que ver.

—La batalla del río Sangario,[16] que duró veinte días

[16] Batalla en la que los turcos detuvieron el avance del ejército griego y lo obligaron a batirse en retirada, poniendo término a la incursión de este último en Asia Menor. (N. del T.)

—siguió diciendo Drosakis—, donde el arrojo de los griegos superó toda resistencia humana, nos llevó de cabeza a la perdición. Luchábamos en un frente de sesenta a cien kilómetros, por barrancos y escarpadas montañas. El enemigo tenía fortificaciones desde Polatlı hasta Göl, en una distancia de cuarenta kilómetros y una profundidad de veinticinco. En cada cima un fuerte. Hasta en los montes más aislados tenían trincheras, alambradas, puestos de observación. Allí fue donde nos machacaron sin piedad. Los turcos habían jurado por su profeta que de ésta no iban a salir con vida. Nos masacramos unos a otros con fanatismo y empecinamiento. Ellos tenían todas las municiones que querían. Hasta aviones. ¡Qué podía hacer nuestro coraje con una bayoneta sola! ¡Veinticinco mil hombres perdimos en el río Sangario! Se nos llenaron los hospitales de mutilados. En aquel ataque agotamos en balde todas nuestras fuerzas y más, y al final nos tuvimos que batir en retirada…

Aquel día se inició mi amistad con Nikitas Drosakis, que tuvo momentos trágicos. La verdad es que siempre lo trataba con recelo y tenía dificultades para entenderle. El sargento, un zote al que llamábamos Gravaritis, en cuanto se enteró de que Drosakis era estudiante y encima cretense, le hizo la vida imposible. Le llamaba mona sabia y se dedicaba a incordiarle encomendándole faenas extenuantes. Pero Drosakis no se inmutaba. Al contrario, encontraba todo aquello muy divertido. De todos modos, con las faenas más pesadas, como cortar leña, yo le echaba una mano.

—Ay, Axiotis—me dijo un día—, cuando esta sociedad consiga hacer hombres a medio camino entre tú y yo, entonces merecerá la pena vivir. Ahora de ti sólo quieren los brazos y de mí el ingenio.

Me quitó el hacha de las manos y trató de acabar de cortar él el tronco.

—No te creas que soy un blandengue—me dijo—. Me gusta trabajar. No he tenido una vida fácil. Mi padre no era más que un triste maestro en un pueblo de Creta y, como comprenderás, no pudo darme muchos estudios. He tenido que hacer de camarero, de tipógrafo, de corrector. Hasta he vendido limones para sobrevivir...

El resto de compañeros tardaron en apreciar a Drosakis. Y es que no se mordía la lengua ni daba cuentas a nadie. Hubo quien pensó que iba a poder hacer de él un bufón con el que divertirse. Mikromanolachis, un paisano suyo que tocaba la lira, lo bautizó con el nombre de Sombrero de Orlando, porque se conoce que lo había visto varias veces hablando con otro tarado, Lefteris Kanakis, acerca del sombrero de un tal Orlando, que era el que tenía la culpa de todo lo que nos estaba pasando ahora en Asia Menor. «Eh, Orlandito, ¿quién te mandaba a ti coger el sombrero y largarte para jorobar a ese tal Wilson? ¡Que ahora somos nosotros los que tenemos que pagar los platos rotos...!»

—¿Qué demonios es eso del señor Orlando y el sombrero?—le pregunté un día a Drosakis, cuando le conté lo del mote que le había puesto Mikromanolachis.

Se echó a reír a mandíbula batiente.

—¡No puede ser, Axiotis, por fuerza tienes que haber oído hablar de él! ¡Vittorio Orlando, el primer ministro italiano! Y la historia del sombrero es cierta. Resulta que el *signore* Orlando, al terminar la guerra, en la conferencia de paz, se empeñó en sacar tajada del reparto de Anatolia. Y tanto exasperó al presidente norteamericano que al final consiguió que se enfadara y le mandara a paseo. Y el *signore* Orlando cogió el sombrero y se fue. Y cuando ingleses, franceses y norteamericanos se enteraron de que la armada italiana andaba por aguas de Asia Menor, tuvieron miedo de que los italianos les jugaran una mala pasada y desembarcaran en Esmirna, y mandaron llamar a Venizelos y le dijeron: «Oye, ¿qué te parece? ¿Tiene Grecia arrestos para hacerse cargo de Asia Menor?» Porque entonces los muy bribones necesitaban que les cubriera el ejército griego, ¿sabes? ¡Y Venizelos, ensoberbecido con sus sueños irredentistas, nos soltó en Asia Menor y aquí estamos, cavando nuestra propia fosa!

Monté en cólera y me levanté de un salto.

—Pero, hombre, ¿qué querías que hiciera Venizelos? ¿Eh? ¿Qué querías?—le grité, dispuesto a abalanzarme sobre él y a agarrarle por el cuello—. ¿Que Grecia hubiera ganado la guerra y Turquía fuera un cadáver y no aprovecháramos la ocasión? ¿Que no vinieran de Grecia a liberarnos? Llevamos siglos de esclavitud, suspirando por la libertad. En estas tierras está toda la riqueza y toda la grandeza de nuestra raza y han sido nuestras y requetenuestras desde los tiempos más remotos.

Drosakis se sonrió.

—¡A liberaros, Manolakis, a liberaros! ¡No a destruiros!

Me marché decidido a no volverle a dirigir nunca más la palabra. Hasta que un día el coronel nos escogió a Drosakis, a mí y a otros ocho y nos mandó a una peligrosa misión de reconocimiento. Por todas partes se combatía encarnizadamente. Temblaba la tierra, como sacudida por un incesante terremoto. Relampagueaban, tronaban y llovían las balas. Se abrían socavones y saltaban por los aires rocas y terrones, que se abrían como abanicos. Estábamos aislados del regimiento y corríamos el peligro de caer prisioneros.

Mikromanolachis, el chaval que nos amenizaba con sus coplas cretenses, cayó malherido y ninguno de nosotros podía hacer nada por él. Estábamos de bruces, con el cuerpo pegado al suelo como esparadrapo, los ojos cerrados, como si así nos fuéramos a salvar. Hasta Gravaritis, el sargento, que siempre iba de macho, había hundido en un hoyo su cara de búfalo, jadeando.

El único que mantuvo la sangre fría fue Drosakis. Se fue arrastrando como una sierpe hasta la colina más cercana y desde allí observó los movimientos del enemigo. Luego bajó y nos dijo:

—Coged al herido y larguémonos de aquí. He encontrado un camino. Vamos, que están a punto de pillarnos.

Ni se movió nadie ni nadie contestó. Todavía nos pegamos más al suelo. Nos volvió a hablar una segunda y una tercera vez, pero, al ver nuestra catadura, salió corriendo y saltando como una liebre hasta donde no caían las balas, se echó en hombros a Mikromanolachis y desapareció. En aquel momento sentimos que él era nuestro jefe. El primero en echar a correr detrás de él fui yo y luego me siguieron los demás. Gravaritis, una vez fuera de peligro, empezó con sus habituales insultos tabernarios:

—¡Me cago en Dios! ¡Corred, cabrones! ¡Malditos cagados de mierda! Por poco nos cogen...

A partir de aquel día no sólo me reconcilié con Drosakis, sino que lo empecé a ver como a un ser superior. Se lo dije, pero no estuvo de acuerdo.

—¡Déjate estar de grandilocuencias, Manolakis! Lo que te infunde valor es la necesidad de salvar el pellejo. Si el sargento se caga en los pantalones, alguien tiene que hacer de manso del rebaño, ¿no?

—Eso es lo que yo digo y lo que me admira.

—¿Qué es lo que te admira? ¿Una miajilla de valor? No me seas paleto. Que el valor de verdad no tiene nada que ver con eso.

Empezamos a hablar y nos sinceramos. Era la primera vez en mi vida que oía hablar así. Drosakis me confesó que su única preocupación eran el ser humano y su destino. Me habló de un paisano nuestro llamado Prometeo que al parecer sufrió martirio por aquellos andurriales por querer llevar la luz a los hombres. Yo abría ojos y oídos intentando entender todo lo que decía.

—Cualquier sacrificio que se haga por el ser humano es poco. Con sudor y con sangre se consigue el progreso, gota a gota. Y cuando uno se dice: «Ya ha abierto los ojos la gente, ya ha espabilado», otra vez van para atrás. Y entonces los hay que se desaniman y dicen: «¡A la mierda! ¿Para qué tanto estrujarse los sesos? Yo me ocupo de lo mío y allá se las compongan.» Sí, Axiotis, hay mucha gente que piensa así. Quieren cortarle las alas a la vida y en vez de un águila hacer de ella un pollo desplumado. No, no podemos pedirle a la gente que sea madura y esté preparada simplemente porque nosotros tengamos prisa. Pero con el tiempo ya verás cómo esa panda de retrasados que forman fila uno detrás de otro, igual que latas vacías, se acaba rebelando. No fue Dios el que hizo el mundo al revés.

Se volvió a escrutarme con la mirada para ver la mella que hacían en mí sus palabras.

—Hasta tú, Axiotis, que has visto tantas cosas, si te adocenas, si te conviertes en tropa, te arredrarás y recelarás de cualquier novedad. Pero si sales de tu sopor, brotará la primavera...

Me sentí halagado por sus últimas palabras, pero le dije:

—Oye, Nikitas, tú no tienes con qué ocuparte y te lo buscas, ¿verdad? ¿A ti qué más te da lo que hace o deja de hacer la gente? Si son tan cabezotas como yo, ¿por qué no te ocupas de lo tuyo y dejas de amargarte la vida?

—Con esas sabias palabras—me replicó—no se va a ninguna parte. Manolis, yo, aunque vea a la gente arrastrarse por el fango, no pierdo la esperanza. Me digo que todavía no están echados a perder y que no son idiotas de nacimiento. Con el tiempo acabarán reaccionando y abrirán los ojos. ¡Mira si no lo rápido que han empezado a espabilar aquí en el frente!

—No entiendo lo que dices, Drosakis. A mí dame mi tierra y déjame trabajar tranquilo. Eso es todo lo que quiero.

—De acuerdo, pero no seré yo el que te la dé, ni nadie, eres tú el que te la has de ganar. Y para eso necesitas instrucción. Joder, Axiotis, que no es una maldición tener entendederas. No hay que tener miedo a pensar. Yo lo único que te pregunto es si te parece que hace algún mal el arado que labra la tierra. Instrucción es lo que nos hace falta.

—No me líes, hazme el favor. ¿Quieres que te diga yo lo que quiere el labrador? Quiere, antes que nada, tierra, tierra que sea suya. Un terruño que rinda, como se suele decir. Quiere buenas cosechas y que se las paguen bien y que no le arruinen tratantes ni prestamistas. Quiere animales sanos y que Dios se los aumente, quiere un ajuar y una mujer e hijos, la bendición del cielo y una buena vejez. Todo lo demás, ni piensa en ello, ni le da la cabeza para tanto.

Drosakis se sonrió.

—¿Y quién te las va a dar todas esas cosas?

—En mi pueblo las hay. Si Venizelos hubiera tenido las manos libres, hoy todo sería diferente, para nosotros, en Asia Menor, y para todos los griegos.

Se levantó y me dio un cariñoso pescozón.

—Ya hemos hablado bastante—dijo—. Me voy. El bribón de Gravaritis me ha vuelto a endilgar otra faenita.

—Después del ridículo que hizo antes de ayer, te la tiene jurada. ¡Te va a sacar los ojos!

Me levanté yo también y lo seguí.

—Voy contigo—le dije—, aunque no sea... uno de tus adeptos.

Me dio un cigarrillo. Echó a andar, como de costumbre, con las manos en los bolsillos, musitando un poema suyo en el que llevaba un par de días trabajando: «Palabras del Sol a la Tierra».

Insensata que revoloteas por el espacio,
te comportas como una chiquilla
y estás jugando con fuego...

Una noche antes del toque de queda, Drosakis entró en la tienda y dijo:

—Esta noche llega uno nuevo.

232

—¿Quién?—pregunté.

—Lefteris Kanakis.

—¿Tu amigo?

—Mi amigo. ¡Es un pipiolo de alcurnia, de una de las mejores familias de Creta! Pero no es mal chaval. Nos lo vamos a pasar bien. Y nos ahorraremos algún que otro pitillito.

—Por lo que tengo entendido, Kanakis puede mandar perfectamente que le pongan la cama en la tienda del comandante. Basta con que lo diga. Hace lo que quiere con todo el mundo.

Quien más quien menos todos conocíamos a Lefteris Kanakis, desde el recluta más pardillo hasta el último general de división, tanto por sus excentricidades como por los generosos regalos que desparramaba por doquier. Era alegre y cordial y de constitución atlética, pero indolente, como si le produjera tedio la vida. Su padre era muy rico. Por lo visto, tenía sucursales hasta en Europa. Y era amigo de Venizelos. Había mandado a su hijo mayor a París, pero a Lefteris, que era terco como una mula y no escuchaba a nadie, lo pillaron sus adversarios y lo mandaron al frente de soldado raso.

Mil veces había llegado la orden de trasladar a Esmirna a Lefteris Kanakis, pero siempre se acababa atascando en algún lugar. De todos modos, el sargento y un montón de reservistas y oficiales de carrera siempre le bailaban el agua. Se imaginaban que gracias a sus buenos oficios conseguirían a su debido tiempo un buen puesto. Lo excluían de las misiones más duras y peligrosas y le hablaban no como a un recluta caído en desgracia, sino como se le habla al amo.

A menudo me preguntaba qué habría hecho Lefteris para que Drosakis y él estuvieran tan unidos. ¿Halagos? ¿Favores? Drosakis siempre le contestaba con exabruptos y nunca le ocultó lo que pensaba de él y de su linaje. Lefteris lo oía y hasta parecía contento. Lo llamaba el Justo Arístides,[17] y predicador, y reformista. Hasta le daba a leer sus cartas privadas y los periódicos y revistas que recibía de París y de Londres, y se ponía como loco con los comentarios que le hacía Drosakis cuando estaba de humor.

Drosakis estaba preparando no sé qué estudio sobre la expedición de Asia Menor y se pasaba horas sentado entre diccionarios leyendo todos aquellos papeles extranjeros. Tomaba notas y clasificaba recortes.

—¿No tienes bastante con hacer la guerra que necesitas también enterarte de lo que ocurre entre bastidores? —le decía Lefteris para incordiarle—. ¿Para qué? ¿De qué te sirve? No vayas contracorriente y déjate llevar.

Drosakis se limitó a gruñir. Cuando estaba enfrascado escribiendo, a duras penas levantaba la cabeza para dirigirle la palabra a nadie. Yo no entendía sus costumbres y también me puse a hacerle preguntas. Él me lanzó una mirada torva, dispuesto a mandarme al infierno, pero en seguida se arrepintió, se sosegó y se puso a explicármelo todo de buena gana y con paciencia, como un maestro con vocación que se encuentra con un buen estudiante.

Entonces Lefteris se picó y dijo:

[17] Arístides (c. 540-468 a. C.), general y estadista ateniense, llamado el Justo por su reputada honradez. (*N. del T.*)

—Pero bueno, ¿qué está pasando aquí? O sea, que ya lo único que te interesa es que espabile Axiotis.

—Para serte sincero, tiene muchísimo más valor que espabile Axiotis que tú o yo. Si eso ocurre, habrá esperanzas de hacer algo. Que hablando no se trilla...

—Conque ¿ésas tenemos, eh? Vale. No seré yo el que te amargue la vida. Además, estoy de acuerdo contigo. Ya lo sabes. Para mí el socialismo es... como un juego, que azuza la mente y te hace hervir la sangre en las venas...

—¡La sinceridad te honra!

Lefteris, con aquella risa bullanguera y jacarandosa, revolucionaba a todo el mundo. Se tensaba todo él, le crujían los huesos. Se sacó la petaca de coñac, de la que nunca se separaba, nos dio a beber, se la llevó luego a la boca y bebió con ansia. Se le oía tragar como si aquello fuera agua. Luego abrió una cajetilla de cigarrillos aliados y nos ofreció uno a cada uno. Eran regordetes, compactos y sabrosos. ¿Dónde demonios los conseguía si ni siquiera el coronel tenía una mísera colilla que fumar? Drosakis parecía divertirse observando sus movimientos.

—Pareces cansado—le dijo—. Necesitas recuperar fuerzas, veo.

—¿Cansado? Di mejor deslomado. Ayer bajamos el sargento y yo a la ciudad, de... misión. Tenemos que emplear a las turcas en nuestra red de información, que en ese sector llevamos retraso. No como Kemal...

—No sé lo que hacéis tú y el sargento con las turcas, pero en todo caso deberíais comportaros con más seriedad. Una de las razones por las que nos están zurrando aquí arriba es que no tenemos buenos informantes y, en cambio, Kemal dispone de una red perfecta. A nosotros

235

la población nos ve como a ocupantes y nos hace la guerra con todo lo que tiene, hasta con sus mujeres...

—Oye, Drosakis—le interrumpió Lefteris—, ¿te has propuesto joderme la vida o qué? ¿Para qué me voy a meter donde no me llaman? Como si no tuviera otra preocupación...

—Pero si a ti no te preocupa el futuro de la Gran Grecia, ¿a quién le va a preocupar? ¿A mí?

—¿Y tengo que ser yo el que meta la mano en el avispero habiendo como hay gente de fe y de principios? Habiendo como hay... —dijo señalando a los reclutas—. ¿Voy a hacer yo el primo? ¿No basta con estar en el frente? ¿O es que eso también me lo vas a recriminar?

—¡Todo lo contrario! Puedo imaginarme perfectamente el partido que le sacarás cuando te metas en política. Si fuera tu partido el que estuviera ahora en el poder, sabe Dios en qué puesto de confianza de Atenas o, como mucho, de Esmirna estarías. Ahora tu lugar lo estará ocupando algún otro niño de papá con su progenitor en el Partido Popular. ¿Tengo o no tengo razón?

Lefteris Kanakis echó otro trago de su petaca y con la boca llena se apresuró a contestar:

—Toda la razón. En el fondo no soy más que un defensor de la pereza. Me importa todo un pito. Si el Señor me ha concedido poder disfrutar de todos los placeres de la vida sin mover ni el dedo meñique, no veo por qué me tengo que agobiar ni devanarme los sesos.

Se echó en su camastro, bostezó y siguió diciendo:

—El bien más preciado del hombre es la gandulería. La gandulería es un estado natural, hermoso. Cuando trabajas, te anulas, no te queda tiempo para pensar. En la antigüedad las obras de arte no las hicieron los esclavos. Es más, como bien dice cierto soñador de nombre Nikitas Drosakis, el ideal del hombre es reducir el esfuerzo físico.

—Sí, pero ese pobre infeliz al que te refieres no propone la reducción del esfuerzo físico mediante la esclavitud y la explotación del resto de los mortales. Antes al contrario, establece como condición...

—¡Vale, vale, Nikitas! ¡Que no pierdes ocasión para ilustrarnos! Cierra el pico y déjame decirte un par de cosas que te serán de utilidad para cuando escribas los trabajos y los días de Lefteris Kanakis, dulce retoño de la... burguesía griega.

Se volvió hacia mí:

—No me negarás que nuestro amigo Drosakis se acaba poniendo un poco pesado y un pelín monótono, como toda la gente decente. Es que está ansioso por catequizarnos... Pero yo le tengo envidia, ¡qué carajo! Está dispuesto a morir por lo que cree. «La abnegación revolucionaria no es heroísmo, es una necesidad, una exigencia que la vida impone», se dirá en su fuero interno. «Vas derecho hacia la muerte porque amas la vida, porque has matado al egoistón de primera que llevas dentro y te mezclas con los del montón.» Ahora el que avanza por el escenario de la historia es el pueblo, como antiguamente el caballero, o el empresario...

Drosakis le cortó la palabra:

—Menuda tajada llevas. Déjame ver la petaca.

Acostumbrado como estaba a conversaciones de poco vuelo, yo me quedaba boquiabierto viendo la inteligencia de la que hacían gala aquellos dos lumbreras, que me regalaban con aquellas discusiones sobre venizelistas y monárquicos. Al final, Lefteris consiguió hacer sentar a Nikitas para acabarle de contar su vida.

—Pues como te iba diciendo, lo reconozco, he sido un gandul toda mi vida. Desde que éramos pequeños, mi hermano y yo aprendimos a encontrárnoslo todo hecho. La mesa puesta, el pescado limpio, el baño listo. Para cada asignatura tuvimos un profesor particular. Cuando llegó la hora de ir a la universidad, no tuve más que manifestar mis preferencias. Podía estudiar para ingeniero, médico, abogado, pope, lo que me diera la gana…

Soltó un par de fanfarronadas y, al ver que lo estaba mirando perplejo, se volvió a Drosakis y le dijo:

—¡Reformista! Axiotis está aturdido con todo lo que lleva oído. ¡Míralo! Pobrecillo Axiotis, ¿qué vas a pensar? Para ti es para el único que no cambian las cosas. ¡No hay ni sultán, ni Kemal, ni Venizelos, ni puñetero rey que valga!

Drosakis no desperdició la oportunidad y le interrumpió:

—No te apures, patrón, que la hora de Axiotis no está lejos. Tarde o temprano el pueblo os va a decir: «¡Quitaos de ahí, sinvergüenzas! ¡Que ahora nos toca a nosotros!»

Como el invierno había restringido las operaciones, teníamos horas de sobra para charlar. A veces se juntaban otros a escuchar y decir la suya. Pero el que más se desvivía por meterse en la cuadrilla y conocer a Lefteris Kanakis era Simos Kepéoglu. Simos y yo nos conocíamos desde los tiempos de Esmirna, pero por aquel entonces no me dirigía la palabra. Al parecer me consideraba de baja estofa. Nos hablábamos con monosílabos. Pero en cuanto me vio con Nikitas y con Lefteris, le entraron por mí unos amores repentinos y empezó a darme coba: «¿Te acuerdas de esto? ¿Te acuerdas de aquello?» Era un engreído e iba de listo. Intentaba averiguar los gustos de Lefteris para granjearse su amistad.

—Ese alelado al que le gusta tanto criticar—me dijo un día—, ¿no te parece que desprecia a la gente bien y en cambio hace buenas migas con los botarates que no miden ni sus palabras ni sus actos...? ¿No opinas tú lo mismo, Manolis?

—Yo no opino—contesté.

Simos empezó a caerle mal a todo el mundo, pero nadie se podía imaginar el papel tan infame que acabaría teniendo.

Una mañana apareció Lefteris con aspecto abatido. Había recibido carta de París. Se la dio a leer a Drosakis.

—Lee, mira lo que me dice mi hermano. Si es verdad, ya te puedes ir despidiendo de Asia Menor...

Drosakis cogió la carta. Se le fue ensombreciendo el semblante a medida que iba leyendo y releyendo.

—¡Cabrones!—dijo haciendo chirriar los dientes.

—Ese lujoso jarrón de Sèvres nos ha salido resquebrajado de fábrica—dijo Lefteris.

No quise inmiscuirme en su conversación porque hablaban entre susurros, pero, cuando se fue Lefteris, le pregunté a Drosakis, que con él tenía más confianza:

—¿Qué pasa, Nikitas? ¿Qué pasa con el Tratado de Sèvres?

—¿Qué quieres que pase, Manolis? Que ya te puedes ir olvidando de él. ¡Los franceses han firmado un acuerdo con Kemal por noventa años! Y los ingleses nos han canjeado por el petróleo de Mosul. ¿Qué más quieres? ¿Te acuerdas de lo que te decía a propósito de la Conferencia de Londres? Pues ya ves, han recibido a Bekir Sami[18] como a un hijo pródigo, y a los griegos como a un pariente pobre que no sabes cómo quitarte de encima y les han dicho: «Nos creíamos que en Jonia y en Tracia Oriental había una aplastante mayoría de población griega, pero nos hemos equivocado. Hay que volver a considerar el asunto. Hay que nombrar otro comité internacional que lleve a cabo estadísticas oficiales y redacte un informe.» Joder, ¿es que no conocíais ya la composición de la población de Asia Menor y de Tracia cuando necesitabais de nuestra sangre?

Me ardía la cabeza. No quería creerme a Drosakis. «¿Por qué me dirá eso?», me preguntaba. «¿Para que cambie de modo de pensar y me ponga de su parte?»

—Nosotros solos nos hemos metido en este lío— dije—. Si no hubiéramos traído del exilio a ese germanófilo de rey Constantino, las cosas habrían ido de otra manera.

Drosakis perdió los estribos:

—Oye, cabeza de chorlito, ¿es que nunca se te ha ocurrido pensar que las elecciones de noviembre y la fractura social del país han sido todo obra de los extranjeros? ¿Nunca has oído lo de divide y vencerás? Ellos son los que han hecho que nos enzarcemos. Ellos. Que

---

[18] Bekir Sami, militar, diputado y representante del Gobierno de Ankara en la Conferencia de Londres (febrero-marzo de 1921), convocada por la Entente para intentar salvar el Tratado de Sèvres, favorable a Grecia, pero que acabaría dando lugar al Tratado de Lausana (24 julio de 1923), por el que se garantizaba la integridad territorial de Turquía. (*N. del T.*)

trajéramos o no trajéramos al rey daba igual. Ellos habrían cambiado igualmente de política, porque han cambiado sus intereses. Lo del rey es una excusa que han encontrado...

Me daba cuenta de que tenía razón en lo que decía. Pero si lo aceptaba, tenía que aceptar que íbamos a perder Asia Menor y yo era de allí. Por eso tenía miedo. Pero todavía me daba más miedo la tropa, que empezó a murmurar, a opinar, a buscar culpables por todas partes.

—¡Si al soldado le dejas que se harte de luchar y empiece a preguntar la razón por la que va a morir, estás perdido!—decía siempre Drosakis—. Pero bueno, ¿cómo quieres que llegue el ejército griego hasta el país de la Manzana Escarlata con un mísero puñado de maíz? Déjate estar de si los turcos están peor que nosotros, que ellos luchan por su trozo de tierra, por sus mezquitas y por su familia. Para ellos el río Sangario es sus Termópilas. Con sólo pronunciar su nombre les da un respingo el corazón y acaban despreciando a la muerte...

Los soldados asentían. «Drosakis tiene razón», decían.

Y ¿de qué nos sirve tener razón estando como estamos en medio de las brasas?

XIV

En cuanto llega la orden de atacar, en el frente se agudizan los sentidos. Nadie da a entender que sabe lo que pasa, pero en la mente de todos está. Aparece una convidada sin que la hayan invitado y se te sienta delante, te mira a los ojos desafiante y te dice: «¿Qué?» Nadie quiere mentar a la muerte funesta, pero se acaba convirtiendo en tu sombra. Te entran ganas de gritar: «¡Apartad de mí esa idea! ¡No ha llegado mi hora! ¡Por Dios, que todavía me quedan días por vivir! ¡Que lo he pasado muy mal, he sufrido mucho, todavía me queda mucho por hacer! ¡Soy joven!»

Desde el soldado que otea el horizonte, con la colilla en la boca, mudo, envuelto en mil y una emociones, hasta el que rebosa de alegría nerviosa y deja una conversación por otra—desde castos recuerdos de infancia hasta historias prostibularias—, todos mantienen en su interior un diálogo secreto con la invisible convidada. Sólo una vez que empieza la batalla y sientes que eres tropa, con el enemigo enfrente, el arma en ristre, entre alféreces, sargentos, capitanes y generales que te protegen y te dan órdenes, las banderas al viento, y las cornetas, y detrás la ametralladora, sólo entonces cambia todo. Ya no piensas, combates.

En la compañía ha corrido la voz de que en cualquier momento se va a iniciar la ofensiva en todos los frentes. Las órdenes, las preparaciones, todo lo confirma. Drosakis abre un mapa y pasea el dedo por él. Algunos se acercan, echan una furtiva mirada y se alejan sin decir nada.

En nuestra cuadrilla hay un par que escribe cartas, con insinuaciones a sus familiares: «A lo mejor no me matan. Pero si...» Uno cose un botón, otro ordena sus papeles, otro más se arranca un padrastro, quizás es una verruga. En medio del silencio salta Fílippas, mi paisano, que ha perdido a su mujer y a su hijo y que todo lo que ha dicho en su vida es «alabado sea el Señor» y dice:

—Yo nunca pienso en nada malo.

A nadie sorprende esta súbita afirmación. Todos sabemos lo que está pensando. Algunos esperan que diga algo más. Lo necesitan.

Gavrilelis, el de Mitilene, está masticando algo y el quisquilloso de Arsenis le espeta:

—¡Come, come, sírvete lo que quieras! ¡Muy bien! ¡Así! Y luego enciéndete un pitillito, no te vayas a ir al otro barrio hambriento y con el mono...

A mí me hacen daño las botas. Me vienen pequeñas. Se me han hinchado los pies. Estiro los cordones con desesperación, me las desato, me las ato, reniego y maldigo.

Justo en ese momento aparece Lefteris con prisas y excitado. Le corre el sudor por la frente, lleva la gorra echada más para atrás que de costumbre. Le hace un ademán a Drosakis y se me acercan los dos para evitar que les oigan los demás.

—Oye, Nikitas—le dice en seguida—. Me bajo ahora mismo a Esmirna, a una misión urgente y confidencial.

Le guiña el ojo con malicia y sigue diciendo:

—Le he hablado de ti al capitán. Lo he arreglado todo para que te vengas tú también. Ven, que vamos a quedar con él. No se te va a presentar otra ocasión como ésta.

Se lo llevó casi a rastras. Los vi alejarse hablando. Lefteris gesticulaba, parándose a cada rato. Drosakis lo escuchaba y luego contestaba él. Me entró la angustia.

Observé cómo se acercaban a la oficina del capitán. Tenía la boca seca. Me puse de pie, como quien espera oír la absolución o la sentencia de muerte de un tribunal de guerra. Lefteris llevaba a Drosakis del brazo. Drosakis se resistía, tiraba para atrás. Estuve a punto de gritarle, como hoy en el fútbol: «¡Cuidado, Drosakis! ¡Venga, Drosakis!» Pero entonces, al ver cómo se detenía y cogía a Lefteris por el hombro, me desinflé y cuando le vi subir las escaleras de la oficina del capitán me entraron escalofríos. «¡Ya está! ¡Lo ha tumbado! ¡Qué pena! ¡Qué pena!» Yo estaba bañado en sudor. Tenía los nervios en tensión. Mi angustia se convirtió en cólera y no sabía qué hacer con ella, cómo contenerla, cómo expulsarla de mi corazón. «¡Venga, móntatelo tú también, Nikitas! Métete tú también en alguna oficina de Esmirna. Te gusta esa marrana de Esmirna, ¿eh? Y sus chicas. ¡Una locura! Una querida en cada pierna y, entre tanto, compones soflamas que nos lleguen aquí arriba, al frente, sobre la patria y el sacrificio y la Gran Grecia. ¡Al diablo la gente pobre! ¡Al diablo tú también, Drosakis! ¡Poco me ha faltado para creerte!»

Me di la vuelta de golpe. No podía ver lo que estaba pasando. Escupí al suelo con asco y me encogí de hombros. «¿Qué te parece? ¿Qué te parece que la palme yo? Bah, ¿qué más me da que resulte ahora que es un mezquino? Total, ¿cuánto hace que nos conocemos? En el colegio y en el ejército conoce uno a todo tipo de gente y luego si te he visto no me acuerdo…»

Corrí a ponerme en la cola del rancho. Pero luego, cuando pasaron revista, oí al sargento gritar:

—¡Drosakis!

—¡Drosakis!

—...

—¡Presente!

Volví la cabeza de golpe hacia el lugar de donde procedía aquella voz conocida. Se me iluminó el alma de alegría. Una finca que me hubieran regalado en ese momento no me habría hecho más ilusión. ¡Hola, compadre Drosakis! ¡Olé tu coraje! ¡En buena hora!

Por la noche, al acostarnos, no cruzamos palabra, pero luego lo oí buscar un cigarrillo.

—Nos hemos quedado sin Lefteris y sin cigarrillos— dijo en tono desenfadado.

—¿Qué ha sido de él? ¿Quería que te fueras con él a Esmirna?

—Claro que quería el muy granuja. Lo tenía todo arreglado... Pero a mí no me interesa salvar el pellejo. El de otros es el que quiero salvar. Aun a costa de...

Se dio la vuelta, apoyó la cabeza en el brazo y siguió hablando de Lefteris.

—No se puede decir que no tenga remedio, pero tampoco se pueden tener muchas esperanzas de que vaya a enmendarse y a empezar una nueva vida. Él también tiene sus cosas buenas. Le he pedido que me mande los periódicos extranjeros que reciba y me ha prometido que lo hará. «¿Sabes una cosa, Drosakis?», me ha dicho, «que siento mucha simpatía por la gente que tiene principios y lucha por ellos. Me gustaría cambiar. Yo lo intento. Pero no confíes en mí. Sé lo que piensas: que soy un descreído, un frívolo, un veleta en busca de emociones...»

Estaba seguro de que Drosakis estaba hablando solo sin sospechar que yo estaba escuchando lo que decía.

—¿De modo que eso era lo que estabais tramando los dos esta tarde, que no veíais el momento de dejarlo?

¡Cómo iba a sospechar Nikitas el sentido de mis palabras y la angustia que me había hecho pasar! Se inclinó hacia donde yo estaba acostado y murmuró:

—Tengo otra noticia tremenda. ¡Simos Kepéoglu es un espía! ¿Lo oyes? Ándate con ojo...

La gran ofensiva que estábamos esperando no le correspondió a nuestra división llevarla a cabo. Nosotros cavábamos trincheras mientras el enemigo bombardeaba sin descanso nuestras posiciones. Drosakis estaba enfurecido:

—Escucha, Axiotis. ¿Oyes esos malditos silbidos? Son las famosas rameras francesas que le han mandado de regalo a Kemal. ¿Y oyes esos otros? Ésas son inglesas, ofrecidas por Londres a cambio del repugnante petróleo de Mosul. ¡Que Kemal está quemando pólvora, que no son tracas de feria! ¿A él qué más le da, si todo el mundo se pelea por pertrecharle, si todas las compañías extranjeras se han bajado los pantalones y están esperando sus arrumacos? ¡Malditos cabrones de mierda!

El descontento, que ya hacía tiempo que había empezado a cundir en el ejército, se convirtió en un bramido. La tropa ya no medía sus palabras y vociferaba: «¡Estamos hartos de combatir!» Unos pensaban en desertar, otros en autolesionarse. Nos enteramos de que había un regimiento que se había amotinado. Todo el invierno nos faltaron cobijo, ropa y comida. Dejó de llegar la paga. Nos dimos al pillaje. La soldadesca empezó a saquear los pueblos turcos de los alrededores. Kemal nos hizo llegar un mensaje: «Me avergüenzo de semejantes enemigos.» Nuestra degeneración me recordaba la del ejército turco en el 14 y se me encogía el corazón. Ahora los que tenían fuerza y arrojo eran los turcos. Hasta sus mujeres y sus niños acarreaban víveres y municiones corriendo detrás del ejército y de los irregulares. La población nos espiaba, nos hacía la guerra hasta con la mirada. El cuñado de Mehmet *el Ciego* seguía vivo. Se diría que de la sangre de Mehmet habían surgido todos aquellos valientes diablillos. «El movimiento de resistencia de Kemal les ha enardecido el ánimo a los turcos.» La primera vez que Drosakis pronunció esa frase habría querido estrangularlo, pero ahora me parecía que los hechos la corroboraban. Empecé a titubear. ¿Y si todo lo que dice es cierto? ¿Y si nuestro heroísmo y nuestra sangre están defendiendo una causa injusta y no son sino el preludio de nuestro definitivo descalabro? ¿Qué demonios estamos buscando nosotros aquí? Me embargó la vergüenza y la cólera. ¿Cómo vamos a salir adelante con estos ánimos? ¡Envidia me da el coraje de los turcos! ¡Nosotros ya lo hemos perdido! Siempre que se lucha por la libertad surgen dificultades y a veces se te hacen una montaña. ¡Fe! ¡Hay que tener fe!

Hablé de todo eso con Drosakis.

—Si sabía yo que no tenías la cabeza hueca—me dijo—. La tienes en sazón. Ahora ponla a la pobre a trabajar. Antes has hablado de luchar por la libertad. ¿La libertad de quién?

—Oye—le interrumpí bruscamente, nervioso—, dejémoslo aquí y no vuelvas a empezar. Eso no es asunto mío. Que piensen en eso otras cabezas. Gobernantes, generales, plumíferos. Yo sólo soy un soldado de Asia Menor. Cierro los ojos y los oídos y me limito a luchar, a matar y a avanzar...

A Drosakis le empezó a temblar la ceja derecha, señal de que se le encendía la sangre.

—Para mí—dijo—todo el que se niega a pensar y se encoge de hombros se comporta como un criminal. Tú, Axiotis, eres culpable de algo muy grave. Te crees que la historia la escriben los generales y los gobernantes. Cierras los ojos y los oídos y te conviertes en una simple rueda que llevan rodando hasta el precipicio. Pero tú no eres una rueda, compadre, eres el pueblo. Tienes que sentir los acontecimientos para cambiarlos.

Era difícil pararlo. Hablaba y hablaba, y cuanto más oía sus propias palabras tanto más se enfervorizaba y se enajenaba. ¿Cómo era posible que hubiera gente en la tierra que no pensara como él y no viera todo lo que él veía, con la misma claridad?

—¡Maldita sea!—gritó—, yo también lucho y lucho con arrojo. Y no le temo a la muerte, ni pienso que estoy perdiendo los mejores años de mi vida en las montañas de Turquía. Lo que me asusta es ser cómplice de una felonía de la que salgan malparados mi pueblo y mi patria.

—No suena convincente en tu boca la palabra patria—le interrumpí con resentimiento.

—Estás equivocado, Manolis, muy equivocado. Yo no confundo la patria con el gobierno o con el Estado.

Siempre conseguía seguir el razonamiento de Drosakis, pero nunca podía estar del todo de acuerdo con él.

Me entraba el pánico y acababa dando marcha atrás. Entonces cogía y me iba a sentar con mi amigo Kirmizidis, que creía ciegamente en la victoria. Era de Fulacık y había perdido a sus padres, a sus hermanos, sus tierras y a la chica a la que amaba y lo único que le quedaba era la fe.

Al enterarse del avance de nuestro ejército, los turcos pasaron a sangre y fuego a la gente de su pueblo. Él fue el único que escapó con vida. Cuando Kirmizidis se ponía a contar aquella masacre, lloraban hasta las piedras. Al principio los soldados lo escuchaban con respeto y compasión. Luego se acabaron acostumbrando. Ya nada les impresionaba. Sólo buscaban lo que pudiera azuzar sus aletargados sentidos.

—Kirmizidis, cuéntanos cómo desvirgaban a las chicas esos mal nacidos. Si nosotros entramos en un pueblo turco, sabemos cómo hacérnoslo con las turcas por las buenas, no tenemos por qué pasarlas a cuchillo.

—¡Es que ésas son unas guarras y unas desvergonzadas!

Y se echaban todos a reír. Tantos años en compañía de la barbarie, ¿cómo no íbamos a acabar así?

Acababa de empezar la primavera de 1922. Nuestro batallón acampó en un llano cercano a Afyon Karahisar y la tropa se dispersó. Teníamos un par de horas para descansar, un par de horas sin el acecho de ningún peligro. Todo estaba tan tranquilo que daban ganas de olvidar la guerra. Eternas e imperturbables montañas exhibían su mole con aplomo. Bosques interminables, espesuras, aquí y acullá salpicadas de nieve. En los claros, en las laderas y al pie de las montañas, aldeíllas olvidadas cual apacibles ovejas tumbadas en la hierba, y escuálidos trigales como alfombras tendidas al sol. El murmullo del agua de los riachuelos. Millones de lirios despuntando entre la nieve derretida. Los árboles retoñando apenas. Insectos, reptiles, pájaros y cuadrúpedos corriendo por doquier en pos del amor. Y nosotros. Que parecíamos las criaturas más míseras y despreciables de la creación.

Estuve paseando un rato con Drosakis, disfrutando del sol. Descubrimos un rincón de mullida hierba y nos tumbamos. Drosakis, boca arriba, se frotaba candorosamente la espalda contra el suelo, agarraba la hierba a puñados, se la llevaba a la nariz y se embriagaba con su penetrante olor.

—¡Dios, qué hermosa es la vida!—dijo abriendo los brazos como si quisiera abrazarla—. A veces pierde uno el control y se comporta como un niño.

—¡Qué niño ni que ocho cuartos, compañero! Tú, revolcándote así, a lo que me recuerdas es a nuestro borriquillo Onios. Así se revolcaba él también en cuanto despuntaba la primavera. ¡No sabes, Nikitas, lo inteligente que era aquel animal! Se pasaba el día suelto y, en cuanto se olía que le íbamos a poner el cabestro o las alforjas, desaparecía. Ni rastro de Onios por aquí, ni rastro de Onios por allá. A veces lo pillábamos y entonces se frotaba la cabeza contra nuestra mano, nos mordisqueaba y se dejaba acariciar igual que una persona.

El recuerdo de Onios me llenó de ternura. Me apetecía hablar de él y no me di cuenta de que Drosakis tenía la mente en otra parte.

—Te vas a reír de lo lindo—le dije—cuando te cuente por qué le pusimos Onios. Resulta que una vez, cuando yo era un crío, llegó al café del pueblo un extranjero, de los que iban a ver las ruinas. Todavía lo estoy viendo. Alto, flaco, con unos ojos azules y rasgados, como de gato, y los dientes grandes y separados. Hablaba con la garganta, como si le dieran arcadas. La gente del pueblo intentaba en vano entender lo que decía.

»—¿Qué dice el inglés? No sé qué quiere…

»—¡«Onon»!—decía él—. ¡«Onon»!

»—¿Qué diantres quiere decir «onon»? Llamad a alguien que sepa.

»—Yo lo sé—saltó el capitán Nikólaos, que acababa de llegar de Kuşadası por trabajo—. Quiere vino. En griego antiguo vino se dice «onon».

»—¡No me digas!—dijeron los pueblerinos corriendo llenos de admiración a traer vino de la cuba para complacer al extranjero.

»—¡No! ¡No!—protestaba él—. ¡«Oinon», no! ¡«Onon»! ¡«Onon»!

» En aquel momento acertó a pasar Jailaridis, el médico del pueblo.

»—¿Sabéis lo que quiere este pobre?—dijo el médico—. ¡Un burro, con perdón! Necesita al «onon» del señor Dimitrós, quiero decir, a su burro…

Nikitas se echó a reír, pero para chincharme me habló de lo que a él le preocupaba:

—Un momento, Axiotis. ¿El burro es lo único que te recuerda la hierba? ¿Nada más? ¿Es que nunca te has revolcado en la hierba con tu novia? ¿Nunca has perdido la cabeza? ¿Nunca has sentido la virilidad recorrerte todo el cuerpo?

Un labrador difícilmente abre su corazón y menos

aún sobre estos temas. Yo veneraba el recuerdo de Katina, que seguía torturándome por las noches, como algo sagrado que no te apetece mencionar en conversaciones cuarteleras. Drosakis tampoco había hablado nunca de su novia por más que le escribiera cartas larguísimas en cuanto tenía ocasión. Estábamos aburridos de oír hablar todo el rato de mujeres. Pero me picó el amor propio y me senté a contarle con todo detalle la historia de Adviyé.

—O sea, que si conseguimos entrar en Ankara puede que te encuentres un hijo esperándote, un Mehmetillo.

En vez de tranquilizarme, hablar de Adviyé me produjo más ansiedad e hizo que se me subieran los colores. Me pasé varias veces la palma de la mano por la ya crecida barba. Hacía mucho que no tenía una mujer en mi vida. Eso era. Drosakis estaba chupando una hierbecilla como si fuera un cigarrillo. Estaba inmerso en sus pensamientos, aparentemente por la misma causa.

—Nos han arruinado la vida—dije—. Cercenan por aquí, menguan por allá. ¡Guerras y más guerras! ¡A saber qué más nos deparan estos tiempos, con estos dolores de parto! ¡Si por lo menos alumbraran un día dichoso!

No bien hube acabado de hablar, pegamos los dos un salto como si nos hubiera picado un alacrán. Por el cerro de enfrente, detrás del puesto de guardia, subían unos guerrilleros gateando. Estaban a punto de echársele encima, por la espalda, a Kirmizidis, que estaba de centinela.

—¡Kirmizidis! ¡Guerrilleros!—grité con todas mis fuerzas.

Salté detrás de una tapia en ruinas, con el dedo en el gatillo. No me separaba de mi arma ni durmiendo. Drosakis se arrastró hasta coger la suya, que había dejado por allí. En cuanto los guerrilleros me oyeron gritar, empezaron a disparar y nos lanzaron un par de granadas. Con la confianza que tenía siempre en mi puntería vacié el cargador sobre ellos. Nikitas consiguió parapetarse. Vimos cómo se doblaba y caía Kirmizidis rodando por la ladera. Justo en el mismo momento se oyó detrás de nosotros, entre los arbustos, el estruendo sordo de una explosión. Contuvimos la respiración. ¿Han huido o se han escondido y nos van a pegar un tiro por sorpresa? ¡Conque atacándonos en pleno día! ¡Mala señal! ¿Pero y los nuestros? ¿Qué hacen que no vienen? Éramos todo ojos.

De los arbustos salían un par de botas, un par de botas inmóviles que nos mostraban sus clavos. El que las llevaba debía de estar tumbado boca arriba. Teníamos la vista fija en aquellos pies inmóviles, esperando. Nos arrastramos un poco hacia la izquierda para ver mejor. ¡Era un soldado muerto! En vez de a nosotros, las granadas le habían alcanzado a él. Nikitas avanzó un poco para ver si había guerrilleros por allí escondidos. Yo me acerqué al muerto para cerrarle los ojos y pegué un grito atroz:

—¡Simos!

Drosakis llegó corriendo y se quedó parado mirándole. Al principio sorprendido, luego con desprecio y rabia.

—¡Espía de mierda!—dijo—. ¿Hasta aquí nos acechabas?

La cara de Simos estaba desfigurada. Me entró la duda de si era él. Todavía me costaba creer lo bajo que había caído. Me quedé mirándole. El pelo oscuro, aquella narizota con la verruga… Sí, eran suyos. Pero ¿y los ojos? Los ojos habían desaparecido y lo que habían sido unos labios carnosos era ahora un boquete. Lengua, dientes, todo era cieno.

Nikitas me cogió del brazo para irnos, pero no lo seguí. Quería rebuscar en los bolsillos del muerto, una carta, algo que nos confirmara que realmente era él y que no nos habíamos equivocado. Simos tenía la mano, rígida, metida en el bolsillo derecho y en él encontré un fajo de cartas cuidadosamente dobladas. Las reconocí en seguida. Eran manuscritos de Drosakis. Conocía perfectamente su letra redonda y el papel rosa, como de seda, que le había regalado Lefteris. El fajo tenía clavada una nota de Simos. Me estremecí, se me revolvió el estómago, me daba vueltas la cabeza. Busqué a Drosakis con la mirada. Lo vi subir cerro arriba para ayudar a Kirmizidis, que estaba dando alaridos:

—¡No veo! ¡Me he quedado ciego!

Me metí las cartas en el bolsillo y me fui de allí para no pecar de irreverente y ofender al muerto. Estaba preocupado por Drosakis. «Ay», pensé, «se la está buscando. Pero ¿cómo no se anda con más cuidado?» Antes de que me diera tiempo de pensar en el modo de hacerle bajar de aquel cerro, se oyeron más disparos. Los guerrilleros turcos surgieron de todas partes como demonios. Nuestro destacamento les iba a la zaga, pero tuvieron el tiempo justo de acertarle a Drosakis. Lo vi derrumbarse. No sabía si estaba muerto o malherido. En aquel momento sólo pensé en combatir. Me lancé a perseguir a los guerrilleros. Apuntaba, disparaba, corría, volvía a apuntar. Los gritos de los nuestros me enardecían los ánimos. Mientras apuntaba guiñando un ojo, me dieron en el brazo izquierdo. «¡Cabrones!», proferí intentando apuntar con el otro. Pero tenía las venas hechas jirones y empezaba a brotar la sangre, caliente...

Me llevaron al mismo hospital que a Drosakis y a Kirmizidis. En cuanto me desperté de la anestesia, recordé todo lo sucedido. Moví los brazos y las piernas para cerciorarme de que todo estaba en su sitio. Sólo me dolía la herida del brazo izquierdo. Me he librado por los pelos, por los pelos. Volví a mover el cuerpo lentamente, perezosamente. Me gustó la sensación del pie desnudo sobre la blandura del colchón, sin la bota llena de barro ni el calcetín acartonado por el sudor. Casi me alegré de estar herido. A lo mejor se acababan ya mis sufrimientos. Intenté incorporarme, pero no pude y me volví a sumir en un sueño reparador.

Al día siguiente ocurrió una cosa que hizo que dejara de considerarme una víctima. Drosakis no se encontraba bien. Tenía mucha fiebre. Estaba acostado dos camas más allá de la mía. Le estaba pidiendo un vaso de agua a su vecino, pero éste, a pesar de llevar allí más tiempo, le volvió la espalda haciéndose el sordo. Y así una y otra vez. Hice caso omiso de lo que me habían dicho los médicos, que no me moviera, me levanté, le di a beber a mi amigo y me volví hacia el otro y le dije, con desprecio:

—¿No te da vergüenza?

Me echó una mirada vidriosa. Hizo un gesto de rabia con todo el cuerpo y apartó la manta.

—¡Mira!—gritó—. ¡Mira!

Me quedé estupefacto. ¡Sus brazos eran dos muñones envueltos en vendas, amputados uno de raíz y el otro a partir del codo! «¡Perdóname!», quise decirle, pero no me salió la voz. Sentí una repentina necesidad de humillarme, de besarle los pies. Me lo impidieron las carcajadas y los exabruptos: «¡El muy imbécil! ¡Si será bruto!» Varios de los allí presentes se destaparon el cuerpo y me enseñaron sus miembros amputados. Me quedé como petrificado. Entonces se me acercó un soldado al que llamaban «El de los naipes», me dio una palmadita en la espalda y me dijo:

—No te enfades, ya te acostumbrarás. ¡Mejor volver a casa lisiado que quedarte tieso en el frente!

Mi primer contacto con el hospital fue doloroso. Ese mismo día me enteré de que Kirmizidis, que estaba en otra sala, se había quedado ciego y que Drosakis tenía pocas posibilidades de salvarse. Estaba escrito que tenía que perder a todos mis amigos en la guerra. A Drosakis no lo quería perder. Tenía que ayudarle. Se hizo en seguida de noche. Llovía, soplaba el viento y relampagueaba. El manco esperó a que estuviéramos todos dormidos y entonces se incorporó, hundió la cara en un plato y empezó a comer con la lengua, como un perro. Me acerqué a él.

—Compañero—le dije—, no te ofendas, pero deja que te dé yo de comer mientras esté en el hospital.

Dejó un momento de masticar.

—Mejor ocúpate de ése—dijo volviendo la mirada hacia Drosakis—, que me parece que no respira.

Corrí a donde Nikitas. Acerqué la oreja a su boca. Respiraba. Tenía la cama empapada en sangre. Me fui corriendo al quirófano a buscar a un médico. Había camillas por todas partes. Muchos lloraban y llamaban a su madre. Los cirujanos, embadurnados en sangre, maldecían la poca luz con que tenían que operar.

Con mil tretas y artimañas conseguí acercarme al jefe de cirugía mientras se estaba lavando las manos y le conté cómo estaba Drosakis. En vez de contestarme gritó enojado a los enfermeros:

—¿Cómo ha entrado éste aquí? ¿Será posible?

Se volvió y me dijo, tajante:

—¡Vete de aquí!

Yo insistí.

—Doctor, no me iré hasta que mande a alguien a ver al herido que se está muriendo.

—¡Vete! ¡Déjame trabajar! ¡Vete! ¿No ves que estoy ocupado?—vociferó fuera de sí.

—Doctor, es un chaval que vale mucho. Un científico.

—Echad a éste de aquí. ¡Atadlo! ¡Está loco! Loco de remate.

Un enfermero me sacó afuera. Lo agarré con el brazo bueno y lo zarandeé con tanta rabia que poco faltó para que se creyera que estaba loco de verdad.

—Tiene que venir el médico inmediatamente—grité—. Si no, vais a ser responsables de su muerte... Ven conmigo, ven, que no voy a dejar que te vayas...

Lo obligué a seguirme. Cuando vio el estado en que estaba Nikitas, se fue corriendo a buscar una inyección y se la puso en la vena. Me dijo lo que tenía que hacer: tranquilizarlo hasta que viniera el médico. Drosakis jadeaba profundamente. Pidió agua. ¡Estaba delirando!

—Manolis, ¿por qué no nos dejan beber? Acércate, que te tengo que decir una cosa...

Le tenía cogida la mano. Quiso incorporarse. No me había dado cuenta de que el jefe de cirugía estaba de pie detrás de nosotros oyendo todo lo que decíamos. Me hizo a un lado y se puso a examinar a Drosakis con mucho cuidado.

—Llevadme ahora mismo a este enfermo al quirófano—dijo.

Al cabo de pocos días Drosakis resucitó. Lo veía hablar, escribir y leer y no daba crédito. Entonces me acordé de las cartas que me había encontrado en el bolsillo de Simos y se las di.

—¡Fíjate tú!—dijo—. ¿Cuándo las robaría?—se preguntó, hojeándolas con cariño.

Leyó las anotaciones del soplón. Llevaban la fecha en que fuimos heridos. Decían: «Confabulados con el fin de que su ausencia pase inadvertida, los conspiradores Drosakis y Axiotis se reúnen en lugar solitario. Conciliábulos harto sospechosos. Se declaran contrarios a la guerra.»

—¡Maldita sea su estampa!

Cuanto peor iban las cosas en el frente, más se desataban los rumores en el hospital. La dirección hizo un intento para subirles la moral a los soldados y hasta hubo quienes dijeron que en el bosque de Boz Dağ se había aparecido san Jorge a caballo, cabalgando entre la niebla, y que aquello era una señal del cielo: que Dios no nos iba a abandonar… Fueron pocos los que se lo creyeron. La mayoría intentaba por todos los medios prolongar su estancia en el hospital para no tener que volver al frente. Se rasgaban con la cuchilla de afeitar los puntos de las heridas y se las rascaban con las uñas sucias hasta que sangraban y hacían pus. Frotaban el termómetro para que subiera la temperatura o lo metían en agua hirviendo.

De vez en cuando traían a un herido que deliraba de fiebre a voz en grito:

—¡Malditos! Yo era feliz en mi pueblo. ¿Por qué me habéis traído a esta tierra extraña? ¡Quiero volver a mi casa!

De haber podido, todos habrían gritado lo mismo en aquella sala.

En los últimos tiempos, cuando veía salir a Drosakis al jardín a leer los periódicos que le mandaba Lefteris, yo me alejaba por si se le escapaba alguna mala noticia. Cuanto más difíciles se ponían las cosas, menos quería oírlas. Pero es que además Drosakis tampoco tenía ganas de hablar. «¡Para decir qué!», decía, pensativo. Y eso todavía me inquietaba más.

Pero un día pasaron por mis manos un par de artículos. Aunque eran del periódico progubernamental, los soldados los hacían circular a escondidas, de mano en mano. Decían que la campaña de Asia Menor era una gangrena para Grecia y que los aliados exigían que se evacuara la región, que hacía tiempo ya que el Tratado de Sèvres había dejado de estar vigente y que el ejército debía regresar inmediatamente a sus cuarteles antes de que le cortaran la retirada.

Me entró el pánico y corrí a hablar con Drosakis.

—Ya puedes estar orgulloso de lo que escriben los periódicos del gobierno.

Me hizo una señal con la mano para que bajara la voz, que las paredes tienen oídos, pero no le hice caso.

—¡Quiero saber lo que está pasando a nuestras espaldas! ¡Quiero saber adónde vamos y lo que nos espera! ¡Habla, me cago en Dios! ¡Ahora soy yo el que te lo pide! ¡Habla!

Yo imaginaba que iba a aprovechar la ocasión para endilgarme un sermón, pero no dijo nada. Me dio un cigarrillo y cambió de conversación.

—Toma—dijo—, es un regalo de nuestro amigo Lefteris. Cuantos más remordimientos tiene de que estemos entregando nuestra sangre mientras él se pasea por Esmirna, más paquetes envía.

No le contesté. Me temblaba todo el cuerpo de nervios.

—A ver, ¿por qué te pones así ahora?—me dijo—. ¿Es que has sabido algo más? ¿O es que te ha impactado verlo escrito en los periódicos del gobierno?

Se levantó lentamente de la cama.

—Vamos afuera—dijo—. Vamos hasta los plátanos a respirar aire puro. Y no te dejes vencer. Ahora menos que nunca.

Salir afuera me sentó bien. El vientecillo de la montaña me refrescó la cara. Nos sentamos en un banco. Nikitas se frotaba una y otra vez los ojos sin decir nada. «¿Qué estoy esperando que me diga?», me pregunté. «¿Que me compadezca y se ponga a consolarme? ¿O que me diga un par de verdades que me saquen de quicio y me abalance como siempre sobre él?»

—¿Quieres que te diga por qué dudo si contártelo todo, Manolis?—empezó diciendo Drosakis, con voz apagada y lastimera—. Porque no sé si es ahora el momento de coger el bisturí y urgar en el pasado, en la raíz de nuestras desgracias, y hacer que te enfrentes a la dolorosa pregunta de si realmente era necesaria la campaña de Asia Menor. ¿Lo entiendes? No puedo. Renuncio. No estamos ahora en condiciones de tener esa conversación. De momento, para bien o para mal, estamos malgastando nuestra juventud en la Anatolia profunda, rodeados de traidores. Los políticos sólo piensan en cómo salir de ésta y no hacen más que echarse las culpas los unos a los otros.

Me dirigió una mirada clara y serena. Quería asegurarse de que entendía lo que decía.

—¿Qué quieres? ¿Qué esperabas, Manolis? La Entente, en cuanto le han empezado a ir bien las cosas en Oriente, ha decidido poner término al desmembramiento del imperio otomano y la campaña de Asia Menor ha acabado pareciéndose a un niño muerto prematuramente en el vientre de Grecia. Los mismos que nos enviaron a Asia Menor son ahora los que nos están diciendo: «Ust, köpek!» (¡Largo de aquí, perro!) ¿Crees que piensan en el desgarro de Axiotis, en los ojos de Kirmizidis, en la muerte de Golís, en el sufrimiento de Stepán? ¿O te crees acaso que les preocupa la suerte de Grecia? Al capital extranjero sólo le preocupan sus intereses. No esperes justicia ni caridad. Sus representantes están sentados en sus oficinas de París, de Londres o de donde sea, con los mapas delante, y cuando les interesa se acuerdan de la autodeterminación de los pueblos, de su libertad y de su independencia y cuando no les interesa tachan con rojo países y pueblos… ¡La desgracia es que ahora tenemos el lápiz rojo encima de nuestras cabezas! Ya han conseguido todo lo que querían de Grecia, y encima de balde. No somos más que un limón exprimido y Kemal se ha quedado con todo el zumo…

Las palabras de Drosakis me estaban desquiciando, aquel «niño prematuramente muerto en el vientre de Grecia», aquellos monstruos dispuestos a borrar del mapa nuestro país y nuestras riquezas. Se me asomaron las lágrimas a los ojos y se desparramaron cual el agua de nuestros lagos y el río Meandro, y pensé en mi pueblo, en la casa paterna, en el huertecillo, con su jazmín y sus cerezos en flor… ¡Drosakis! Estoy avergonzado. Te pedía la verdad y siempre la verdad me decías. Ya lo sé. ¡Pero no quiero creerte, no puedo creerte! ¡Entiéndeme!

Drosakis me pasó, protector, el brazo por el hombro, pero no se hacía cargo de mi suplicio y seguía hablando y hablando:

—Así son las cosas, Manolis. Aquí estamos pagando pecados propios y ajenos. Y sobre todo las trifulcas de los grandes por el reparto de Oriente…

Sacó varias revistas y periódicos extranjeros y empezó a leer: «Que los griegos evacuen Asia Menor cuanto antes y sin condiciones. ¡No les encomendamos que ocuparan el país!», «La nueva Turquía ya es una realidad. Tiene conciencia de su misión histórica. Oponernos a sus ideales de regeneración sería un gran error…»

—¿Te das cuenta de lo que se esconde detrás de todo eso, Axiotis? Intereses, petróleo, minas, hierro, cromo, la zarpa del extranjero sobre las riquezas todavía vírgenes de Oriente. ¡Ay, chaval, cuando el débil se mete en tratos con los grandes no puede bajar la guardia ni un segundo! Sus intereses no coinciden con los nuestros. Nos tienen en un puño. Si te agachas, te lo quitan todo.

La culpa es también de Venizelos. ¡Era uno de los nuestros y los conocía bien, pero se ha acabado convirtiendo en su pelele! ¡Por no hablar de Constantino ni de sus cortesanos! ¡Si teníamos alguna probabilidad de salir sanos y salvos, ésos nos han acabado de arruinar! Han añadido su incapacidad a los errores de Venizelos y los han multiplicado.

—¡Nikitas, ya vale! No quiero oír más. ¡Por favor, ya sé que he sido yo el que ha empezado, pero no lo puedo soportar!

Me levanté dispuesto a irme. Drosakis me agarró. Estaba pálido.

—Yo también lo estoy pasando mal, Manolis, créeme.

En el jardín del hospital, el ciego Kirmizidis tocaba el laúd y cantaba una canción en turco:

> ¿Dónde estás, pobre aldea mía?
> Venganza clama tu voz.
> Adiós madres, hermanos y mujeres.
> No nos queda más esperanza que tú,
> Grecia, dulce madre misericordiosa.

EL DESASTRE

XV

Me mandaron al frente de Afyon Karahisar. Allí me encontraba en agosto de 1922 cuando empezó la ofensiva kemalista. Día y noche estuvimos cavando trincheras, con galletas y arenques por todo alimento. Apretaba los dientes y me decía con el corazón en un puño: «Es hora de combatir, Axiotis, hora de sacrificarse. Tú nada tienes que ver con la política. Tú simplemente cumples con tu obligación.»

Hacia el día de la Virgen de agosto, no me acuerdo bien si era la Virgen o la víspera, surgió de un barranco un escuadrón turco a caballo, quinientos jinetes que rompieron nuestras líneas por el flanco derecho aislándonos del ferrocarril. Nuestra artillería abrió fuego, detuvo la incursión del enemigo y lo obligó a batirse en retirada.

Pero de repente, sin saber por qué, enmudecieron los cañones, todo quedó en silencio. Se diría que el corazón del ejército había dejado de latir. La caballería turca recobró fuerzas y lanzó otro ataque. Aislados allá arriba, en las trincheras, no entendíamos lo que estaba pasando. La tragedia flotaba en el ambiente. Nos mirábamos unos a otros, mudos, pálidos, como moribundos. Las dudas y el miedo afloraban a los labios, pero no pasaban de ahí. La trinchera es una tumba opresiva, pero en esos momentos el silencio es todavía un suplicio mayor. ¡Maldito silencio! ¿Por qué no seguían con el cañoneo? ¿Por qué no tocaban a rebato las cornetas? Prefería mil veces una marcha agotadora o el ardor de la batalla, que justo el día antes maldecíamos. Hasta la muerte era mucho mejor que la angustia de aguardarla… ¿Qué demonios estaba pasando? ¿Acaso estábamos rodeados y no cabía más que esperar que llegaran los turcos y nos descerrajaran un tiro? Y si se nos han agotado las municiones, ¿por qué nos dejan aquí que nos pudramos? ¿Por qué?

Cayó la noche como una losa mortuoria. Ahora ya no podíamos ni dirigirnos una mirada. Nadie tenía sueño. Teníamos los nervios a flor de piel, tensos, a punto de romperse. Éramos todo ojos escudriñando la oscuridad en busca del enemigo. Se abrían y cerraban las narices oliendo Dios sabe qué. El pensamiento de algunos vagaba a lo lejos por más que el cuerpo siguiera allí clavado de testigo. ¡Nos asaltaban unas ideas! Veías a tu madre llorándote con tu fotografía en la mano, intentabas recordar el tiempo que hacía que no estabas con una mujer, el cartero llamaba a la puerta de tu casa y dejaba una notificación oficial que rezaba: «Caído heroicamente por la patria…» ¿Quién me va a llorar? ¿Quién se va a alegrar? ¿Cómo se van a repartir mi parte de la herencia?

¿Es que no se va a acabar nunca esta noche tan rara? ¿No va a amanecer? ¿No va a haber ningún bromista que haga como siempre algún comentario sobre los piojos, el hambre o las putas? ¿Dónde demonios está Drosakis? Él sí que sabría lo que está pasando, lo adivinaría, algo se le ocurriría decir para conjurar esta agonía. Desde que volvió del hospital, le mandan continuamente de reconocimiento y le encomiendan misiones lejanas y peligrosas. Quieren acabar con él, seguro.

De pronto un rumor empezó a recorrer la trinchera. Más parecía el silbido de una víbora que una orden. Se detuvo sobre nuestros cuerpos y los paralizó en vez de liberarlos. ¡Retirada! ¡Retirada! ¡Retirada!

En unos segundos lo recogimos todo. Estuvimos de marcha toda la noche, respetando todas las consignas militares: protegiendo la retaguardia y los flancos y mandando por delante patrullas de reconocimiento. Por la mañana nos aguardaba un terrible espectáculo en la primera posición a la que llegamos. Los cuerpos de los hombres de aquel retén estaban cortados en pedazos, abandonados en trágicas posturas. Un poco más allá había un llano totalmente cubierto de vehículos, cañones, mochilas, cascos, cuerpos amontonados, brazos, piernas y cabezas decapitadas, como si el propio diablo se hubiera ensañado a coces con la vida para hacerla desaparecer de la faz de la tierra.

Estábamos sobrecogidos. A unos les entró descomposición y a otros arcadas. Sólo uno se atrevió a romper el silencio:

—¿Qué significa todo esto? ¿Que nos han dado por el culo? Es eso, ¿no? Que nos lo digan, que podamos obrar en consecuencia.

No contestó nadie. Algunos movieron la cabeza en señal de desesperación. Otros le dirigieron una mirada de odio. Nos instalamos por allí cerca, en un pueblo en ruinas, y esperamos órdenes. Los que tenían papel y lápiz se pusieron a escribir cartas a sus familias. La mayoría sabía perfectamente que no habría correo ninguno que se las llevara, pero querían a toda costa dejar por escrito sus últimos pensamientos, pronunciar unas palabras cariñosas para conjurar el miedo, para buscar cobijo en un cuerpo de mujer, en el abrazo de una madre.

El capitán mandó inspeccionar el pueblo por si quedaba algún guerrillero turco. Eso nos llenó de esperanza. Aparentemente nos íbamos a quedar allí para organizar la defensa. Vimos que los cocineros encendían fuego y ponían a cocer agua en las cacerolas. Corrió el rumor de que los furrieles habían encontrado un par de búfalos, que había quien decía que eran dos caballos muertos.

—Si comemos algo, recuperaremos las fuerzas—dijo Filippas, mi paisano—y devolveremos a ese bastardo de Kemal al sitio de donde ha venido.

Al poco volvieron las patrullas a informar. Con ellos volvió Gabriel, el de Mitilene, al que en la compañía llamaban Gavrilelis. Llevaba un niño de pecho en brazos. Se acercó al capitán, le enseñó el niño y le dijo:

—Mire qué turquillo he pillao, mi capitán. Le ruego po lo que má quiera que me deje quedámmelo, que no tengo desendensia…

Se oyeron silbidos y carcajadas por doquier. La tropa salió de repente de su sopor. Intentaban desahogarse y les dio por pitorrearse.

—¡Digo, Gavrilelis, digo! ¿Eh que se t'han secao loh cojoneh, que tieh que pedí prettao a loh turcoh?

—¿Y pa qué queréih to ese aseite en tu isla?

Arsenis, el guasón de la compañía, que llevaba rato sentado de cuclillas como un simio sin decir ni mu, se unió a los demás y, guiñando el ojo con malicia, gritó:

—¡Ssst! ¡Silencio! Que yo lo sé todo del niño. Ya veréis. ¡El niño que estáis viendo es sangre de Gabriel! Que lo vi yo con mis propios ojos aliviándose con una turca cuando acampamos en este pueblo la otra vez...

Y se volvió a armar el mismo alboroto. El bueno de Gabriel, desconcertado, se volvía de un lado para otro gritando:

—¡Mentira! ¡Mentira! ¡Que me lo he encontrao! ¡Que ehtaba gateando al lao de su mare muerta! ¡Que me caiga aquí mimmito muerto si miento!

Los que hasta entonces no habían abierto la boca gritaron, irritados:

—¡Ya vale, joder! ¿De dónde sacáis tan buen humor?

—¡Estamos en las últimas y vosotros venga que dale!

Por fin llegaron, desfallecidos, con los caballos bañados en sudor, los de las patrullas de reconocimiento que llevábamos rato esperando. Hablaron primero con los oficiales, pero en semejantes momentos no hay confidencias que valgan y antes de que tuviéramos tiempo de preguntar qué pasaba ya nos estaban bombardeando por doquier con las respuestas:

—¡Se ha hundido el frente! ¡Estamos perdidos!

—¡Se han disuelto todos los regimientos!

—¡Nadie está ya al mando del ejército y todos hacen lo que les viene en gana!

—¡Hay quien se echa al monte y quien por los desfiladeros! ¡La gente se apuñala por un sitio en un vehículo! ¡Hay muchos que se han suicidado!

Lo que ocurrió entonces es difícil de describir. Nadie se paró a pensar o a escuchar orden o consejo alguno. Se diría que llevaban meses preparados, esperando aquel momento para echar a correr. Cada uno por su lado, sin volverse siquiera a mirar a su hermano.

271

Al darme cuenta de que todo estaba perdido y de que aquello era el final, cogí el fusil y eché a correr detrás de ellos gritando como loco:

—¿Adónde vais, hermanos? ¿Cómo lo dejáis todo así? ¡Paraos!

Agarré a un par de paisanos míos y les dije que había que organizar la defensa.

—¡Pegadle un tiro!—gritó un sargento.

Me eché corriendo al suelo y me arrastré hasta detrás de una mezquita. Me cayó una lluvia de balas encima para acallar la voz que les pedía que siguieran combatiendo. Me quedé unos instantes allí escondido. Quería llorar, gritar. Entonces me entró el pánico. Eché a correr y no me paré hasta que la suerte me echó en brazos de mi amigo Nikitas Drosakis.

—Para, colega—me dijo un soldado agarrándome de la manga—. Que éste me está pidiendo que lo mate, que no quiere caer vivo en manos de los turcos. ¿Qué hago?

Me volví a ver quién era el herido y me quedé aterrorizado.

—¡Nikitas! ¡Nikitas, tío!

Me arrodillé a su lado. Movía los ojos lentamente, nublados de emoción. Me enseñó la herida del pecho y las piernas, que tenía rotas. Hacía dos días que no lo veía. Sabía que lo habían mandado de avanzadilla por allí cerca, pero no esperaba encontrármelo.

—¡Has cumplido con tu deber hasta el último momento!

Me hice jirones la camisa y le vendé las heridas. Quería hablar con él y decirle cuánta razón tenía con lo de que nos habían traicionado. Quería oír sus consejos y ver su cólera y sus arrebatos, quería oírle cantar verdades. Quería poderle decir: «Ahora te entiendo, Drosakis. Ve tú delante y yo te sigo. A millares te vamos a seguir.» Pero Drosakis se las tenía que ver con unos dolores lacerantes. Con cada emoción veía las estrellas.

Pensé en improvisar unas parihuelas. Busqué al soldado que me había parado. Me había prometido que iba a hacer sus necesidades por allí y que volvería. Pero se había largado. Sólo se había detenido allí para rebuscar relojes y dinero en los cadáveres…

Me eché a mi amigo herido al hombro y empecé a andar sin más dilación, parándome de vez en cuando para que descansara. Al cabo de un rato se me desmayó y lo tumbé en el suelo. Entonces vi a unos hombres a caballo y con ellos a Lefusi, un amigo de Nikitas con el que habíamos pasado momentos inolvidables en el hospital. Corrí hacia él haciéndole gestos desde lejos. Al ver que me reconocía, pero que no tenía intención de pararse, le grité:

—¡Lefusi! ¡Que tengo a Drosakis aquí malherido! ¡Para, Lefusi! ¡Lefuuusi! ¡No te vayas!

Lefusi desapareció por el sendero del bosque. Volví a levantar a Drosakis. Lo cogí en brazos como a un bebé dormido y echamos a andar. De vez en cuando abría los ojos, me miraba y me decía, exangüe:

—¡Vete! ¡Déjame!

—¡Te voy a salvar, Nikitas! Vas a vivir. Tienes que vivir…

Me chorreaba el sudor por la frente. Se me tensaba el cuello, ya no sentía los brazos. Seguí andando. Mi mente se negaba a aceptar lo que la vista insistía en ver.

Delante de mí aparecieron dos soldados con un carro lleno de baúles, muebles y alfombras. Encima llevaban atados a un par de turcos, un viejo con su mujer. Les hablé y se pararon.

—Oye, hacedme un sitio que pueda echar ahí a este herido.

Me miraron como si no entendieran la lengua en la que les hablaba. Tenían una expresión como de locos en la mirada. Estaban como cubas. Uno de ellos me contestó con malos modos, pendenciero:

—Espéranos al otro lado del puente.

Y volviéndose hacia su compañero le preguntó, carcajeándose:

—¿Verdad, Thimios?

Sacaron una botella de aguardiente de anís y bebieron con avidez. Crucé el puente junto a ellos. Luego echaron pie a tierra y empezaron a descargar las alfombras y los muebles que antes tenían intención de llevarse a su pueblo.

—Es que Tesalia está muy lejos de aquí, ¿verdad?— dijo Thimios, y los dos se echaron a reír.

En lo que fui a buscar un par de tablas para atárselas a Drosakis en las piernas, que a cada tumbo el dolor le hacía perder el conocimiento, los dos soldados hicieron saltar el puente por los aires y con él a la pareja de turcos. Eché a correr para que no se me escaparan. Estaban a punto de fustigar al caballo y echar a andar.

Si los perdía, nos acabarían alcanzando los turcos. Agarré el caballo de las riendas. Drosakis cayó al suelo vomitando sangre.

—Compañeros, que yo conozco el camino—les dije—.

Solos os vais a perder. Os acabarán liquidando los nuestros para quedarse con el carro...

Sin darles tiempo a que se lo pensaran cogí a Drosakis y salté al carro. Arrancamos y me dejaron a mí las riendas. Ellos siguieron comiendo, bebiendo y soltando improperios. Por dondequiera que pasáramos, desolación. En los pueblos turcos, fuego, masacres, violaciones, saqueos. Las estaba pagando la población civil turca. Miles de hombres desesperados, aterrorizados, enloquecidos, heridos en lo más profundo de su ser, perdieron de golpe la entereza y la dignidad.

Cerca de un pueblo en llamas se tiraba de los pelos y chillaba una joven junto al cuerpo exánime de su hijo. Los dos soldados del carro, excitados por la pitanza y el frasco, la miraron con ojos de concupiscencia y le empezaron a decir obscenidades.

—¡Párate aquí!—me dijeron abalanzándose sobre mí—. Para, que si no...

Me volví y les eché una mirada asesina.

—¡Cuidado, colega! ¿O es que quieres tú también tu parte?—me gritó uno de ellos mientras el otro me encañonaba con el fusil.

Bajé del carro, cogí a Drosakis en brazos y me fui de allí para no ver, para no oír. Habríamos muerto los dos de no habernos topado en la vía del ferrocarril con unas unidades del ejército que estaban allí concentradas. Entregué a Drosakis a la Cruz Roja. Me agaché con los ojos bañados en lágrimas y le besé en la mejilla.

—¡Nikitas! Algún día nos volveremos a ver—le dije, emocionado.

Me puso la palma de la mano en la mejilla sudada. Se

me hizo un nudo en la garganta. Me quedé con él unos instantes y luego me fui.

Me puse de nuevo en marcha. Ya no me daba miedo la muerte. Más bien eran los vivos los que me daban miedo, que habían perdido todo rastro de humanidad. En mis oídos resonaban las risotadas de Nikitas Drosakis: «Los vencidos no estamos ahora más que intentando ahogar el miedo. ¡Menudos héroes!»

Me pasé dos días bregando por coger un tren. Al final, logré agarrarme de una puerta rota y con el tren en marcha trepé al techo. En esos momentos bajaban de los pueblos miles de mujeres y niños gritando: «¡La guerrilla! ¡Que viene la guerrilla turca! ¡Que viene la guerrilla turca!» Pero los trenes no se paraban a recoger a nadie. En el interior de los vagones el espectáculo era dantesco. Civiles y soldados armados, pendencieros y dominados por la ira y el miedo, llegaban cada dos por tres a las manos y se liaban a tiros y a puñaladas. Y los refugiados, fuera, corriendo con el corazón en la boca y suplicando, maldiciendo y amenazando: «¡Malditos! ¿Dónde nos estáis dejando? ¡Parad!» Y el tren jadeando y resoplando como una negra alimaña y pegando unos silbidos acerados como cuchillos para apartar a la pobre gente de las vías.

Llevaríamos unas seis horas de viaje. Bien entrada la noche el tren pegó un frenazo tan brusco que todos los que andábamos colgados salimos despedidos como proyectiles. Las ruedas aplastaron varios cuerpos. Los vivos intentaban con cerillas y velas reconocer a los muertos y rompían a llorar en medio de la noche. Un padre llamaba a su hijo y el hijo buscaba al padre. Aquello era el caos.

Yo caí en un campo recién segado. No me pasó nada grave. Estaba mareado y cansado, quería dormir y no volverme a despertar. Pero incluso en momentos así se tiene miedo a perder la vida. Me arrastré como un reptil y luego como un cuadrúpedo hasta que logré ponerme en pie y echar a andar. Me metí entre un grupo de gente que caminaba rugiendo, dándose golpes, retorciéndose y estirándose como una fiera malherida.

A mi lado correteaba un niño que llamaba desesperadamente a su madre, a su abuelo, a su abuela. Vi que se esforzaba por llevar mi mismo paso. Había unido su existencia a mi sombra. En un momento en que lo adelanté, me imploró:

—¡Señor, no me deje! ¡Tengo miedo!

Encendí el mechero y me agaché a ver. Apenas tendría ocho años, delgado, con la cabeza afeitada.

—¿Cómo te llamas?

—¡Stelios!—me contestó.

Alargué la mano y le cogí la suya. Estaba temblando como un pajarillo muerto de frío. Echamos a andar como padre e hijo. De vez en cuando encontrábamos a otro grupo de gente y el niño gritaba sin aliento con su vocecilla de pito: «¡Abuelo! ¡Abuelo!» Yo me detenía y le dejaba buscar.

«Ay, Dios», pensaba para mis adentros, «¿no estará pasando lo mismo en mi pueblo? ¿Le habrá dado tiempo a Kostas de llevarse a la familia a Esmirna? ¿O habrá esperado a que madure la cosecha?» Hacía tiempo que les había mandado una carta. Les decía que, por lo que pudiera pasar, cogieran todo el dinero que pudiesen y que lo tuvieran listo porque sólo Dios sabía las nuevas desgracias que nos aguardaban. Hacía tres meses que no recibía carta de ellos y, lo que es peor, no tenía noticias de mi hermano Stamatis, que también estaba en algún lugar del frente. «Ahora nos reuniremos todos en Esmirna, nos embarcaremos para Samos, que está a un tiro de piedra, a esperar que pase la tormenta y luego volveremos a nuestra tierra.»

Amanecía. Por la montaña bajaba una luz rosa y vaporosa que se desparramaba por los huertos. La uva, en sazón, colgaba sin vendimiar de los sarmientos y las ramas de los árboles cedían con el peso de la fruta echada a perder. ¡Ay, ojalá pudiera ahora mismo echar a andar para nuestros campos, con una canción en los labios y una flor en la oreja, con Katina a mi vera, a lomos de la yegua, y un pequeñuelo en su pecho! Y los turcos saliendo a la puerta a saludarnos de corazón, como antes: «Akşamlarınız hayır olsun, çorbacı! Oğur ola, Efendim!» (¡Buenas tardes, noble señor! ¡Vaya con Dios, amo!) ¡Ay, Şefkât, hermano, nuestros dioses no han hecho las paces! ¡Qué va a ser de nosotros! «Ne çare! Onları hep unutalım, aziz hemşeriler!» (¡Da igual! ¡Venga, olvidémoslo todo, queridos compatriotas…!)

Al niño se le habían hinchado los pies, le costaba andar. Yo no tenía agallas para abandonarlo, me daba pena. Empecé a preguntar por aquí y por allá para encontrar a algún paisano suyo. Y al final dimos con una mujer que lo conocía y le dijo:

—Pobrecito mío, tu abuelito te está buscando. ¿Dónde te habías metido?

Nos dijo que fuéramos a una fuente que había allí, que allí estaba el viejo apostado. En cuanto lo oyó el niño, echó alas y salió volando.

—¡Venga, señor, corra!

Junto a la fuente vi a un viejo en bombachos subido a un árbol haciéndose sombra con la mano escudriñando a lo lejos la carretera y berreando desgarradoramente:

—¡Stelios! ¡Stelios!

—¡Abuelo! ¡Abuelo!

El viejo pegó un salto y lo cogió en brazos con desesperación.

—¡Hijo mío! ¡Stelios! ¿Dónde te habías metido, mi vida?

Anduvimos un rato juntos. El abuelo me contó sus desgracias:

—Cuando frenó el tren, mi mujer y mi hija se cayeron al suelo. Mi mujer tuvo la suerte de morirse en el acto. Pero a mi hija las ruedas le cercenaron los pies. «¡Mis pies, padre! ¡Mis pies!» «¡Ay, hija mía! ¡Helenita de mi alma!»

El niño se quedó acurrucado escuchando, aterrorizado.

—¡Entonces se me desmayó! Quise cogerla en brazos, pero no pude. Nos caímos al suelo, resoplando. «Padre, ¡Stelios!», me dijo. Corrí a derecha e izquierda, gritando. Volví junto a ella. «¡Mi Stelios, padre! ¡Corra, vaya! ¡Déjeme a mí...!» La dejé apoyada en un rincón, no me la fueran a pisar la gente y los caballos, y me fui. Eché a andar, gritando, buscando por todas partes. «Ha salido corriendo por ahí», me dijo mi consuegro señalándome en dirección al monte. «Venga, tío Stilianós, tira para adelante y no pienses en nada más. Pero ¿cómo te he podido abandonar, hija mía? ¿Cómo he tenido el valor de abandonarte a merced de las alimañas, mi tesoro?»

—¡Mi mamá! ¡Mi mamaíta!—chilló el niño llevándose las manos a la cara de desesperación.

¡Eh, vosotros, los poderosos del mundo! ¿Habéis oído alguna vez un grito semejante?

—¡Vamos a buscar a mi madre, abuelito!

—¡Vamos hijo, vamos!

Unos que estuvieron escuchando la historia le gritaron:

—Oye, viejo, ¿has perdido la razón o qué? Os vais a perder tú y el niño.

—¡Que por ahí corren los guerrilleros de Pehlivan!

¡Pero el viejo y el niño se dieron la vuelta y echaron a correr! La noche lo cubrió todo. ¡Aquel mundo no era obra de Dios! ¡No, no lo era!

XVI

En cuanto puse el pie en Esmirna me paré a recobrar el aliento, me santigüé y me entró una repentina alegría. Los griegos siempre habían hallado cobijo y protección en Esmirna. Los turcos la llamaban *gâvur İzmir* (Esmirna la infiel) y para ellos era realmente la Infiel. Pero para nosotros era la alegre y hospitalaria capital del helenismo. Que olía a jazmín y anhelaba su libertad. Bastaba pasearse por el Malecón, por los bulevares y por los pórticos, y regatear en los bazares, beber anís en el Corso y ver la alegría y el buen humor que reinaba por todas partes, para que se te enterneciera el corazón, rebosante de luz, de deseo y de vitalidad. Quiero vivir, pensaba uno, vivir y trabajar y volver a empezar de cero y hacer esto y lo otro y divertirme y amar y construir un hogar.

Pero ahora ¿qué era lo que estaba viendo? Una ciudad muerta. Tiendas y cafés cerrados a cal y canto. Casas mudas, se diría que abandonadas. No se oía una risa, ni se veía a un solo niño jugando. Miserables caravanas humanas avanzaban serpenteando por las calles como filas de orugas. Cuerpos encorvados, caras llenas de amargura, avinagradas, labios resecos, hinchados. Eran los refugiados que llegaban del interior. Llevaban con ellos bultos, ollas, baúles, iconos, parihuelas con enfermos, cabras, gallinas, perros. Iglesias, cuarteles, colegios, almacenes, fábricas, todo se llenó de refugiados. No cabía una alfiler.

Estuve vagando entre toda aquella gente, intentando encontrar a mi familia. Yákovos, un compadre nuestro, me dijo que los había visto y que además mi madre estaba muy preocupada por mí y por mi hermano Stamatis. Me tenía que dar prisa en encontrarlos y ver lo que hacíamos, pero no me sostenían las piernas, estaba muerto. No deseaba otra cosa que dormir meses y meses.

En el Paralelo me paré delante del espejo de un barbero y me vi hecho una facha. Tenía el capote roto y manchado de sangre, la gorra descosida por detrás y la barba corrida.

La barbería estaba abierta y pensé: ¿Y si me lavo, me corto el pelo y me adecento un poco? Si me ve mi madre de esta guisa, le va a dar algo. Y se me detuvo la mirada en el sillón giratorio en el que iba a depositar mi cuerpo derrengado.

El barbero, un viejecillo enjuto y simpático, en cuanto vio que me paraba delante de su tienda, dio un brinco hasta la puerta, me agarró del brazo y me arrastró hasta el sillón como si me hubiera hipnotizado.

—Ven—me dijo como si me conociera de toda la vida—. Siéntate que te arregle esas pintas. ¿Cómo te has puesto así? A ti, si te ve no ya alguien, sino la muerte en persona, sale despavorida.

Se rió solo de su broma y luego se puso a vilipendiar a los turcos.

—¡Demonio de gente! ¡Atajo de sinvergüenzas! ¡Os creéis que vais a acabar con el ejército griego! ¡Panda de haraganes y de traidores…!

Yo no le prestaba demasiada atención. Sólo sentarme en el sillón, me dejé ir todo yo. Se me relajó el cuerpo como si me hubiera hundido en un blandísimo colchón. Pero el barbero estaba decidido a no dejarme dormir. Me movía la cabeza con brusquedad para arriba, para abajo, para la derecha, para la izquierda, hacía chasquear las tijeras lo más fuerte que podía, hacía girar el sillón y me daba continuamente empellones.

—No te me duermas, chaval, porque con el sueño que arrastras si te duermes no te me despiertas ni el día del Juicio Final...

Le apetecía tanto hablar como a mí dormir. Aquel inesperado cliente le había hecho dar un brinco de alegría. La soledad, en aquellos días, lo estaba desquiciando.

—Pobre, tienes aspecto de estar agotado—me dijo—. ¿Vienes de primera línea del frente?

Habría querido decirle que ya no había ni primera línea, ni segunda, pero tenía la lengua embotada. Lo único que conseguí articular fue un «sss... sí» que más parecía un balido.

—Pues resulta que ayer tarde les corté el pelo a un par de soldados con la misma facha que tú. Pero ellos estaban locos de remate, no sabían lo que decían. Llegaron a soltarme que el ejército griego no va a resistir ni una semana más en Asia Menor. ¿Lo oyes?

Incluso sin prestarle demasiada atención, yo entendía perfectamente lo que quería decir aquel viejecillo, pero no podía abrir los ojos para mirarlo. Me pesaban los párpados. Me retumbaba la cabeza, estaba entre el sueño y la vigilia. El barbero, artero, cuando vio que conmigo no había manera de hablar, cogió una jarra de agua fría y empezó a lavarme y a zarandearme. Lo único que no me dio fueron bofetadas. Entreabrí los ojos, dispuesto a maldecirlo, pero me tropecé con su mirada suplicante.

—Pareces listo y valiente—me dijo—. No como esos imbéciles que dicen que la expedición de Asia Menor se ha ido al traste. Son una panda de cagados, todos agentes de Kemal. ¿Oyes lo que te digo? ¡Trikupis[19] ha tomado el mando y ha pasado al ataque! ¿Lo sabías?

Me apetecía contarle toda la verdad y sacarlo de quicio, pero el apasionamiento con el que hablaba me recordaba a mí y me contuve. Aunque él siguió con su monserga.

—Pues por si no lo sabías, te lo digo yo. En Çesmé no se está concentrando el ejército para hacerse a la mar y salir corriendo. ¡No señor! Está organizando la defensa de la costa. No va a tardar en salir la edición especial y ya verás como publican la noticia. Inglaterra está de nuestra parte y no nos va a abandonar. ¡Por más que le pese a esa furcia de Francia!

Sus palabras me parecían moscas que revoloteaban y me mortificaban la mente medio adormecida. Al final perdí la paciencia y le solté lo que pensaba.

—¿De qué Trikupis habla, abuelo? ¡A otro con ese cuento! A Trikupis lo han capturado junto con todo su ejército. Los mandamases de Atenas nos han dejado en la estacada y sólo Dios sabe lo que va a ser de nosotros. Y en cuanto a los ingleses no se engañe. Que ni a ellos, ni a los franceses, ni a los norteamericanos, ni a nadie de su calaña, pero es que a nadie le importamos un pito. ¡Son ellos los que nos han cavado la tumba! ¡A ver si se entera!

[19] Nikólaos Trikupis (1867-1959), comandante en jefe del ejército griego. (*N. del T.*)

Al viejo le empezó a temblar la barbilla. Le castañeteaba la dentadura postiza, se puso amarillo como el azufre. Se le achicaron los ojos y se puso bizco. Tenía la navaja en la mano y pensé que me iba a cortar el cuello.

—¡Pero qué estás diciendo! ¡Estás completamente majara!—rugió—. ¿Quién te ha metido esas abyectas mentiras en la cabeza? Trikupis va a organizar la defensa desde Ninfeo hasta Sípilo. Sólo así se podrá defender Esmirna. Y si como tú dices han cogido a Trikupis, da igual. ¡El ejército griego tiene oficiales para dar y vender! Si no es Trikupis, será Gonatás o Plastiras. Los conozco a todos personalmente.

Luchaba desesperadamente por defender su optimismo, por protegerse a sí mismo. Algo sabía yo de esas lides. Y me dije: «Oye, Manolis, ¿por qué incordias al viejecillo? ¿Qué más da que tarde un poco en saber la verdad? Déjalo, al pobre.»

—Al fin y al cabo siempre nos quedarán las unidades de defensa de Asia Menor—dije—. ¿Qué pasa con las unidades de defensa de Asia Menor?

—¡Ahora hablas como un hombre, *aşk olsun*! ¡Muy bien dicho! Las unidades de defensa son las que van a devolvernos el entusiasmo, joven, y las que van a decretar la movilización general. Y acudiremos todos: viejos, jóvenes, niños, mujeres. ¡Ya lo verás! Lo vamos a dar todo por nuestras familias y por la libertad. Ha llegado la hora del deber...

Habría querido decirle: «Sí que ha llegado, viejo, sí que ha llegado la hora del deber, pero esos malditos la han desperdiciado. Nos han arruinado mil y una traiciones, los intereses de los grandes, los pasos en falso de nuestros políticos, los malos comienzos y peores finales…» Habría querido decirle muchas cosas. Me acordé de Drosakis. Se había metido enterito en mi piel. Pero me contuve. El viejecillo ya había vuelto a su mundo.

—Yo tengo fe—dijo golpeándose fervorosamente el pecho—. ¡Yo creo en Dios! El Todopoderoso no puede renegar de la fe. No puede. ¿Lo entiendes? Esta mañana mi esposa me suplicaba que no abriera la tienda. «¿Adónde vas, Tasos?», lloriqueaba. «¿Por qué no coges a tu familia y te nos llevas a ver si encuentras un barco que nos cruce a las islas antes de que llegue la guerrilla y nos mate? Yo ya lo tengo todo listo. Cogemos a los niños y nos vamos.» «Venga, vieja, venga, que estás cagada tú también. ¿Adónde iremos a parar con este miedo? ¿Por qué no enciendes la lumbre y haces un poco de sémola y dejas de escuchar las memeces de unos y otros? ¡Y en cuanto a la barbería, claro que la voy a abrir! ¡Que lo sepas! ¡La voy a abrir! ¿Es que acaso se va a quedar la gente sin afeitar y sin cortarse el pelo?» ¿Tú qué dices, soldado? ¿No tengo razón? En momentos así lo que se necesita es arrojo. ¿De qué sirve el miedo? Sólo para morirte antes de hora. Yo voy a acabar con el miedo en este barrio. El de los ultramarinos se acabará diciendo: «Si abre el barbero, eso quiere decir que yo también puedo abrir.» Y, ya lo verás, se van a animar todos: el corredor de comercio, el del café, el droguero. ¿O no?

Lo debía de estar mirando de un modo raro porque se paró sorprendido. Pero reemprendió en seguida el hilo por miedo quizá a que le volviera a decir alguna inconveniencia.

—¿Por qué me miras así?—preguntó—. Aunque te

286

parezca un pobre miserable, yo he disfrutado de la vida a manos llenas. Y ahora soy un viejo, pero que sepas que la libertad en Asia Menor todavía es una chiquilla. Apenas ha empezado a andar. No ha cumplido ni cuatro años. No se nos puede morir ahora, no se nos debe morir. ¿Cómo la vamos a enterrar ahora? No lo soportaríamos. Mejor que nos entierren antes a nosotros...

Al señor Tasos se le llenaron los ojos de lágrimas. Con tanto hablar me había dejado con la mitad de la mejilla sin afeitar y no había manera de que se callara. Enjuto y patizambo, temblequeaba todo él con los respingos que daba de puro nervio.

—Yo lo he dado todo por esta libertad, lo que tenía y lo que no tenía. ¡Ay, hijo mío, cómo me acuerdo de aquella bendita mañana de mayo en que atracó en el puerto el transatlántico *Patrís* y desembarcaron los evzones,[20] con la armada detrás y el pabellón nacional ondeando al viento! ¡Ay, Señor, Señor! ¿Cómo no iba a hacerlo? Corrí a casa, abrí aprisa el cajón en el que tenía el dinero guardado bajo llave, cogí los títulos de propiedad de la casa y todo el dinero de las propinas que había estado ahorrando céntimo a céntimo. ¡Sesenta años de trabajo! Mi mujer era una hormiguita llevando la casa. Y eso que tuvimos seis hijos, dos hembras y cuatro varones. Bueno, pues lo cojo todo tal cual y me voy derechito a ver al gobernador griego. «Aquí tiene», le dije, «esto lo doy para el ejército griego, nuestro libertador. Dígales que se lo manda el barbero Tasos Kasambalís...» El comandante, bendito sea, me dio una palmadita en la es-

[20] Soldados griegos en uniforme tradicional. (*N. del T.*)

palda y me dio las gracias, pero no lo aceptó. Me debió de tomar por loco. Pero yo insistí e hice lo imposible para que lo aceptaran, hasta que al final se lo quedó el hospital militar y acabó sirviendo para algo.

»A mi mujer le dio un soponcio cuando se enteró. «¿Te has vuelto loco? Pero ¿qué tontería has hecho? ¿No has pensado ni por un instante en nuestra vejez ni en tus hijas? ¿No te has parado a pensar en nada?» «En todo, mujer, he pensado en todo, lo he puesto todo en la balanza. A ti, a mí, a nuestros hijos, a nuestros nietos y todo el oro del mundo. Pero la balanza se ha decantado por la libertad…»

Los dos intentábamos contener las lágrimas. Justo en ese momento hizo su aparición jadeando el nieto del tío Tasos.

—Abuelito—gritó el chaval con voz temblorosa—. ¡Que se va la armada!

—¿Qué armada, tontaina?

—¡La armada griega!

—¿La griega?

—¡La griega!

—¡Toma, malandrín! ¡Toma! ¡Toma!

Y le soltó tres cachetes en los morros. El chaval se puso colorado. Se le llenaron los ojos de lágrimas, pero se contuvo. Disculpando la cólera de su abuelo, insistió, exaltado:

—¡Abuelo, que no te miento, que se va, de verdad, se va, se va!

Y rompió a llorar.

El viejo cogió al nieto de la mano y salió a la calle tirando de él. Me quedé mirándole. Su cuerpo enjuto, con sus retorcidas piernas artríticas, se balanceaba como una chalupa en medio del temporal. Se me rompió el corazón, como si aquel viejo fuera la única persona del mundo que en aquel momento se sentía desgraciada y desconcertada.

Cogí la navaja e intenté acabar de afeitarme. Si de verdad se está yendo la armada, eso quiere decir que en cualquier momento... en cualquier momento pueden llegar los turcos. Si por lo menos... Pero ¿qué estoy diciendo? Si lo sé muy bien, que todo se ha acabado, si sé perfectamente lo que ha ocurrido. ¿A qué espero? ¿Qué estoy esperando? ¿Qué cabe esperar? ¿Me oyes o no me oyes lo que te digo, soldado Axiotis, voluntario del ejército griego, combatiente de Afyon Karahisar? ¡Todo se ha acabado! ¡Todo!

Eché a correr hasta el muelle. En aquel momento la armada estaba levando anclas. Las chimeneas escupían un humo negro. La gente que estaba en el Malecón se había quedado de piedra. No respiraban, no decían nada, no vivían. Parecían las estelas de piedra de los cementerios, una detrás de otra... Pero ¡qué os estoy contando si sólo quien haya enterrado al fruto de sus entrañas y haya oído el chirriar del féretro al entrar en la tumba, sólo ése podrá saber lo que fue para nosotros aquel momento!

Luego ocurrió algo tan ruin que nos hizo recobrar el conocimiento. ¡Un buque de guerra francés, el *Waldeck-Rousseau*, empezó a tocar nuestro himno nacional! ¡Los aliados, tal como exigían las ordenanzas y el protocolo, saludaban al buque insignia griego que se hacía a la mar!

Semejante afrenta desató la rabia. Aquellos fósiles petrificados de dolor volvieron a la vida y echaron a correr con la violencia de una torrentera.

—¡A casa del gobernador Steriadis!

—¡Nos las va a pagar!

—¡Que nos explique por qué no nos deja marchar-
nos! ¡Lo único que ha hecho es darnos pasaportes y vi-
sados!

—¡Armas! ¡Queremos armas para defendernos!

Se oyó una voz y luego muchas otras que decían:

—¡Steriadis se ha fugado!

—¿Que se ha fugado? ¡Pues que se vaya al infierno!

—¡Lo han salvado los ingleses! ¡Le han ayudado a
huir!

Nos paramos para asimilar aquella nueva noticia. Y
entonces estalló, sin norte, la ira colectiva. Corrimos a
derecha e izquierda como en pos de un sueño inalcanza-
ble, gesticulando, ciegos de ira.

—¡Malditos! ¡Ojalá no hubierais venido nunca!

—¿Por qué? ¿Por qué no nos han dejado embarcar?

—¿Qué va a ser de nosotros?

—¡Lo que tienen es miedo de que vayamos a Atenas
a limpiar el país del estiércol de esa panda de traidores!

Cuando cayó la noche, la calma volvió al muelle. Todo el mundo había encontrado cobijo y estaba a la espera de los acontecimientos. Sólo el miedo se paseaba por
aquellas calles oscuras como un sereno que presagiaba el
más terrible de los amaneceres que los griegos hayan conocido...

XVII

Encontré a los míos en la estación de Kemer, en los barracones que había abandonado el ejército griego. Fue un encuentro amargo, sin la frescura de una emoción. Medias palabras, taciturnas. Me llevé a mi madre a un rincón y le pregunté:

—Madre, ¿cuántos cuartos lleva encima?

—¿Cuartos?—preguntó sorprendida—. ¿Qué cuartos? ¿Acaso te crees que nos dio tiempo a vender la cosecha? Los ahorros nos los hemos gastado. Los florines y todo el dinero contante y sonante que teníamos lo dejamos en paga y señal.

—¿En paga y señal de qué, madre?

—En paga y señal de las tierras que compró Kostas. ¿No recibiste la carta? Te lo contaba todo.

Al verme cerrar los ojos con desesperación, como si me clavaran un puñal en el corazón, se dio cuenta de que yo no tenía ni idea de aquello y de que había metido la pata contándomelo en ese momento. Le entró el desasosiego, se quedó pálida, tenía miedo de que nos enzarzáramos como cuando lo de la herencia.

—Kostas no tiene la culpa—se apresuró a decir—. Lo hizo por el bien de todos nosotros. Era una verdadera ganga. De verdad, hijo mío. Se lo quedó de balde. Es la finca del señor Thódoros, el tendero. ¡Y ya sabes lo trabajador que es! Cuando veas la casa te vas a quedar de piedra. Y ni te cuento pasar allí un verano tomando la fresca…

Aquello acabó de hundirme. Adiós a mis planes de pasar en barca a las islas. Me empecé a morder nerviosamente los labios y a encender un cigarrillo tras otro y a paseármelos por la boca. Mi hermano Kostas ni se acercó. Estaba charlando con otros del pueblo y decía:

—Los más listos han sido los que se han quedado en sus tierras. Por voluntad propia o porque no se han enterado de nada, no lo sé. En todo caso, ésos han salido mejor parados que nosotros. ¡Imaginaos si nos tenemos que quedar aquí una docena de días más! Es la ruina…

Los que le escuchaban asintieron sin más. ¡Pero qué demonios! ¿Es que no entendían nada? El mal hacía retumbar puertas y ventanas y se cernía sobre sus cabezas y sobre sus almas. ¿Estaban ciegos o qué? ¿O es que el miedo les impedía ver las desgracias que les amenazaban? Ni siquiera mi madre se atrevía a preguntarme por Stamatis, que si tenía noticias de él. De pronto me invadió la desesperanza y la angustia por saber lo que habría sido de mi hermano pequeño. Me acordé de las palabras premonitorias que pronunció cuando llamaron a filas a su quinta: «Esta vez, Manolis, no me libro. Ya lo verás. A la tercera va la vencida…»

Me senté en un escalón, cerré los ojos y me froté la frente con la palma de la mano para obligarme a pensar, a sopesarlo todo y actuar en consecuencia. Mi madre se me acercó tímidamente, me puso la mano en el hombro y me preguntó, inquieta:

—¿Qué te pasa, hijo mío? ¿Qué te preocupa? ¿Crees que vamos a tener más problemas? ¿Qué piensas?

—¿A usted qué le parece, madre? ¡Pues claro! Dentro de unas horas los turcos estarán en Esmirna. A ver si se enteran.

—¡Dios mío!—dijo santiguándose—. Dios nos libre, hijo mío... ¿Es posible?

Mi pobre hermana, que tras dos intentos acababa de encontrar un nuevo novio, nos miró angustiada y murmuró quejumbrosa:

—¡Otra vez me voy a quedar sin casarme!

Me volví hacia mi futuro cuñado, que se estaba bebiendo un café al tiempo que se mesaba los bigotes.

—Nikolas—le dije—. ¿Qué haces que no te vas? ¿Ya no te acuerdas de cuántos turcos te has cargado? ¡Por lo que más quieras, lárgate corriendo! ¡No hay tiempo que perder! ¡En cualquier momento puede llegar Pehlivan con los suyos!

—¡Bah!—dijo Nikolas con desdén—. ¡Exageras!

Mi madre se enojó.

—Y tú que tanto aconsejas a los demás—me dijo—, ¿qué piensas hacer?

—¡Yo me iré a veranear a la finca que habéis comprado, a tomar la fresca!

Se le llenaron los ojos de lágrimas, se le marcaron las arrugas en aquel rostro atormentado. En seguida me arrepentí de mi brusquedad.

—Madre—le dije—, tal como están las cosas, digo yo que mejor que me quede con ustedes. Porque puede ser que los turcos consideren criminales de guerra a los desertores y no les dejen volver a Asia Menor.

—Hijo mío, te estás comportando como un niño. ¡Si realmente piensas que estamos a merced de los guerrilleros turcos, más vale que huyas!

—¿Y qué quiere que vaya a hacer a Grecia con las manos vacías? ¿Mendigar?

—¡Hijo mío, mejor mendigo que…, pero no quiero llamar a la mala suerte! ¡No he dicho nada! ¡Señor, líbranos de decir insensateces! ¡Apiádate de nosotros!

Y se echó a llorar en silencio.

—¡Me angustia no saber nada de Stamatis! ¿Dónde estará mi niño, que todavía no ha vuelto? A lo mejor ha logrado huir con la armada griega.

Se enjugó los ojos. Se levantó con prudencia. Abrió un hatillo y sacó ceremoniosamente el traje azul que me había hecho en Esmirna para la pedida de mano de Katina y que no había llegado a ponerme. Lo sacudió con suavidad como si lo acariciara y sopló las solapas.

—¿Por qué no te cambias?—me dijo—. Venga, cámbiate, que no vean que eres militar.

Me vestí de civil y me sentí como si volviera a nacer.

—Levantaos y vámonos al muelle—dije—. Es lo mejor que podemos hacer. Allí están las flotas extranjeras. Ellas nos protegerán.

Encontramos un rincón en el Malecón justo enfrente de los buques de guerra y pasamos allí la noche, tiritando de frío y de angustia. Al amanecer desembarcaron unas patrullas inglesas a recoger a los miles de hombres, mujeres y niños que allí estábamos. Nos metieron en unas sesenta barcazas que había en el puerto y nos remolcaron hasta sus navíos.

Esta inesperada suerte nos pareció una señal del cielo. La seguridad conjuró la angustia, se sosegaron los ánimos y nos volvimos espléndidos. Empezamos a pensar qué habría sido de la gente en el interior del país. Los niños jugaban y perseguían a un gato entre los sacos de higos y uvas pasas. Afrula, una guapa esmirniota huérfana que estaba con su abuela, se instaló junto a nosotros y lo primero que hizo fue sacar un espejito y empezar a peinarse los rizos.

Entre una cosa y otra se nos pasó en seguida el tiempo. El sol estaba a punto de ponerse y pintó el cielo de rosa. Los transbordadores a vapor de Kordeli iban y venían casi vacíos revolviendo el agua con sus paletas. La brisa traía el frescor y el olor del mar. Antes, a esta hora, el Malecón se llenaba de vida: canciones, paseos, jarritas de anís. Ahora, en cambio, la gente pasaba apresurada, como si la persiguieran.

Un tendero empezó a insultar a los francolevantinos:

—Ésos han visto el cielo abierto. Ricos o pobres, da igual, todos querían nuestra ruina. Yo tenía clientes en todos los consulados extranjeros y conozco muy bien sus mañas. Antes de que el ejército griego pusiera el pie en Asia Menor, ellos ya habían pedido a su gobiernos y a sus Parises que abortaran la ocupación griega. ¡Misioneros norteamericanos, curas católicos, espías italianos, comerciantes, banqueros, todos contra nosotros!

—¡Sólo piensan en sus intereses! El pez grande siempre se come al chico. ¿Es que no lo sabías?—le contestó un marinero.

El tendero negó con la cabeza:

—El odio que nos tenían los levantinos no nos lo tenían ni los turcos...

De pronto se metió en la conversación una panadera de mediana edad, prima del marinero.

—Hace unos días—dijo—, al enterarse de que se había hundido el frente, vino ese memo que tiene por hijo Monsieur Giorgio y nos dejó un fez colgado del pomo de la puerta, y mi hijo Thalís, al verlo, fue y le dio una paliza que lo dejó tieso. Y entonces fue y se metió por medio la católica de su madre: «¡Que ha llegado vuestra hora! ¡Que no va a quedar ni rastro de griegos en Esmirna!», gritaba feliz. En un decir Jesús se revolucionó todo el pueblo de Keratojori. Las griegas perseguían a las italianas con tenedores: «¡Me cago en tus Inmaculadas!», les gritaban. «¡Y en tus santos de yeso!» Y las italianas respondían insultando a nuestros iconos: «¡Y yo en tus estampas y en tus clerizánganos!»

Al caer la noche se hizo el silencio. La gente, asustada, se acurrucaba, unos contra otros, roncando o hablando en voz baja. Mi madre me tapó con un edredón de funda recién planchada que olía a jabón y a agua de mi tierra. A mi lado había una pareja que no paraba de dar vueltas y más vueltas encima de las tablas. Llevaban atados al cuerpo unos cinturones llenos de diamantes y de libras de oro.

—Maritsa—dijo él—, me da que no has cerrado bien las puertas de casa.

—¡Ay, pobre Themistoklís mío! ¡Claro que las he cerrado bien! ¿No te lo he dicho ya? Acabaremos peleándonos.

—¿Y la ventana de la cocina, en la que quedaba una rendija abierta? ¿La has cerrado bien? Porque por ahí cabe una mano…

¡Todo el mundo echaba la llave a sus casas y a sus pertenencias! Oí a mi derecha que la abuela de Afrula pedía una taza con agua para poner su dentadura. Pero la nieta tenía cosas más importantes que hacer con un chavalillo que había acercado su jergón al de ella.

—¡Señor!—le pidió la abuela a Dios de rodillas—. ¡Concédele un día de paz a nuestra ciudad de Esmirna!

Al día siguiente nos despertaron los relinchos y el trote de caballos. Nos levantamos de golpe y abrimos los ojos. La caballería turca se paseaba ufana por el Malecón. Nadie dijo ni pío. Hasta los bebés enmudecieron. Sólo se oyó una voz muy aguda de niño preguntar:

—¿Qué nos van a hacer los turcos?

¿Qué nos van a hacer los turcos? Ésa era la angustia de todo el mundo, pero nadie lo decía. En algunos balcones se oyeron vítores de levantinos y débiles aplausos. Cuando acabó el desfile, hubo un silencio fúnebre. Nuestra barcaza era la última de las sesenta y la más cercana a tierra. Al cabo de un rato se oyó a un pregonero.

—Oye, ¿qué dice?

—Dice que salga la gente y vaya a trabajar sin miedo. Que a nadie le va a pasar nada.

—A lo mejor con la victoria se apaciguan—dijo mi madre.

—Las grandes potencias han dado orden de que no se les toque un pelo a los cristianos.

—Es verdad. Ya está bien de sangre. ¿O es que vamos a tener que vérnoslas otra vez con los jenízaros?

—¡Mirad todas esas flotas, todos esos buques! ¡No van a estar ahí sólo para hacer bonito!

Se me acercó mi hermano Kostas, pavoneándose y con la sonrisa de oreja a oreja, y me dijo, socarrón:

—¿Y ahora, Manolakis, qué opinas de la finca que he comprado? ¿He hecho bien o piensas que me he dejado enredar por el tío Thódoros?

Estaba tan contento que le habría perdonado mil sandeces y mil socarronerías más. Todos en la barcaza nos hicimos amigos. Sacamos cuantos comestibles teníamos: salazones, huevos, conservas. Y empezamos con las invitaciones y las ceremonias.

Pero de repente, en medio de aquella alegría general, se oyó una voz y luego muchas más:

—¡Fuego!

—¡Fuego!

—¡Han prendido fuego a Esmirna!

Nos levantamos de golpe. Llamas rojinegras danzaban en el cielo.

—Es en el barrio armenio.

—Sí, parece que es por allí.

—¡Otra vez la van a pagar los armenios!

—No pueden incendiar toda Esmirna. ¿De qué les serviría? Si ya es suya...

¿Y de qué nos servía a nosotros quemarles los pueblos cuando se retiraban?

El fuego se propagaba por todas partes. El cielo se cubrió de humo. Gente, a centenares, a millares, surgía de calles y pórticos corriendo despavorida hacia el mar como un inmenso torrente negro.

—¡Están degollando a la gente! ¡Están degollando a la gente!

—¡Virgen Santa, apiádate de nosotros!

—¡Socorro!

—¡Ayudadnos!

La masa de gente se hace cada vez más densa, ya no se distingue a nadie, es un torrente negro que se mueve desesperadamente de aquí para allá, sin poder detenerse ni poder avanzar. ¡Delante, el mar y, detrás, el fuego y las matanzas! Llega un estruendo del interior de la ciudad y cunde el pánico.

—¡Los turcos!

—¡Los guerrilleros!

—¡Que nos degüellan!

—¡Piedad!

El mar ya no es obstáculo. Saltan y se ahogan a millares. Los cuerpos cubren las aguas como si de un muelle más se tratara. Las calles se llenan de gente y se vacían y se vuelven a llenar. Jóvenes, viejos, mujeres y niños se pisotean, se empujan, pierden el conocimiento, exhalan el último suspiro enloquecidos por los alfanjes, por las bayonetas, por los fusiles de los guerrilleros.

—*Vur keratalara!* (¡Duro con esos cabrones!)

Por la noche la salmodia llega al paroxismo. Prosiguen las matanzas. Sólo cuando los barcos encienden los proyectores se calma todo un instante. Algunos de los que han conseguido llegar con vida hasta nuestra barcaza nos cuentan lo que está ocurriendo. Los guerrilleros de Pehlivan y los soldados de Nureddin están comiendo carne humana. Irrumpen y saquean casas y tiendas. A la gente que encuentran viva la sacan afuera y la torturan. Están crucificando a popes en las iglesias y deshonrando en los altares a chicas y chicos moribundos. Desde Ayios Konstandinos y Tarağaç hasta Balçova están pasando a cuchillo a toda la población.

Durante la noche el fuego acaba de devastarlo todo. Se derrumban paredes, saltan los cristales en mil pedazos. Las llamas roen vigas y muebles y retuercen el hierro, arrasan toda la ciudad, se apoderan de toda obra humana y la destruyen: casas, fábricas, escuelas, iglesias, museos, hospitales, bibliotecas, teatros, fabulosos tesoros, esfuerzo y trabajo de siglos. Desaparecen dejando tras de sí humo y cenizas.

¡Ay, nuestro mundo se hunde! ¡Se hunde Esmirna! ¡Se hunden nuestras vidas! Nuestras almas, espantadas como pajarillos, no saben dónde hallar refugio. El miedo, ese monstruo despiadado que todo lo destruye, ha asido con sus garras a aquella muchedumbre y la ha hecho enloquecer. El miedo es peor que la muerte. No se tiene miedo a la muerte, se tiene miedo al miedo. El miedo es ahora el que da las órdenes y pisotea a la gente, penetrando en ti hasta ajarte el corazón. Cuando el miedo te ordena: «¡Arrodíllate, infiel!», tú te arrodillas; «¡desnúdate!», tú te desnudas; «¡abre las piernas!», tú las abres; «¡baila!», tú bailas; «¡escúpele a tu honra y a tu patria!», tú escupes; «¡reniega de tu fe!», tú reniegas. ¡Dios, el miedo! Se hable la lengua que se hable, nunca se hallarán palabras suficientes para describirlo.

¿Y qué hacían a todo esto nuestros valedores? ¿Qué hacían los almirantes de dorados galones, los diplomáticos y los cónsules de la Entente? ¡Instalar cámaras de cine en sus barcos y rodar cómo nos mataban y nos exterminaban! A bordo, en sus buques, bandas musicales tocaban marchas militares y canciones bullangueras para que los gritos de dolor y las súplicas de la gente no llegaran hasta los oídos de la tripulación. ¡Y pensar que sólo uno, sólo un cañonazo, una simple orden habría bastado para dispersar a aquella horda enfurecida! ¡Pero ni abrieron fuego, ni dieron la orden!

El padre Sergios fue uno de los últimos que lograron subir con vida a nuestra barcaza. Sin bonete ni sotana, desnudo, con una camiseta harapienta y ensangrentada y un calzón largo, suelto el pelo ralo y las barbas en desorden, con los ojos hinchados de fiebre, parecía una criatura de otro mundo. Por sus palabras y su comportamiento comprendimos que toda su familia se había ahogado intentando subir a un barco de guerra norteamericano. ¡El viejo no lo resistió y se volvió loco! Igual se quedaba tranquilamente sentado, serio y sin hablar, que se levantaba de golpe gesticulando y gritando con ampulosidad a voz en grito:

—¡Mis hijos, cinco! ¡Y mi mujer, seis! ¡Y mi cuñada, siete! ¡Las siete estrellas del Apocalipsis! ¡Siete diablos azotándoos en el infierno, asesinos! ¡Asesinos! ¡Asesinos!

Se tiraba al suelo presa de convulsiones, revolcándose y pegando gritos inarticulados y maldiciendo mientras agitaba pies y manos hacia el barco norteamericano.

—¡Nos habéis sacudido de la escalerilla como se sacuden las migas de un mantel! ¡Las migajas! ¡Somos las migajas! ¡Menudo hartón se van a dar las aves del cielo! ¡Ay de la humanidad!

Al verlo, los niños que estaban en la barcaza, empezaron a gritar:

—¡Está loco! ¡Está loco!

Cogían sitio alrededor y esperaban a que gritara como se espera a que salga el cuco de un reloj para saltar de alegría.

Me fui hasta el fondo de la barcaza y me senté en un rincón. El mar, agitado, movía de aquí para allá como si los acunara los cuerpecillos hinchados de dos niños: «¡Dormíos, que la tierra ya no quiere niños!» Las cabecillas daban una y otra vez contra el casco del crucero inglés: «¡Abrid! ¿Es que no nos veis? ¿Es que no nos oís?» ¡No nos ven! ¡No nos oyen!

Un sordo susurro recorrió las barcazas. Llegó un oficial inglés de inspección con su escolta.

—¿Qué quiere el almirante?

—¿A qué viene?

—Preguntádselo...

—Decidle que...

A todos nos acuciaba alguna pregunta, alguna queja, alguna súplica. A todos nos reconcomía la angustia de saber lo que nos esperaba.

—Que nos diga lo que va a ser de nosotros.

El intérprete nos contestó diciendo:

—Eso es lo que quiere saber él también. ¿Adónde queréis ir?

—¡Lejos de estas matanzas! ¿Y todavía lo pregunta?—gritaron todos a una.

Hubo unos que cogieron al intérprete de la chaqueta.

—¡Oye! Dile que nos lleve a Samos, a Quíos, a Mitilene. A ver si podemos volver en cuanto pase todo esto...

—Bien—dijeron al irse.

Al anochecer los turcos dispararon varias veces en dirección a las barcazas. Hubo varios heridos y dos muertos. No pegamos ojo en toda la noche.

—¡Oye, algo pasa, aquí ha cambiado algo!

Al amanecer llegaron unos remolcadores a llevarse las barcazas. No tardamos en darnos cuenta de que los remolcadores no eran ingleses, sino turcos.

—¡Los remolcadores están llenos de turcos!—se oyó gritar.

—¿Turcos?

—¡Turcos!

—¡Nos llevan al matadero!

—¡Pegadles un grito a los barcos aliados! ¡Los turcos! ¡Los turcos!

Las madres buscaban a sus hijos y los cogían en brazos sollozando. A los niños les dio un arrebato. Temblaban, chillaban. Los hombres corrían sin rumbo de acá para allá. Deshacían y ataban hatillos, hacían esfuerzos por pensar en algo.

—¡Nos han traicionado!

—¡Nos han vendido!

—¡Malditos!

—¡Almirante! ¿Qué hace?

—¡Almirante! ¡Sálvenos!

—¡Por el amor de Dios! ¡No nos abandonéis! ¡Que tenemos a nuestros hijos con nosotros! ¡Que hay viejos y chicas jóvenes!

—¡Es responsabilidad vuestra!

—¡Almirante! ¡Almiranteee!

Los remolcadores turcos proseguían su rumbo. Cundió el pánico y miles de personas se tiraron al agua sin más ni más. El mar se vistió de negro. Unos se cogían del pelo o del cuello de otros y se ahogaban. Se agarraban de los buques de guerra para salvarse y recibían a cambio agua hirviendo y garrotazos con bicheros y palos de madera. Los que no perdimos la sangre fría y nos quedamos en las barcazas dispuestos a plantarle cara al destino teníamos más fe en la crueldad de los turcos que en la piedad de los aliados.

Un oficial turco dio la orden de que amarraran las barcazas a tierra y montaran guardia alrededor. Cada dos o tres horas irrumpían arrogantes los zeybekos con sus cintos colorados cargados de pistolas y alfanjes, y se llevaban consigo a la flor de la juventud.

—¡Tú! ¡Tú! ¡Y tú!

Cogían con sus manazas a los chicos más apetecibles y a las más guapas muchachas, se los llevaban detrás de la aduana, los violaban y luego los ejecutaban. Eso le ocurrió a Afrula. Y a Rea, una colegiala de catorce añitos. La abuela de Afrula, afortunada ella, fue ver que se llevaban a la chica y quedarse tiesa allí mismo. Pero la madre de Rea echó a correr detrás de ellos sollozando y arañándose las mejillas:

—¡Dejad a mi hija! ¡Cogedme a mí!

Con los dedos ensangrentados se cogió la blusa y se la desgarró.

—¡Mirad!—gritó enseñándoles el pecho como si fuera una promesa—. ¡Cogedme a mí! ¡A ella no! ¡Hija mía, Rea mía!

Ya nadie estaba en condiciones de sentir emoción alguna por la suerte de su vecino. Tres días con sus noches nos tuvieron los turcos en las barcazas y durante esos tres días con sus noches no dejamos de jugar al escondite con la muerte. Me puse de acuerdo con un paisano mío para montar guardia de noche y que no se nos pasara por alto ningún movimiento de los turcos. Cada vez que registraban un sitio, nosotros nos escondíamos para que no nos vieran.

Al cuarto día apareció un oficial que dijo:

—¡Fuera de las barcazas! ¡Todo el mundo a tierra!

En cuanto echamos pie a tierra, apretamos a correr. Cada nuevo traslado parecía abrigar una nueva esperanza.

—¡Al cementerio! ¡Vamos al cementerio! ¡Que los turcos no ponen los pies allí, que les da miedo!

Fuimos hasta el cementerio, pero allí no cabía un alfiler. Otros habían llegado antes que nosotros y habían cogido los mejores sitios. Los vivos habían sacado a los muertos de las tumbas, descompuestos y sin descomponer, y habían metido allí los colchones y a los niños. Las mujeres parían antes de hora. Había corrido la voz por los barrios de los alrededores de que la que estuviera a punto de parir que se fuera al cementerio, que allí había médicos. ¡Y las viejas les ponían a hervir agua a las comadronas con huesos de muerto por toda leña!

—Éste no es lugar para nosotros—dijo mi hermana, y todos estuvimos de acuerdo.

Con gran fatiga echamos de nuevo a andar. Encima de una lápida vimos a una mujer tumbada boca abajo dando puñetazos contra el mármol y gritándole a su marido:

—¡Vrasidas! ¿Dónde estás, que no ves lo que le han hecho a tu hija? ¡A tu casta hija, Vrasidas! ¡Que la han deshonrado! ¡Toda una tropa…, una horda ha pasado por encima de ella! ¡Vrasidas, levanta! ¡Resucita! ¡Haz el favor, ven a ayudarnos! ¡Vrasidas!

Nos marchamos de allí. Estuvimos buscando por toda la Punta un rincón donde quedarnos. Pero, entráramos donde entráramos, colegios, iglesias, fábricas, almacenes o en cualquier descampado, por todas partes había miles de refugiados esperando a ver lo que iba a ser de ellos. ¡Y contrabandistas turcos y judíos que vendían el agua a tragos y el aceite a gotas y escarapelas con la imagen de Kemal y banderolas y brazaletes con la media luna!

—¡Coged una si os queréis salvar!

En una fábrica encontramos a unos paisanos y amigos que nos hicieron un sitio. Estábamos exhaustos. Si nos hubiéramos dormido, no nos habríamos vuelto a despertar. Pero tumbarse a descansar y volver a abrir los ojos todo fue uno: en medio de la noche retumbaban al derrumbarse las paredes de las casas incendiadas y de vez en cuando rompían el silencio salvas y disparos…

—¡Eso son ejecuciones!—nos decían temblando los que llevaban allí más tiempo.

—Ayer noche entraron los turcos en el almacén de enfrente a llevarse… —empezó a contar nuestro paisano, el tío Kostas—. Dimitrakis y María, los niños de Andonis Mántzaris, en cuanto oyeron que venían los turcos, se acordaron de cómo habían matado a su padre y se asustaron tanto que se escondieron debajo de una pila de carbón. Su madre había salido afuera a hacer sus necesidades y, cuando oyó que estaban allí los turcos, echó a correr para dentro a proteger a sus hijos. Los estuvo buscando por todas partes y se echó a temblar. Ellos la estaban viendo y oyendo perfectamente desde su escondite, pero, todo el rato que estuvieron allí los turcos, no dijeron esta boca es mía. Y la pobre madre perdió la razón, corriendo y buscando por todas partes, gritando y dándose cachetes: «¡Mis hijos! ¿No habréis visto a mis hijos, por el amor de Dios? ¡Ay, que se me los han llevado! ¡Me quiero morir!» ¡Y echó a correr hasta el mar, se tiró y se ahogó! A los niños, cuando salieron de debajo del carbón, no les quedó más que llorar por su madre y penar con su orfandad…

Pasamos la noche en vela. Algunos que salían afuera a hacer sus necesidades volvían atemorizados.

—¡Va a pasar algo! El ejército está ahí fuera. ¡Igual nos echan de aquí! ¡A saber!

Por la mañana entraron varios soldados en la fábrica y se llevaron a todos los hombres. Orden de Nureddin Pachá, por lo visto: que detuvieran a todos los hombres entre dieciocho y cuarenta y cinco años para que reconstruyeran todo lo que habían destruido y que los demás, junto con las mujeres y los niños, se fueran en barco.

—¡Y que no quede ni un griego en estas tierras!

Hubo madres que negaron que su chico tuviera dieciocho años. Otras, que su marido tuviera menos de cincuenta. Lloraban, se lastimaban a sí mismas. Mi madre, incapaz de llorar, se quedó petrificada, con los brazos colgando. Kostas y yo nos agachamos a darle un beso, como cuando besas a alguien que sabes que no volverás a ver…

—Madre—le dije—, no tenga miedo. Que volveremos…

Le vi un brillo furibundo en los ojos. Le temblaba el labio. Kostas se echó a llorar. Como si supiera que no iba a volver, como no volvió nuestro Stamatis…

—¡Adiós, madre!

XVIII

Formamos una columna, dos mil hombres, y echamos a andar hacia el cautiverio. Sin pasar lista siquiera, nos entregaron al destacamento que nos tenía que llevar a Magnesia. Nosotros suponíamos que nos matarían en cuanto saliéramos de la ciudad. Pero las desgracias empezaron en las mismas calles de Esmirna. En cuanto nos pusimos en marcha, una muchedumbre enfurecida, sedienta de venganza, se abalanzó sobre nosotros con palos, piedras y barras de hierro.

—*Vur, vur keratalara!* (¡Duro con esos cabrones!)

De los balcones caían botellas y orinales con excrementos. Antes de que llegáramos a Basma Hane ya habían caído muertos cincuenta hombres. A los heridos los sacaban a rastras de la fila los propios guardianes diciéndoles con sorna:

—¡Ay! ¡Ay, pobrecillos! Venga, que os vamos a llevar al hospital…

Y los mataban. Los que conseguimos salir con vida de Esmirna nos apresuramos a dar gracias a Dios. Demasiado pronto. Cosas peores se nos avecinaban. En los pueblos turcos, así que se enteraban de nuestra presencia, bajaban hasta la carretera a pedir venganza, gritando como locos:

—¡A mí me han matado a mi hijo!

—¡Y a mí a mi mujer!

—¡Y a mí me han quemado la casa!

En nuestra cuadrilla cogieron a Lísandros, maestro de la región del mar Negro, le abrieron el vientre de un navajazo y le hicieron caminar sujetándose las tripas con las manos. Lo delató un viejo, un viejo con unos ojos tan legañosos que no se sabía si estaban abiertos o cerrados.

—¡Ése es! ¡Ése!—dijo señalándole con el dedo.

Dos guerrilleros se abalanzaron sobre él.

—¡No, no soy yo! ¡No puedo ser yo!—gritó Lísandros, que no conocía al viejo ni sabía de qué le acusaba.

Los guerrilleros se ensañaron con él como se ensaña uno con un leño que no quiere partirse.

—¡Cabrón, infiel, tú eres el que nos has quemado la casa!

—Estáis cometiendo un error. No fui yo. Yo no he estado nunca aquí. Nunca... Nun... ca...

Y le abrieron el vientre de un navajazo. El turco le agarró las tripas con la mano y le dijo:

—¡Aquí tienes lo que te mereces! ¡Anda! ¿Me oyes? ¡Que andes!

Lo cogió por el cuello de la chaqueta y lo puso de pie. Lísandros resbalaba en el suelo como una bayeta. Sólo acertó a dar unos pocos pasos y se murió.

—¡Dios, Dios, Dios!—rompió a llorar Aristos, el herrero, que estaba junto a Lísandros—. ¡Dios, Dios, Dios! ¡Ha sido un error!

No teníamos fuerzas para opinar. Teníamos la boca seca como un estropajo. La sed nos quemaba las entrañas. ¡Sed y calor, una sed atroz! Estuvimos andando tres días sin una sola gota de agua. Cruzamos ríos y pasamos por manantiales, fuentes, norias, riachuelos y no nos dejaron ni mojarnos los labios. Al que no resistía lo mataban.

Un guardián turco se montó a caballo encima de mi hermano para cruzar el río sin mojarse y lo espoleó en la barriga con las botas, gritando y riéndose a mandíbula batiente:

—¡Arre! ¡Arre! ¡Arre! ¡Arre!

Yo veía cómo se le hinchaban las venas del cuello a mi hermano y se le ponía la cara azul y se le nublaba la vista. El pecho le subía y le bajaba. Sabía lo orgulloso y arrojado que era y esperaba con pavor el momento en que apearía a su torturador y le hincaría el diente en el gaznate hasta matarlo. ¡Pero Kostas sólo tenía sed, sólo sed y no pensaba en nada más!

—¡Maldita sea, imagínate que soy un animal! ¿Vas a dejar sin agua a un animal?

—¡Arre! ¡Arre! ¡Arre, bestia infiel!—dijo espoleándole con más saña—. Las bestias son seres inocentes y no sanguinarios como vosotros.

—¡Dios, déjame mojarme la lengua! Por el amor de Dios.

¡Pero no le dejó! ¡Y el chaval se echó a llorar!

Serían las dos de la tarde, justo en el momento de más calor, cuando nos tiraron a descansar en un polvorín que había hecho explosión. Las losas del suelo quemaban como un horno. Pocos salieron de allí dentro con vida. Hombres recios y curtidos caían al suelo y se revolcaban como sierpes malheridas gritando con desespero:

—*Su! Suuu!* (¡Agua! ¡Aguaaa!)

Y las voces enmudecían poco a poco, la boca abierta, los ojos inmóviles. ¿Habéis visto a alguien morir de sed? Pero nosotros resistimos sin volvernos locos. Nos pusieron con otros quinientos cautivos en un campamento cercado con alambradas. Al otro lado había una enorme fuente con tres caños y tres pilas y unos turcos abrevando a sus animales. Ellos también bebían, se refrescaban y nos hacían la burla. Los observamos enfurecidos. Y entonces, no sé cómo, sin ponernos siquiera de acuerdo, nos abalanzamos todos a una, agarramos las alambradas y las arrancamos de cuajo. Corrimos a la fuente entre alaridos y berridos. Llegamos a las manos por ver quién bebía primero. ¡Todo fue tan rápido! Los guardias no dispararon. Se quedaron mirando cómo nos pegábamos y nos mordíamos unos a otros.

Antes de llegar a Ahmetlí cogieron al azar a trescientos de nosotros y se los dieron a un convoy que iba para Aydın y necesitaba cautivos para reconstruir los pueblos. Entre ellos estábamos mi amigo Panos Sotíroglu y yo. A mi hermano lo pilló en el último momento su martirizador guardián.

—¡Tú quédate!—le dijo—. Que eres un buen mulo. Te necesito.

No alcanzamos a despedirnos. Lo seguí con la vista. Se perdió entre el gentío que se desparramaba como el fango por la carretera. Se los llevaban a Magnesia. Allí, durante los primeros días, ametrallaron en un barranco a cuarenta mil cautivos.

Iniciamos la marcha hacia Aydın. Los nuevos guardianes eran más mansos. Por la noche nos dejaron dormir en unos establos. Caímos como un tronco. Mientras dormíamos notamos un hálito caliente y unas manos que nos palpaban. Nos asustamos. Entreabrimos los ojos y vimos encima de nosotros unas barbas y unos turbantes y unos dientes amarillentos. Una caterva de aldeanos harapientos y miserables, con tizones y faroles en la mano, nos estaba inspeccionando la ropa y los zapatos.

—¡Desnudaos!—nos ordenaron.

Fingimos no entender lo que decían y nadie hizo ademán. Sopesamos la gravedad de aquel nuevo escarnio.

—*Çıkar!* (¡Desnudaos!)

Se pusieron nerviosos porque no les hacíamos caso y empezaron a darnos patadas en la cara, en el estómago, en las partes. Nos levantamos todos de golpe y empezamos a gritar, encorajinados, para que nos oyeran los soldados de la guarnición. Pero no apareció nadie. Debían de estar compinchados.

Al cabo de un rato llegó el oficial, vio a varios en porretas y se echó a reír y llamó a sus compañeros para que corrieran si no querían perderse el espectáculo. Nosotros nos quedamos allí, helados. Aquella nueva afrenta nos había hundido en la miseria. No sentíamos nada, ni siquiera rabia. Dejé que el oficial se hartara de reír y luego me acerqué a él y le dije:

—Con todo el respeto, *Efendim*, piense que nos van a ver desnudos sus mujeres.

Me pegó un par de bofetadas. Empecé a sangrar. Pero tuvo en cuenta mis palabras. Antes de ponernos en marcha, los aldeanos que se habían quedado con nuestra ropa nos dieron sus harapos mugrientos y llenos de piojos.

El camino era en cuesta. Algunos no lo resistieron. Teníamos los pies llenos de ampollas. Los que no pudieron ponerse en pie se quedaron allí con una bala en la cabeza. En el par de pueblos por los que pasamos, subiendo por aquella ladera, reinaba la tranquilidad. Allí la gente no había sufrido daño alguno durante la ocupación griega y nos miraba con indiferencia. En un pueblo cabeza de partido donde nos detuvimos nos abrieron paso para que bebiéramos en la fuente. Un viejo trajo un par de cestas de uvas y nos las repartió.

—Nosotros siempre nos hemos llevado bien con vosotros—dijo.

Nos sosegamos un poco. A lo mejor aquello era el final de nuestras desgracias. Pero a la vuelta del camino, unos pocos metros más allá de otro pueblo destruido, vimos a una multitud abalanzarse enfurecida sobre nosotros con barras de hierro, palos y cuchillos. Muchos de nosotros empezaron a gritar muertos de miedo:

—*Yaşasın Kemal!* (¡Viva Kemal!)

—*Kahrolsun Yunan!* (¡Maldita sea Grecia!)

—*Türk olacağım!* (¡Me voy a hacer musulmán!)

Los que así se rebajaban no recibieron menos palos que los que mantuvimos la boca cerrada. Cuando hubo pasado la tormenta, ayudé al que estaba a mi lado a vendarse la cabeza malherida.

—Sotiros, pero ¿tú te crees que te han servido de algo esos vítores?—le pregunté.

Pero no me di cuenta de que justo detrás de mí tenía plantado a uno de los guardianes. Cuando sentí su mano en el hombro, me dije que había llegado mi hora. Pero el oficial me sonrió mostrando su blanca dentadura.

—¡Muy bien dicho, griego!

Me lo miré con desconfianza. Tenía la mirada franca, unos cuarenta años y el pelo cano.

—¿De qué te extrañas?—me preguntó interrogándome al tiempo con la cabeza—. Yo he hecho la guerra, he luchado como una fiera. Pregunta por ahí quién es Havuz, ya verás. Ahora disfruto de la victoria, es verdad, pero ésa no es razón para poneros la mano encima. Yo no soy un cobarde.

Todavía resonaba en mis oídos la voz de aquel guerrillero cuando vi a un clérigo musulmán meterse como poseso entre nosotros, buscando a alguien. Buscaba a un sargento que se llamaba Stefanís. Cuando lo encontró, lo cogió del cuello de la chaqueta y lo sacó de la formación. Stefanís, todo un chicarrón, le intentó morder las manos para que lo soltara, pero lo agarraron cinco o seis soldados, le dieron una paliza y lo ataron de pies y manos como a un becerro.

El clérigo le susurró algo al oficial y desapareció. Nos ordenaron que nos pusiéramos en pie. Stefanís, atado, echaba chispas por los ojos y se debatía rugiendo e intentando morder las cuerdas. No tardó en volver a aparecer el clérigo. Traía a su hijo de la mano, un chico de unos doce años todo lo más. Le señaló a Stefanís y le dijo:

—¡Éste es el que deshonró a tu madre!

Y le dio al niño un cuchillo de carnicero.

—¡Degüéllalo!

Al niño le temblaba la mano. Parecía que en cualquier momento iba a tirar el cuchillo y se iba a echar a llorar. Pero no fue así.

—¡Degüéllalo!—gritó impaciente el clérigo.

Su hijo levantó torpemente el cuchillo, le asestó un golpe entre el cuello y la oreja y la sangre brotó como un surtidor. El niño se quedó blanco, temblando.

—*Vur!* (¡Dale!)—oímos al padre ordenarle todavía con más rabia.

Entonces aquellos bracillos empezaron a darle con más ahínco y con más fuerza. No se veía más que el cuchillo y los ojos enloquecidos del niño. Le faltaba el resuello, jadeaba.

—¡Aaaj! ¡Aaaj!

Stefanís no dijo ni ay. Se estremeció todo él y se quedó tieso. El clérigo estaba exultante, alardeando de hijo. Nosotros aprovechamos la ocasión para descansar los pies, llenos de ampollas. Mi amigo Panos se inclinó a decirme:

—¿Oye, nos vamos a quedar cruzados de brazos? ¿Y si nos escapamos?

Sus palabras me desentumecieron el cerebro. Me quedé pensando. Sí, hay que escaparse. Conocemos cada palmo de estas tierras. Pasaremos por Kırkıca y de allí bajaremos hasta el mar, hasta Çağlı, enfrente de Samos... Panos también estaba haciendo planes.

—Nos iremos ante sus propias narices y no se darán ni cuenta. Ya verás...

Me entró la impaciencia.

—Yo diría que esta noche—le susurré mirándole a los ojos.

—Bien—me contestó.

Proseguimos nuestra marcha. Por la noche nos paramos a dormir en un antiguo cuartel. En la puerta estaba de guardia un guerrillero que se puso a hablar conmigo. Esperamos a que estuvieran todos dormidos y luego nos acercamos a él, doblados con las manos en la barriga. Le dijimos que teníamos diarrea y que teníamos que salir. Dudó un momento, pero luego dijo:

—¡Venga!

En cuanto nos alejamos, Panos me cogió de la cintura con las dos manos y se inclinó sobre mí. Me incliné yo también hacia delante, de modo que de lejos parecíamos un caballo pastando. Conseguimos burlar a los centinelas y para cuando se dieron cuenta ya era demasiado tarde y nos habíamos esfumado. Los dos éramos muy zorros, sabíamos cómo movernos. Nos metimos por unos barrancos y desde allí trepamos cuesta arriba. Conocíamos bien aquella región. Aquéllas eran nuestras montañas.

La verdad es que tuvimos suerte. Sólo a la noche siguiente nos encontramos con un turco. Le preguntamos que por qué estaba todo tan solitario y que adónde se había ido la gente. Nos contestó:

—Se han bajado todos a los pueblos y a las ciudades a celebrar la marcha de los griegos.

En cuanto nos acercamos a Kırkıca no conseguimos dominar la emoción. Nos entraron escalofríos y se nos cortó la respiración. Nos aseguramos de que el pueblo estaba deshabitado y nos metimos por las calles, deslizándonos pegados a las paredes como ladrones. La luna iluminaba lo bastante como para distinguirlo todo. Las puertas de las casas chirriaban batidas por el viento. Era como si la peste hubiera segado la vida de toda alma viviente. Todo estaba solitario, vacío. Por las escaleras y las calles, ropa tirada, muebles y cristales rotos. De vez en cuando un perro que ladraba lastimeramente: «¡Guau, guau, guau!» Y los insistentes, mustios e inquietantes maullidos de los gatos, que acrecentaban aquella desolación. Cada casa, cada calle,

cada árbol y cada piedra de aquella tierra estaban indiso-
lublemente unidos a nuestra alma y a nuestros recuerdos.

¡Nos echamos a llorar! Jo, ¿acaso no es nuestro este
pueblo? ¿No son nuestras estas casas? ¿No son nuestros
la tierra, los trigales, los árboles? ¿No crecimos aquí?
¿No trabajamos aquí? ¿No están aquí enterrados los huesos de nuestros antepasados? ¿No están aquí los frutos
de nuestro trabajo, nuestros recuerdos, nuestros sueños?
¿Cómo es posible que ya nada de todo esto sea nuestro?

—¡Venga, vámonos!—dijo mi compañero—. ¡Que si
nos ve alguien, no van a quedar de nosotros ni los huesos para los perros!

Subimos hacia la casa del guardés Seféroglu. Allí sabíamos que íbamos a encontrar lo que necesitábamos:
odres de piel de cabra que íbamos a hinchar y a echar al
mar, cuerdas, ropa, faroles y comida.

Nadie había entrado todavía en aquella casa aislada.
Sólo faltaba el ganado. Hasta estaban hechas las camas,
fuera, bajo el peral silvestre. Las gallinas, en cuanto sin-
tieron nuestra presencia se pusieron a revolotear. No
perdimos tiempo. Sabíamos dónde lo guardaban todo y
encontramos todo lo que buscábamos. Antes de irnos,
Panos me paró un instante y me dijo:

—¡Espera, que me apetece hincar el diente!

Corrió a pillar un par de gallinas, sacó el cuchillo para
degollarlas y que no cacarearan por el camino, pero se
quedó pálido, le empezó a temblar la mano y las soltó.

—¡No puedo! ¡Vámonos!

En cuanto llegamos al bosque nos metimos en una
cueva aislada a descansar. Comprobamos que los odres
no perdieran aire y luego nos sentamos a comer el pan

de cebada y los higos secos de nuestro buen amigo Seféroglu. Bebimos anís y echamos un cigarrillo.

Nos pusimos de nuevo en marcha y llegamos a una playa desierta. Entre Çağlı y Samos hay una isla desierta. Si conseguíamos llegar allí sanos y salvos, luego era un salto hasta Samos. Haríamos señales a los pescadores. Gritaríamos. Sólo había un peligro. Que hubieran llegado antes los turcos y hubieran dejado algún retén.

Al amanecer nos acercamos a la orilla. Éramos presa de la angustia. Cualquier ruido nos metía el miedo en el cuerpo. De repente oímos unas voces. Nos zambullimos en una ciénaga. Panos no aguantó mucho rato, sacó la cabeza y, al ver que ya habían pasado de largo los turcos, me avisó para que saliera. Nos escondimos detrás de unas rocas. El viento levantaba olas y las hacía romper ruidosamente contra las rocas.

Hinchamos a toda prisa los odres, pero, cuando íbamos a tirarnos al agua, a Panos le entró miedo. Era la primera vez que se metía en el mar. Para darle ánimos, me tiré primero y levanté luego los brazos para que viera cómo flotaba con los odres en medio de la espuma. Yo también era de tierra adentro, pero me había bañado muchas veces en el mar en Kuşadası y en Esmirna. Le insistí en que con los odres no teníamos nada que temer.

—¡Venga, tírate!—le grité—. No perdamos más tiempo.

Panos, que en su vida había tenido miedo a nada, estaba aterrorizado ante el mar. Daba dos pasos adelante y diez para atrás. Tuve que salir.

—¡No puedo! ¡Yo no me voy! Seguro que los turcos tienen un retén en esa isla.

—¡Venga, Panos! ¿Tú eres el que dice eso? ¿Tú? ¡Venga, que nos tiramos encima de ellos, los cogemos de los cojones, les quitamos las armas y los estrangulamos! ¡Venga, joder, que no se nos va a presentar otra oportunidad! ¡Date prisa! ¡Muévete!

Era terco como una mula. Tenía los pies clavados en la roca, no podía dar un paso. Me acerqué a él, intenté convencerlo, le metí miedo, lo arrastré por la fuerza, nada. Poco nos faltó para llegar a las manos. No sabía qué hacer. Pasaba el tiempo.

—¿A qué esperas?—gritó encorajinado—. Yo no te retengo. ¡Vete!

Me volví a mirarle.

—¡Panos, es una pena!

Agachó la cabeza. Me preparé para tirarme al agua. Se me encogía el alma.

—¡Adiós!—le dije.

Panos se emocionó.

—Si encuentras una barca y puedes, ven por mí. Me quedaré aquí esperándote. Si me he ido, quiere decir que pasa algo, que hay peligro. No te vayas a acercar y que te pillen.

Comprendí que se había dado por vencido y que no me iba a seguir.

Me tiré al agua. Las olas me impedían avanzar. Movía torpemente brazos y piernas. Me faltaba el resuello. Sabía que tenía que dominar los nervios y reducir mis movimientos. Ya divisaba el islote. ¿Qué me iba a encontrar allí? ¿Habrían dejado un retén los turcos? Cuando ya llegaba, estaba tan agotado que me dio la impresión de que me iba a desmayar y a duras penas pude mantener el conocimiento. Empecé a trepar con cuidado, ojos, oídos y nervios a punto de estallar. Oí un ruido y me quedé quieto. Era como si estuvieran rebuscando entre las ramas. Decidí subir hasta lo alto para ver desde allí lo que era. Avancé a gatas. El susurro era cada vez más intenso. Me corría un sudor frío por el cuerpo. Y entonces, ¡pues no veo asomarse a mi izquierda, en el acantilado, unas gaviotas! «¡Uf!», respiré aliviado.

La isla estaba desierta. Busqué por todas partes, andando a zancadas. Trepé al cerro más alto y oteé el mar hacia Samos. Sólo me separaba una milla de Grecia. Empecé a agitar mi cinturón blanco y a escudriñar el horizonte. Pasaba el tiempo. Me entró un hambre atroz.

El mar se estaba calmando. «No puede ser», pensé, «alguien tiene que aparecer, una barca de pescadores, una lancha, alguien. Si es necesario, me tiro otra vez y me voy nadando. Si se hubiera venido conmigo ese mastuerzo de Panos, todo me parecería más fácil.»

Entonces divisé un puntito negro en el horizonte. Parecía un pájaro. No, no era un pájaro, era una roca. No, una roca tampoco. ¡Se mueve! ¡Se mueve! Era una embarcación. Una barca de pescadores. Con la vela al viento. ¡Y lleva remos! ¡Sí, lleva remos!

—¡Eh! ¡Eh! ¡Eh!

Empecé a gritar agitando en el aire el cinturón blanco. Silbé. ¿Me habrían visto? ¿Me habrían oído?

Pensé que igual se habían asustado y se volvían por donde habían venido. Y corrí abajo, hasta los escollos, me puse los odres y salté al agua. La barca cada vez estaba más cerca. Me empezaron a dar calambres. Hice un último esfuerzo.

Los pescadores me sacaron ya sin resuello del agua. No podía hablar. Sólo sentía el calor de mis lágrimas en las mejillas. Me dieron a beber agua y me recobré. Les conté a los pescadores cómo había llegado hasta aquel islote y les pedí que fuéramos a tierra a buscar a mi amigo. Se quedaron mudos. El mayor de los dos, que se llamaba Léandros, me dijo:

—Mira, paisano, te voy a ser franco. Nosotros no nos metemos en aguas turcas. ¿Entiendes? ¡Tengo diez hijos que mantener! ¡Cómo va a permitir el Señor que se queden huérfanos sólo por salvar una vida! Yo no voy.

El otro asintió. Y cogieron los remos y empezaron a remar de vuelta para Samos. Les conté lo que había dicho Panos.

—Que va a estar pendiente de nosotros y no nos pillarán... Que yo también le tengo aprecio a la vida. ¿O es que no lo parece después de todo lo que he pasado?

—¡No pierdas el tiempo hablando que bastante temeridad es ya haber llegado hasta aquí!

Descargaron todo su malhumor remando. Cuando vi que nos alejábamos, se me disparó la mente, saltando de una solución a otra. ¿Cómo iba a abandonar a Panos si fue él el que me convenció de que nos escapáramos y juntos conseguimos llegar hasta Çağlı? Tomé una decisión a la desesperada. Me tiré al agua. Los odres se habían desinflado un poco. Empecé a nadar como buenamente pude. Los pescadores dejaron de remar, arrepentidos. Léandros frunció los labios y, mordiendo nerviosamente el cigarrillo, entornó los ojos calculando la distancia. Luego se volvió hacia su compañero y le dijo:

—Oye, Gligoris, ¿tú qué dices? ¿Vamos?

—¿Vamos?—dijo Gligoris.

—¡Vamos, joder! ¡Ojalá no hubiera salido hoy al mar!

Y para allá que nos fuimos. Panos, sólo vernos, se puso como loco. ¡Nos parecía mentira que estuviéramos ya a salvo!

En cuanto echamos pie a tierra en Samos, nos recogió una patrulla, a nosotros y a otros muchos, y nos embarcaron en un barco que estaba a punto de levar ancla.

—Samos está abarrotada de refugiados, os tenéis que ir a otro sitio...

—Todas las islas y todos los puertos están atestados...

—¡Por todos lados hay refugiados! ¡Refugiados! Millón y medio de almas.

Nos encontramos de repente acurrucados en la popa de un barco con nuestros harapos y nuestros hatillos, entumecidos, derrengados, sin saber adónde nos llevaría aquel nuevo temporal. Las mujeres suspiraban.

—¿Qué habrá sido de los nuestros?

La ruina y la destrucción retumban sin cesar en la cabeza y en el corazón de la gente. El barco se estremece. Está zarpando. Nadie sabe adónde va. La gente se interroga con la mirada.

—¿Tú lo sabes?

—¿Qué te pasa que no hablas?

—A mi marido lo cogieron en la Punta...

—Yo vestí a mi hijo de niña, pero se dieron cuenta...

—Un vecino nos aconsejó que nos refugiáramos en un burdel. ¡Y cuando llegamos nos encontramos con que habían degollado hasta a las putas! ¡A todas!

Y empiezan todos a contar su historia. Vayas a donde vayas, hagas lo que hagas, te persiguen por doquier y te taladran los oídos como voces imaginarias en la cabeza de un loco.

—Así mismito ocurrió, tal como te lo cuento. A maese Yannikós se le ocurrió esconderse bajo una pila de cadáveres y va y ¿qué es lo que se encuentra? ¡A toda su familia amontonada y degollada!

—Eso no es nada comparado con lo de Anestis. Resulta que se habían presentado los guerrilleros en la finca y él sin enterarse. Y entonces el pobre corrió al secadero y se escondió entre las hojas de tabaco. Al poco entraron seis guerrilleros altos como torres arrastrando a una adolescente. La tumbaron y la desvirgaron. Tres horas se pasaron follándosela. «¡Joder, se ha muerto!», dijo uno al final sacudiendo el cuerpo rígido. Los otros escupieron al suelo de asco, se abrocharon los pantalones y se largaron. Entonces va y sale Anestis de su escondite, tropieza con la chica muerta, le echa una mirada y pega un grito: «¡Aaay! ¡Hija mía! ¡Eras tú, hija mía!» Y ya os podéis imaginar cómo estará ahora el pobre Anestis…

Un grupo de soldados discute sobre las causas y las responsabilidades de la guerra.

—Lo suyo es que hubieran mandado barcos a recoger a la gente para ponerla a salvo. Pero ni eso.

—Yo sé por qué. Me lo dijo un capitán. Por lo visto en El Pireo se llegaron a reunir noventa y dos barcos de gran calado dispuestos a hacerse a la mar para ir a Asia Menor a recoger a la gente. Pero nada más zarpar recibieron un telegrama secreto del gobierno: «Travesía fa-

323

cultativa, servicio discrecional.» ¡Y de los noventa y dos barcos sólo emprendieron el rumbo diecisiete! No lo olvidaré jamás: en Ak Çay había treinta y cinco mil mujeres y niños esperando para embarcar. Nosotros éramos diez mil soldados y veníamos de Edremit cuando…

Entre una cosa y otra cayó la noche y las conversaciones fueron apagándose. Los que se lograron dormir nos aturdían con sus ronquidos y sus sordos aullidos. Voces atormentadas, henchidas de terror y de dolor. A los que se enrollaron como yo en las mantas, toda la noche con la mirada perdida, nos asaltaron unas visiones horrendas. Continuamente se oía un llanto trémulo y cansino, sordo e impenitente. Un dolor colectivo insoportable.

Sombras que cruzan la noche. Alfanjes que cercenan cabezas. Cuerpos libidinosos, bañados en sudor, de zeybekos desmandados que les abren con saña las piernas a las chicas y, nada más consumar su ilícita coyunda, les asestan una puñalada en sus tiernos corazoncillos.

«¡Aaay! ¡Aaay! ¡Aaay!» Criaturas de este mundo, ¿qué fuerza es ésta que os está diezmando? ¡Sonrisas humanas transidas de terror, de terror y de muerte!

Allí enfrente, en la costa de Asia Menor, se divisan unas lucecillas como ojos que parpadean. Allí enfrente dejamos casas impolutas, riquezas a buen recaudo, coronas nupciales en los iconostasios, antepasados en los cementerios. Dejamos hijos y nietos y hermanos. Dejamos muertos sin sepultura. Vivos sin hogar. Quimeras. Allí. Allí enfrente estaba hasta ayer nuestra patria.

En medio de la noche, una noche que se diría sin mañana, desfilan ante mí, uno tras otro, personajes familiares: los kirlíes, Şefkât, Ismaíl Bey, Kerim Efendi, Şükrü

Bey, tío Alí, Adviyé... ¿Y qué pueden ellos hacer? ¡Todo está ya perdido!

¡Tan, tan! La letanía de los cencerros. Es el camello, de paso cansino, con sus cestas y sus alforjas a cuestas, y los sacos de uvas pasas, de higos y de aceitunas, y las balas de algodón y de seda, y las tinajas y los barriles de aceite de rosa y de anís, todas las riquezas de Oriente. ¡Todo está perdido!

¡Camellero! ¡Sí, tú, el de los calzones y la flor de amaranto en la oreja, déjalo ya! No te hagas eco con las manos. Ya no me emociona el arrebato de tu canto.

¡Şefkât! ¿No me reconoces? Nos pasamos años cosechando juntos risas y lágrimas. *Ne yapıyorsun, Şefkât?* (¿Cómo estás, Şefkât?) ¡Ay, Şefkât! ¡Şefkât! Nos hemos convertido en alimañas. Se nos ha marchitado el corazón de tanto asestarnos puñaladas. ¿Y qué hemos conseguido?

¿Por qué me miras así, miliciano de Mehmet *el Ciego*? Te quité la vida y por eso lloro. ¡Pero piensa en lo que me has quitado tú! ¡Hermanos, amigos, paisanos! ¡Piensa en los Amelé Taburú! ¡Toda una generación malograda!

¡Tanto veneno, tantas desgracias y yo que quisiera volver a lo que fue antes! Ojalá todo lo que hemos pasado no fuera más que un sueño y pudiéramos volver en este mismo instante a nuestra tierra, a nuestros jardines, a nuestros bosques con sus jilgueros, sus grajos y sus mirlos, a nuestros huertos con sus mejoranas y sus cerezos en flor, a nuestras ferias con sus mozas...

Miliciano de Mehmèt *el Ciego*, saluda de mi parte a la tierra que nos vio nacer, *selam söyle...* Que no nos guarde rencor por haberla cubierto de sangre. *Kahrolsun sebep olanlar!* ¡Malditos sean los culpables!

ESTA EDICIÓN, PRIMERA,
DE «TIERRAS DE SANGRE», DE DIDÓ SOTIRÍU,
SE HA TERMINADO DE IMPRIMIR,
EN CAPELLADES, EN EL
MES DE NOVIEMBRE
DEL AÑO 2002.